Palabras
de Vida del
Gran
Maestro

Palabras
de Vida *del*
Gran
Maestro

*Poder
para Vivir*

Pacific Press® Publishing Association
Nampa, Idaho
Oshawa, Ontario, Canadá

Título de este libro en inglés: *Christ's Object Lessons*

Publicado y distribuido en Norteamérica por
PUBLICACIONES INTERAMERICANAS
División Hispana de la Pacific Press® Publishing Association
P. O. Box 5353, Nampa, Idaho 83653,
EE. UU. de N. A.

ISBN 13: 9780816395750
ISBN: 0-8163-9575-6

Printed in the United States of America

12 13 14 15 * 5 4 3 2

Contenido

La Enseñanza Más Eficaz

En la enseñanza de Cristo mediante parábolas, se nota el mismo principio que el que lo impulsó en su misión al mundo. A fin de que llegáramos a conocer su divino carácter y su vida, Cristo tomó nuestra naturaleza y vivió entre nosotros. La Divinidad se reveló en la humanidad; la gloria invisible en la visible forma humana. Los hombres podían aprender de lo desconocido mediante lo conocido; las cosas celestiales eran reveladas por medio de las terrenales; Dios se manifestó en la semejanza de los hombres. Tal ocurría en las enseñanzas de Cristo: lo desconocido era ilustrado por lo conocido; las verdades divinas, por las cosas terrenas con las cuales la gente se hallaba más familiarizada.

La Escritura dice: "Todo esto habló Jesús por parábolas;... para que se cumpliese lo que fue dicho por el profeta, que dijo: Abriré en parábolas mi boca; rebosaré cosas escondidas desde la fundación del mundo". (Mateo 13:34,35.) Las cosas naturales eran el vehículo de las espirituales; las cosas de la naturaleza y la experiencia de la vida de sus oyentes eran relacionadas con las verdades de la Palabra escrita. Guiando así del reino natural al espiritual, las parábolas de Cristo son eslabones en la cadena de la verdad que une al hombre con Dios, la tierra con el cielo.

En su enseñanza basada en la naturaleza, Cristo hablaba de las cosas que sus propias manos habían creado y que tenían cualidades y poderes que él mismo les había impartido.

En su perfección original, todas las cosas creadas eran una expresión del pensamiento de Dios. Para Adán y Eva en su hogar edénico, la naturaleza estaba llena del conocimiento de Dios, repleta de instrucción divina. La sabiduría hablaba a los ojos, y era recibida en el corazón; pues ellos se ponían en comunión con Dios por medio de sus obras creadas. Tan pronto como la santa pareja transgredió la ley del Altísimo, el fulgor del rostro divino se apartó de la faz de la naturaleza. La tierra se halla actualmente desfigurada y profanada por el pecado. Sin embargo, aun en su estado de marchitez, permanece mucho de lo que es hermoso. Las lecciones objetivas de Dios no se han borrado; correctamente entendida, la naturaleza habla de su Creador.

En los días de Cristo se habían perdido de vista estas lecciones. Los hombres casi habían dejado de discernir a Dios en sus obras. La pecaminosidad de la humanidad había echado una mortaja sobre la radiante faz de la creación; y en vez de manifestar a Dios, sus obras llegaron a ser un obstáculo que lo ocultaba. Los hombres honraron y sirvieron "a las criaturas antes que al Creador". Así los paganos "se desvanecieron en sus discursos, y el necio corazón de ellos fue entenebrecido". (Romanos 1:25, 21.) De esta suerte, en Israel, las enseñanzas de los hombres habían sido colocadas en lugar de las de Dios.

No solamente las cosas de la naturaleza, sino el ritual de los sacrificios y las mismas Escrituras —todos dados para revelar a Dios—, fueron tan pervertidos que llegaron a ser los medios de ocultarlo.

Cristo trató de quitar aquello que oscurecía la verdad. Vino a descorrer el velo que el pecado había echado sobre la faz de la naturaleza, a fin de que reflejase la gloria espiritual, y todas las cosas habían sido creadas para mostrar esa gloria. Sus palabras presentaban a través de un nuevo prisma las enseñanzas de la naturaleza, así como las de la Biblia, y las convertían en una nueva revelación.

Jesús arrancó un hermoso lirio y lo colocó en manos de los niños y los jóvenes; y al observar ellos el propio rostro juvenil del Salvador, radiante con la luz del sol de la faz de su Padre, expresó la lección: "Reparad los lirios del campo, cómo crecen [con la simplicidad de la belleza natural]; no trabajan ni hilan; mas os digo, que ni aun Salomón con toda su gloria fue vestido así como uno de ellos". Entonces siguió la dulce seguridad y la importante lección: "Y si la hierba del campo que hoy es, y mañana es echada en el horno, Dios la viste así, ¿no hará mucho más a vosotros, hombres de poca fe?" (Mateo 6:28-30)

En el Sermón de la Montaña estas palabras fueron habladas a otros, además de los niños y los jóvenes. Fueron dirigidas a la multitud, en la cual se hallaban hombres y mujeres llenos de congojas y perplejidades, apenados por las desilusiones y el dolor. Jesús continuó: "No os congojéis, pues, diciendo: ¿Qué comeremos, o qué beberemos, o con qué nos cubriremos? Porque los gentiles buscan todas estas cosas: que vuestro Padre celestial sabe que de todas estas cosas habéis menester". Entonces, extendiendo sus manos hacia la multitud que lo rodeaba, dijo: "Mas buscad primeramente el reino de Dios y su justicia, y todas estas cosas os serán añadidas". (Mateo 6:31-33.)

Así interpretó Cristo el mensaje que él mismo había puesto en los lirios y la hierba del campo. El desea que lo leamos en cada lirio y en cada brizna de hierba. Sus palabras se hallan llenas de seguridad, y tienden a afianzar la confianza en Dios.

Tan amplia era la visión que Cristo tenía de la verdad, tan vasta su enseñanza, que cada aspecto de la naturaleza era empleado en ilustrar la verdad. Las escenas sobre las cuales la vista reposaba diariamente, se hallaban relacionadas con alguna verdad espiritual, de manera que la naturaleza se halla vestida con las parábolas del Maestro.

En la primera parte de su ministerio, Cristo había hablado a la gente en palabras tan claras, que todos sus oyentes podían haber entendido las verdades que los hubieran hecho sabios para la salvación. Pero en muchos corazones la verdad no había echado raíces y había sido prestamente arrancada. "Por eso les hablo en parábolas —dijo él—, porque viendo no ven, y oyendo no oyen, ni entienden... Porque el corazón de este pueblo está engrosado, y de los oídos oyen pesadamente, y de sus ojos guiñan". (Mateo 13:13-15.)

Jesús quiso incitar el espíritu de investigación. Trató de despertar a los descuidados, e imprimir la verdad en el corazón. La enseñanza en parábolas era popular, y suscitaba el respeto y la atención, no solamente de los judíos, sino de la gente de otras nacionalidades. No podía él haber empleado un método de instrucción más eficaz. Si sus oyentes hubieran anhelado un conocimiento de las cosas divinas habrían podido entender sus palabras; porque él siempre estaba dispuesto a explicarlas a los investigadores sinceros.

Otra vez Cristo tenía verdades para presentar, que la gente no estaba preparada para aceptar, ni aun para entender. Por esta razón también él les enseñó en parábolas. Relacionando sus enseñanzas con las escenas de la vida, la experiencia o la naturaleza, cautivaba su atención e impresionaba sus corazones. Más tarde, cuando ellos miraban los objetos que ilustraban sus lecciones, recordaban las palabras del divino Maestro. Para las mentes abiertas al Espíritu Santo, el significado de la enseñanza del Salvador se desarrollaba más y más. Los misterios se aclaraban, y aquello que había sido difícil de entender se tornaba evidente.

Jesús buscaba un camino hacia cada corazón. Usando una variedad de ilustraciones, no solamente presentaba la verdad en sus diferentes fases, sino que hablaba al corazón de los distintos oidores. Suscitaba su atención mediante figuras sacadas de

las cosas que los rodeaban en la vida diaria. Nadie que escuchara al Salvador podía sentirse descuidado u olvidado. El más humilde el más pecador oía en sus enseñanzas una voz que le hablaba con simpatía y ternura.

Además tenía él otra razón para enseñar en parábolas. Entre las multitudes que se reunían a su alrededor había sacerdotes y rabinos, escribas y ancianos, herodianos y príncipes, hombres amantes del mundo, fanáticos, ambiciosos, que deseaban, sobre todas las cosas, encontrar alguna acusación contra él. Sus espías seguían sus pasos día tras día, para hallar alguna palabra de sus labios que pudiera causar su condena y acallar para siempre a Aquel que parecía arrastrar el mundo tras sí. El Salvador entendía el carácter de esos hombres, y presentaba la verdad de tal manera que ellos no pudieran hallar nada en virtud de lo cual presentar su caso ante el Sanedrín. En parábolas reprochaba la hipocresía y las obras malvadas de aquellos que ocupaban altas posiciones, y revestía de lenguaje figurado verdades tan cortantes que, si se las hubiera presentado en forma de denuncia directa, ellos no habrían escuchado sus palabras y bien pronto hubieran puesto fin a su ministerio. Pero mientras eludía a los espías, hacía la verdad tan clara que el error era puesto de manifiesto, y los hombres de corazón sincero aprovechaban sus lecciones. La sabiduría divina, la gracia infinita, eran aclaradas por los objetos de la creación de Dios. Por medio de la naturaleza y los incidentes de la vida, los hombres eran enseñados acerca de Dios. "Las cosas invisibles de él, su eterna potencia y divinidad, se echan de ver desde la creación del mundo, siendo entendidas por las cosas que son hechas". (Romanos 1:20.)

En la enseñanza en parábolas usada por el Salvador se halla una indicación de lo que constituye la verdadera "educación superior". Cristo podría haber abierto ante los hombres las más profundas verdades de la ciencia. Podría haber descubierto misterios cuya penetración habría requerido muchos siglos de fatiga y estudio. Podría haber hecho insinuaciones en los ramos científicos que habrían proporcionado alimento para el pensamiento y estímulo para la inventiva hasta el fin de los tiempos. Pero no lo hizo. No dijo nada para satisfacer la curiosidad o para gratificar las ambiciones de los hombres abriéndoles las puertas a las grandezas mundanas. En toda su enseñanza, Cristo puso la mente del hombre en contacto con la Mente infinita. No indujo a sus oyentes a estudiar las teorías de los hombres acerca de Dios, su Palabra o sus obras. Les enseñó a contemplarlo tal como se manifestaba en sus obras, en su Palabra y por sus providencias.

Cristo no trató de teorías abstractas, sino de aquello que es esencial para el desarrollo del carácter, aquello que aumenta la capacidad del hombre para conocer a Dios y amplía su eficiencia para lo bueno. Habló a los hombres de aquellas verdades que tienen que ver con la conducta de la vida y que abarcan la eternidad.

Fue Cristo el que dirigió la educación de Israel. Con respecto a los mandamientos y ordenanzas del Señor él dijo: "Las repetirás a tus hijos, y hablarás de ellas estando en tu casa, y andando por el camino, y al acostarte, y cuando te levantes: y has de atarlas por señal en tu mano, y estarán por frontales entre tus ojos: y las escribirás en los postes de tu casa, y en tus portadas". (Deuteronomio 6:7-9.) En su propia enseñanza, Jesús mostró cómo había de cumplirse este mandamiento, cómo pueden presentarse las leyes y principios del reino de Dios para revelar su belleza y preciosura. Cuando el Señor estaba preparando a los hijos de Israel para que fueran sus representantes especiales, les dio hogares situados entre las colinas y los valles. En su vida en el hogar y en su servicio religioso se ponían constantemente en contacto con la naturaleza y con la Palabra de Dios. Así también Cristo enseñaba a sus discípulos junto al lago, sobre la ladera de la montaña, en los campos y arboledas, donde pudieran mirar las cosas de la naturaleza con las cuales ilustraba sus enseñanzas. Y mientras aprendían de Cristo, usaban sus conocimientos cooperando con él en su obra.

De esta suerte, mediante la creación hemos de familiarizarnos con el Creador. El libro de la naturaleza es un gran libro de texto, que debemos usar conjuntamente con las Escrituras para enseñar a los demás acerca del carácter de Dios y para guiar a las ovejas perdidas de vuelta al aprisco del Señor. Mientras se estudian las obras de Dios, el Espíritu Santo imparte convicción a la mente. No se trata de la convicción que producen los razonamientos lógicos; y a menos que la mente haya llegado a estar demasiado oscurecida para conocer a Dios, la vista demasiado anublada para verlo, el oído demasiado embotado para oír su voz, se percibe un significado más profundo, y las sublimes verdades espirituales de la Palabra escrita quedan impresas en el corazón.

En estas lecciones que se obtienen directamente de la naturaleza hay una sencillez y una pureza que las hace del más elevado valor. Todos necesitan las enseñanzas que se han de sacar de esta fuente. Por sí misma, la hermosura de la naturaleza lleva al alma lejos del pecado y de las atracciones mundanas y la guía hacia la pureza, la paz y Dios. Demasiado a menudo las mentes de los estudiantes están ocupadas por las teorías y especulaciones humanas, falsamente llamadas ciencia y filosofía. Necesitan ponerse en íntimo contacto con la naturaleza. Aprendan ellos que la creación y el cristianismo tienen un solo Dios. Sean enseñados a ver la armonía de lo natural con lo espiritual. Conviértase todo lo que ven sus ojos y tocan sus manos en una lección para la edificación del carácter. Así las facultades mentales serán fortalecidas, desarrollado el carácter, y en noblecida la vida toda.

El propósito que Cristo tenía al enseñar por parábolas corría parejas con su propósito en lo referente al sábado. Dios dio a los hombres el recordativo de su poder creador a fin de que lo vieran en las obras de sus manos. El sábado nos invita a contemplar la gloria del Creador en sus obras creadas. Y a causa de que Jesús quería que lo hiciéramos, relacionó sus preciosas lecciones con la hermosura de las cosas naturales. En el santo día de descanso, más especialmente que en todos los demás días, debemos estudiar los mensajes que Dios nos ha escrito en la naturaleza. Debemos estudiar las parábolas del Salvador allí donde las pronunciara, en los prados y arboledas, bajo el cielo abierto, entre la hierba y las flores. Cuando nos acercamos íntimamente al corazón de la naturaleza, Cristo hace que su presencia sea real para nosotros, y habla a nuestros corazones de su paz y amor.

Y Cristo ha vinculado su enseñanza, no sólo con el día de descanso, sino con la semana de trabajo. Tiene sabiduría para aquel que dirige el arado y siembra la simiente. En la arada y en la siembra, el cultivo y la cosecha, nos enseña a ver una ilustración de su obra de gracia en el corazón. Así, en cada ramo de trabajo útil y en toda asociación de la vida, él desea que encontremos una lección de verdad divina. Entonces nuestro trabajo diario no absorberá más nuestra atención ni nos inducirá a olvidar a Dios; nos recordará continuamente a nuestro Creador y Redentor. El pensamiento de Dios correrá cual un hilo de oro a través de todas nuestras preocupaciones del hogar y nuestras labores. Para nosotros la gloria de su rostro descansará nuevamente sobre la faz de la naturaleza. Estaremos aprendiendo de continuo nuevas lecciones de verdades celestiales, y creciendo a la imagen de su pureza. Así seremos "enseñados de Jehová"; y cualquiera sea la suerte que nos toque permaneceremos con Dios. (Isaías 54:13; 1 Corintios 7:24.)

La Siembra de la Verdad

Este capítulo está basado en
Mateo 13:1-9, 18-23;
Marcos 4:1-20; Lucas 8:4-15.

Y su misma enseñanza en parábolas era la simiente con la cual fueron sembradas las más preciosas verdades de su gracia. A causa de su simplicidad, la parábola del sembrador no ha sido valorada como debiera haber sido. De la semilla natural echada en el terreno, Cristo desea guiar nuestras mentes a la semilla del Evangelio, cuya siembra produce el retorno de los hombres a su lealtad a Dios. Aquel que dio la parábola de la semillita es el Soberano del cielo, y las mismas leyes que gobiernan la siembra de la semilla terrenal, rigen la siembra de la simiente de verdad.

Junto al mar de Galilea se había reunido una multitud para ver y oír a Jesús, una muchedumbre ávida y expectante. Allí estaban los enfermos sobre sus esteras, esperando presentar su caso ante él. Era el derecho de Cristo conferido por Dios, curar los dolores de una raza pecadora, y ahora reprendía la enfermedad y difundía a su alrededor vida, salud y paz.

Como la multitud seguía aumentando, la gente estrechó a Jesús hasta que no había más lugar para recibirlos. Entonces, hablando una palabra a los hombres que estaban en sus barcos de pesca, subió a bordo de la

POR medio de la parábola del sembrador, Cristo ilustra las cosas del reino de los cielos, y la obra que el gran Labrador hace por su pueblo. A semejanza de uno que siembra en el campo, él vino a esparcir los granos celestiales de la verdad.

embarcación que lo estaba esperando para conducirlo a través del lago, y pidiendo a sus discípulos que alejaran el barco un poco de la tierra, habló a la multitud que se hallaba en la orilla.

Junto al lago se divisaba la hermosa llanura de Genesaret, más allá se levantaban las colinas, y sobre las laderas y la llanura, tanto los sembradores como los segadores se hallaban ocupados, unos echando la semilla y otros recogiendo los primeros granos. Mirando la escena, Cristo dijo: "He aquí, el sembrador salió a sembrar. Y aconteció sembrando, que una parte cayó junto al camino; y vinieron las aves del cielo, y la tragaron. Y otra parte cayó en pedregales, donde no tenía mucha tierra; y luego salió, porque no tenía la tierra profunda: mas, salido el sol, se quemó, y por cuanto no tenía raíz, se secó. Y otra parte cayó en espinas; y subieron las espinas, y la ahogaron, y no dio fruto. Y otra parte cayó en buena tierra, y dio fruto, que subió y creció: y llevó uno a treinta, y otro a sesenta, y otro a ciento".

La misión de Cristo no fue entendida por la gente de su tiempo. La forma de su venida no era la que ellos esperaban. El Señor Jesús era el fundamento de todo el sistema judaico. Su imponente ritual era divinamente ordenado. El propósito de él era enseñar a la gente que al tiempo prefijado vendría Aquel a quien señalaban esas ceremonias. Pero los judíos habían exaltado las formas y las ceremonias, y habían perdido de vista su objeto. Las tradiciones, las máximas y los estatutos de los hombres ocultaron de su vista las lecciones que Dios se proponía transmitirles. Esas máximas y tradiciones llegaron a ser un

obstáculo para la comprensión y práctica de la religión verdadera. Y cuando vino la Realidad, en la persona de Cristo, no reconocieron en él el cumplimiento de todos sus símbolos, la sustancia de todas sus sombras. Rechazaron a Cristo, el ser a quien representaban sus ceremonias, y se aferraron a sus mismos símbolos e inútiles ceremonias. El Hijo de Dios había venido, pero ellos continuaban pidiendo una señal. Al mensaje: "Arrepentíos, que el reino de los cielos se ha acercado" (Mateo 3:2), contestaron exigiendo un milagro. El Evangelio de Cristo era un tropezadero para ellos porque demandaban señales en vez de un Salvador. Esperaban que el Mesías probase sus aseveraciones por poderosos actos de conquista, para establecer su imperio sobre las ruinas de los imperios terrenales. Cristo contestó a esta expectativa con la parábola del sembrador. No por la fuerza de las armas, no por violentas interposiciones había de prevalecer el reino de Dios, sino por la implantación de un nuevo principio en el corazón de los hombres.

"El que siembra la buena simiente es el Hijo del hombre". (Mateo 13:37.) Cristo había venido, no como rey, sino como sembrador; no para derrocar imperios, sino para esparcir semillas; no para señalar a sus seguidores triunfos terrenales y grandeza nacional, sino una cosecha que debe ser recogida después de pacientes trabajos y en medio de pérdidas y desengaños.

Los fariseos percibieron el significado de la parábola de Cristo; pero para ellos su lección era ingrata. Aparentaron no entenderla. Esto hizo que, a ojos de la multitud, un misterio todavía mayor envolviera el propósito del nuevo maestro, cuyas palabras habían conmovido tan extrañamente su corazón y chasqueado tan amargamente sus ambiciones. Los mismos discípulos no habían entendido la parábola, pero su interés se despertó. Vinieron a Jesús en privado y le pidieron una explicación.

Este era el deseo que Cristo quería despertar, a fin de poder darles instrucción más definida. Les explicó la parábola, como aclarará su Palabra a todo aquel que lo busque con sinceridad de corazón. Aquellos que estudian la Palabra de Dios con corazones abiertos a la iluminación del Espíritu Santo, no permanecerán en las tinieblas en cuanto a su significado. "El que quisiere hacer su voluntad [la de Dios] —dijo Cristo—, conocerá de la doctrina, si viene de Dios, o si yo hablo de mí mismo". (Juan 7:17.) Todos los que acuden a Cristo en busca de un conocimiento más claro de la verdad, lo recibirán. El desplegará ante ellos los misterios del reino de los cielos, y estos misterios serán entendidos por el corazón que anhela conocer la verdad. Una luz celestial brillará en el templo del alma, la cual se revelará a los demás cual brillante fulgor de una lámpara en un camino oscuro.

"El sembrador salió a sembrar". (Marcos 4:3.) En el Oriente, el estado de las cosas era tan inseguro, y había tan grande peligro de violencia, que la gente vivía principalmente en ciudades amuralladas, y los labradores salían diariamente a desempeñar sus tareas fuera de los muros. Así Cristo, el Sembrador celestial, salió a sembrar. Dejó su hogar de seguridad y paz, dejó la gloria que él tenía con el Padre antes que el mundo fuese, dejó su puesto en el trono del universo. Salió como uno que sufre, como hombre tentado; salió solo, para sembrar con lágrimas, para verter su sangre, la simiente de vida para el mundo perdido.

Sus servidores deben salir a sembrar de la misma manera. Cuando Abrahán recibió el llamamiento a ser un sembrador de la simiente de verdad, se le ordenó: "Vete de tu tierra y de tu parentela, y de la casa de tu padre, a la tierra que te mostraré". "Y salió sin saber dónde iba". (Génesis 12:1; Hebreos 11:8.) Así el apóstol Pablo, orando en el templo de Jerusalén, recibió el mensaje de Dios: "Ve, porque yo te tengo que enviar lejos a los gentiles". (Hechos 22:21.) Así los que son llamados a unirse con Cristo deben dejarlo todo para seguirle a él. Las antiguas relaciones deben ser rotas, deben abandonarse los planes de la vida, debe renunciarse a las esperanzas terrenales. La semilla debe sembrarse con trabajo y lágrimas, en la soledad y mediante el sacrificio.

"El sembrador siembra la palabra". (Marcos 4:14, VM.) Cristo vino a sembrar el mundo de verdad. Desde la caída del hombre, Satanás ha estado sembrando las semillas del error. Fue por medio de un engaño como obtuvo el dominio sobre el hombre al principio, y así trabaja todavía para derrocar el reino de Dios en la tierra y colocar a los hombres bajo su poder. Un sembrador proveniente de un mundo más alto, Cristo, vino a sembrar las semillas de verdad. Aquel que había estado en los concilios de Dios, Aquel que había morado en el lugar santísimo del Eterno, podía traer a los hombres los puros principios de la verdad. Desde la caída del hombre, Cristo había sido el Revelador de la verdad al mundo. Por medio de él, la incorruptible simiente, "la palabra de Dios, que vive y permanece para siempre" (1 Pedro 1:23), es comunicada a los hombres. En aquella primera promesa pronunciada a nuestra raza caída, en el Edén, Cristo estaba sembrando la simiente del Evangelio. Pero la parábola se aplica especialmente a su ministerio personal entre la gente y a la obra que de esa manera estableció.

La palabra de Dios es la simiente. Cada semilla tiene en sí un poder germinador. En ella está encerrada la vida de la planta. Así hay vida en la palabra de Dios. Cristo dice: "Las palabras que yo os he hablado, son espíritu, y son vida". "El que oye mi palabra, y cree al que me ha enviado, tiene vida eterna". (Juan 6:63; 5:24.) En cada mandamiento y en cada promesa de la Palabra de Dios se halla el poder, la vida misma de Dios, por medio de los cuales pueden cumplirse el mandamiento y la promesa. Aquel que por la fe recibe la palabra, está recibiendo la misma vida y carácter de Dios.

Cada semilla lleva fruto según su especie. Sembrad la semilla en las debidas condiciones, y desarrollará su propia vida en la planta. Recibid en el alma por la fe la incorruptible simiente de la Palabra, y producirá un carácter y una vida a la semejanza del carácter y la vida de Dios.

Los maestros de Israel no estaban sembrando la simiente de la Palabra de Dios. La obra de Cristo como Maestro de la verdad se hallaba en marcado contraste con la de los rabinos de su tiempo. Ellos se espaciaban en las tradiciones, en las teorías y especulaciones humanas. A menudo colocaban lo que el hombre había enseñado o escrito acerca de la Palabra en lugar de la Palabra misma. Su enseñanza no tenía poder para vivificar el alma. El tema de la enseñanza y la predicación de Cristo era la Palabra de Dios. El hacía frente a los interrogadores con un sencillo: "Escrito está". "¿Qué dice la Escritura?" "¿Cómo lees?" En toda oportunidad, cuando se despertaba algún interés, fuera por obra de un amigo o un enemigo, él sembraba la simiente de la palabra. Aquel que es el Camino, la Verdad y la Vida, siendo él mismo la Palabra viviente, señala las Escrituras, diciendo: "Ellas son las que dan testimonio de mí". "Y comenzando desde Moisés, y de todos los profetas, declarábales en todas las Escrituras lo que de él decían". (Juan 5:39; Lucas 24:27.)

Los siervos de Cristo han de hacer la misma obra. En nuestros tiempos, así como antaño, las verdades vitales de la Palabra de Dios son puestas a un lado para dar lugar a las teorías y especulaciones humanas. Muchos profesos ministros del Evangelio no aceptan toda la Biblia como palabra inspirada. Un hombre sabio rechaza una porción; otro objeta otra parte. Valoran su juicio como superior a la Palabra, y los pasajes de la Escritura que ellos enseñan se basan en su propia autoridad. La divina autenticidad de la Biblia es destruida. Así se difunden semillas de incredulidad, pues la gente se confunde y no sabe qué creer. Hay muchas creencias que la mente no tiene derecho a albergar. En los días de Cristo los rabinos interpretaban en forma forzada y mística muchas porciones de la Escritura. A causa de que la sencilla enseñanza de la Palabra de Dios condenaba sus prácticas, trataban de destruir su fuerza. Lo mismo se hace hoy en día. Se hace aparecer a la Palabra de Dios como misteriosa y oscura para excusar la violación de la ley divina. Cristo reprendió estas prácticas en su tiempo. El enseñó que la Palabra de Dios había de ser entendida por todos. Señaló las Escrituras como algo de incuestionable autoridad, y nosotros debemos hacer lo mismo. La Biblia ha de ser presentada como la Palabra del Dios infinito, como el fin de toda controversia y el fundamento de toda fe.

Se ha despojado a la Biblia de su poder, y los resultados se ven en una disminución del tono de la vida espiritual. En los sermones de muchos púlpitos de nuestros días no se nota esa divina manifestación que despierta la conciencia y vivifica el alma. Los oyentes no pueden decir: "¿No ardía nuestro corazón en nosotros, mientras nos hablaba en el camino, y cuando nos abría las Escrituras?" (Lucas 24:32.) Hay muchas personas que están clamando por el Dios viviente, y anhelan la presencia divina. Las teorías filosóficas o los ensayos literarios, por brillantes que sean, no pueden satisfacer el corazón. Los asertos e invenciones de los hombres no tienen ningún valor. Que la Palabra de Dios hable a la gente. Que los que han escuchado sólo tradiciones, teorías y máximas humanas, oigan la voz de Aquel cuya palabra puede renovar el alma para vida eterna.

El tema favorito de Cristo era la ternura paternal y la abundante gracia de Dios; se espaciaba mucho en la santidad de su carácter y de su ley; se presentaba a sí mismo a la gente como el Camino, la Verdad, y la Vida. Sean éstos los temas de los ministros de Cristo. Presentad la verdad tal cual es en Jesús. Aclarad los requisitos de la ley y del Evangelio. Hablad a la gente de la vida de sacrificio y abnegación que llevó Cristo; de su humillación y muerte; de su resurrección y ascensión; de su intercesión por ellos en las cortes de Dios; de su promesa: "Vendré otra vez, y os tomaré a mí mismo". (Juan 14:3.)

En vez de discutir teorías erróneas o de tratar de combatir a los opositores del Evangelio, seguid el ejemplo de Cristo. Resplandezcan en forma vivificante las frescas verdades del tesoro divino. "Que prediques la palabra". Siembra "sobre las aguas". "Que instes a tiempo y fuera de tiempo". "Predique mi palabra con toda verdad aquel que recibe mi palabra... ¿Qué tiene que ver la paja con el trigo, dice el Señor?" "Toda palabra de Dios es limpia;... no añadas a sus palabras, porque no te reprenda, y seas hallado mentiroso". (2 Timoteo 4:2; Isaías 32:20; Jeremías 23:28, VTA; Proverbios 30:5, 6.)

"El sembrador siembra la palabra". Aquí se presenta el gran principio que debe gobernar toda obra educativa. "La simiente es la palabra de Dios". Pero en demasiadas escuelas de nuestro tiempo la Palabra de Dios se descarta. Otros temas ocupan la mente. El estudio de los autores incrédulos ocupa mucho lugar en el sistema de educación. Los sentimientos escépticos se entretejen en el texto de los libros de estudio. Las investigaciones científicas desvían, porque sus descubrimientos se interpretan mal y se pervierten. Se compara la Palabra de Dios con las supuestas enseñanzas de la ciencia, y se la hace aparecer como errónea e indigna de confianza. Así se siembran en las mentes juveniles semillas de dudas, que brotan en el tiempo de la tentación. Cuando se pierde la fe en la Palabra de Dios, el alma no tiene ninguna guía, ninguna seguridad. La juventud es arrastrada a senderos que alejan de Dios y de la vida eterna.

A esta causa debe atribuirse, en sumo grado, la iniquidad generalizada en el mundo moderno. Cuando se descarta la Palabra de Dios, se rechaza su poder de refrenar las pasiones perversas del corazón natural. Los hombres siembran para la carne, y de la carne siegan corrupción.

Además, en esto estriba la gran causa de la debilidad y deficiencia mentales. Al apartarse de la Palabra de Dios para alimentarse de los escritos de los hombres no inspirados, la mente llega a empequeñecerse y degradarse. No se pone en contacto con los profundos y amplios principios de la verdad eterna. La inteligencia se adapta a la comprensión de las cosas con las cuales se familiariza, y al dedicarse a las cosas finitas se debilita, su poder decrece, y después de un tiempo llega a ser incapaz de ampliarse.

Todo esto es falsa educación. La obra de todo maestro debe tender a afirmar la mente de la juventud en las grandes verdades de la Palabra inspirada. Esta es la educación esencial para esta vida y para la vida venidera.

Y no se crea que esto impedirá el estudio de las ciencias, o dará como resultado una norma más baja en la educación. El conocimiento de Dios es tan alto como los cielos y tan amplio como el universo. No hay nada tan ennoblecedor y vigorizador como el estudio de los grandes temas que conciernen a nuestra vida eterna. Traten los jóvenes de comprender estas verdades divinas, y sus mentes se ampliarán y vigorizarán con el esfuerzo. Esto colocará a todo estudiante que sea un hacedor de la palabra, en un campo de pensamiento más amplio, y le asegurará una imperecedera riqueza de conocimiento.

La educación que puede obtenerse por el escudriñamiento de las Escrituras, es un conocimiento experimental del plan de la salvación. Tal educación restaurará la imagen de Dios en el alma. Fortalecerá y vigorizará la mente contra la tentación, y habilitará al estudiante para ser un colaborador de Cristo en su misión de misericordia al mundo. Lo convertirá en un miembro de la familia celestial, y lo preparará para compartir la herencia de los santos en luz.

Pero el que enseña verdades sagradas puede impartir únicamente aquello que él mismo conoce por experiencia. "El sembrador salió a sembrar su semilla". (Lucas 8:5, VHA.) Cristo enseñó la verdad porque él era la verdad. Su propio pensamiento, su carácter, la experiencia de su vida, estaban encarnados en su enseñanza. Así debe ocurrir con sus siervos: aquellos que quieren enseñar la Palabra han de hacer de ella algo propio mediante una experiencia personal. Deben saber qué significa tener a Cristo hecho para ellos sabiduría y justificación y santificación y redención. Al presentar a los demás la Palabra de Dios, no han de hacerla aparecer como algo supuesto o un "tal vez". Deben declarar con el apóstol Pedro: "No os hemos dado a conocer... fábulas por arte compuestas; sino como habiendo con nuestros propios ojos visto su majestad". (2 Pedro 1:16.) Todo ministro de Cristo y todo maestro deben poder decir con el amado Juan: "Porque la vida fue manifestada, y vimos, y testificamos, y os anunciamos aquella vida eterna, la cual estaba con el Padre, y nos ha aparecido". (1 Juan 1:2.)

Junto al camino

Aquello a lo cual se refiere principalmente la parábola del sembrador es el efecto producido en el crecimiento de la semilla por el suelo en el cual se echa. Mediante esta parábola Cristo decía prácticamente a sus oyentes: No es seguro para vosotros deteneros y criticar mis obras o albergar desengaño, porque ellas no satisfacen vuestras ideas. El asunto de mayor importancia para vosotros es: ¿cómo trataréis mi mensaje? De vuestra aceptación o rechazamiento de él, depende vuestro destino eterno.

Explicando lo referente a la semilla que cayó a la vera del camino, dijo: "Oyendo cualquiera la palabra del reino, y no entendiéndola, viene el malo, y arrebata lo que fue sembrado en su corazón: éste es el que fue sembrado junto al camino".

La semilla sembrada a la vera del camino representa la palabra de Dios cuando cae en el corazón de un oyente desatento. Semejante al camino muy trillado, pisoteado por los pies de los hombres y las bestias, es el corazón que llega a transformarse en un camino para el tránsito del mundo, sus placeres y pecados. Absorta en propósitos egoístas y pecaminosas complacencias, el alma está endurecida "con engaño de pecado". (Hebreos 3:13.) Las facultades espirituales se paralizan. Los hombres oyen la palabra, pero no la entienden. No disciernen que se aplica a ellos mismos. No se dan cuenta de sus necesidades y peligros. No perciben el amor de Cristo, y pasan por alto el mensaje de su gracia como si fuera algo que no les concerniese.

Como los pájaros están listos para sacar la semilla de junto al camino, Satanás está listo para quitar del alma las semillas de verdad divina. El teme que la Palabra de Dios despierte al descuidado y produzca efecto en el corazón endurecido. Satanás y sus ángeles se encuentran en las reuniones donde se predica el Evangelio. Mientras los ángeles del cielo tratan de impresionar los corazones con la Palabra de Dios, el enemigo está alerta para hacer que no surta efecto. Con un fervor solamente igualable a su malicia, trata de desbaratar la obra del Espíritu de Dios. Mientras Cristo está atrayendo al alma por su amor, Satanás trata de desviar la atención del que es inducido a buscar al Salvador. Ocupa la mente con planes mundanos. Excita la crítica, o insinúa la duda y la incredulidad. La forma en que el orador escoge su lenguaje o sus maneras pueden no agradar a los oyentes, y se espacian en estos defectos. Así la verdad que ellos necesitan y que Dios les ha enviado misericordiosamente, no produce ninguna impresión duradera.

Satanás tiene muchos ayudantes. Muchos que profesan ser cristianos están ayudando al tentador a arrebatar las semillas de verdad del corazón de los demás. Muchos que escuchan la predicación de la Palabra de Dios hacen de ella el objeto de sus críticas en el hogar. Se sientan para juzgar el sermón como juzgarían las palabras de un conferenciante mundano o un orador político. Se espacian en comentarios triviales o sarcásticos sobre el mensaje que debe ser considerado como la palabra del Señor dirigida a ellos. Se discuten libremente el carácter, los motivos y las acciones del pastor, así como la conducta de los demás miembros de la iglesia. Se pronuncian juicios severos, se repiten chismes y calumnias, y esto a oídos de los inconversos. A menudo los padres conversan de estas cosas a oídos de sus propios hijos. Así se destruye el respeto por los mensajeros de Dios y la reverencia debida a su mensaje. Y muchos son inducidos a considerar livianamente la misma Palabra de Dios.

Así, en los hogares de los profesos cristianos se inculca a muchos jóvenes la incredulidad. Y los padres se preguntan por qué sus hijos tienen tan poco interés en el Evangelio, y se hallan tan listos para dudar de las verdades bíblicas. Se admiran de que sea tan difícil alcanzarlos con las influencias morales y religiosas. No ven que su propio ejemplo ha endurecido el corazón de sus hijos. La buena semilla no encuentra lugar para arraigarse, y Satanás la arrebata.

En pedregales

"Y el que fue sembrado en pedregales, éste es el que oye la palabra, y luego la recibe con gozo. Mas no tiene raíz en sí, antes es temporal que venida la aflicción o la persecución por la palabra, luego se ofende".

La semilla sembrada en lugares pedregosos encuentra poca profundidad de tierra. La planta brota rápidamente, pero la raíz no puede penetrar en la roca para encontrar el alimento que sostenga su crecimiento, y pronto muere. Muchos que profesan ser religiosos son oidores pedregosos. Así como la roca yace bajo la capa de tierra, el egoísmo del corazón natural yace debajo del terreno de sus buenos deseos y aspiraciones. No subyugan el amor propio. No han visto la excesiva pecaminosidad del pecado, y su corazón no se ha humillado por el sentimiento de su culpa. Esta clase puede ser fácilmente convencida, y parecen ser conversos inteligentes, pero tienen sólo una religión superficial.

No se retractan porque hayan recibido la palabra inmediatamente ni porque se regocijen en ella. Tan pronto como San Mateo oyó el llamamiento del Salvador, se levantó de inmediato, dejó todo y lo siguió. Tan pronto como la palabra divina viene a nuestros corazones, Dios desea que la recibamos, y es lo correcto aceptarla con gozo. Hay "gozo en el cielo por un pecador que se arrepiente". (Lucas 15:7.) Y hay gozo en el alma que cree en Cristo. Pero aquellos de los cuales la parábola dice que reciben la palabra inmediatamente, no calculan el costo. No consideran lo que la palabra de Dios requiere de ellos. No examinan todos sus hábitos de vida a la luz de la palabra, ni se entregan por completo a su dominio.

Las raíces de la planta penetran profundamente en el suelo, y ocultas de la vista nutren la vida del vegetal. Tal debe ocurrir con el cristiano: es por la unión invisible del alma con Cristo, mediante la fe, como la vida espiritual se alimenta. Pero los oyentes pedregosos dependen de sí mismos y no de Cristo. Confían en sus buenas obras y buenos impulsos, y se sienten fuertes en su propia justicia. No son fuertes en el Señor y en la potencia de su fortaleza. Tal persona "no tiene raíz en sí", porque no está relacionada con Cristo.

El cálido sol estival, que fortalece y madura el robusto grano, destruye aquello que no tiene raíz profunda. Así "el que no tiene raíz en sí" "es temporal", es decir, dura sólo un tiempo; y una vez "venida la aflicción o la persecución por la palabra, luego se ofende". Muchos reciben el Evangelio como una manera de escapar del sufrimiento, más bien que como una liberación del pecado. Se regocijan por un tiempo, porque piensan que la religión los libertará de las dificultades y las pruebas. Mientras todo marcha suavemente y viento en popa, parecen ser cristianos consecuentes. Pero desmayan en medio de la prueba fiera de la tentación. No pueden soportar el oprobio por la causa de Cristo. Cuando la Palabra de Dios señala algún pecado acariciado o pide algún sacrificio, ellos se ofenden. Les costaría demasiado esfuerzo hacer un cambio radical en su vida. Miran los actuales inconvenientes y pruebas, y olvidan las realidades eternas. A semejanza de los discípulos

que dejaron a Jesús, están listos para decir: "Dura es esta palabra: ¿quién la puede oír?" (Juan 6:60.)

Hay muchos que pretenden servir a Dios, pero que no lo conocen por experiencia. Su deseo de hacer la voluntad divina se basa en su propia inclinación, y no en la profunda convicción impartida por el Espíritu Santo. Su conducta no armoniza con la ley de Dios. Profesan aceptar a Cristo como su Salvador, pero no creen que él quiere darles poder para vencer sus pecados. No tienen una relación personal con un Salvador viviente, y su carácter revela defectos heredados y cultivados.

Una cosa es manifestar un asentimiento general a la intervención del Espíritu Santo, y otra cosa aceptar su obra como reprendedor que nos llama al arrepentimiento. Muchos sienten su apartamiento de Dios, comprenden que están esclavizados por el yo y el pecado; hacen esfuerzos por reformarse; pero no crucifican el yo. No se entregan enteramente en las manos de Cristo, buscando el poder divino que los habilite para hacer su voluntad. No están dispuestos a ser modelados a la semejanza divina. En forma general reconocen sus imperfecciones, pero no abandonan sus pecados particulares. Con cada acto erróneo se fortalece la vieja naturaleza egoísta.

La única esperanza para estas almas consiste en que se realice en ellas la verdad de las palabras de Cristo dirigidas a Nicodemo: "Os es necesario nacer otra vez". "El que no naciere otra vez, no puede ver el reino de Dios". (Juan 3:7, 3.)

La verdadera santidad es integridad en el servicio de Dios. Esta es la condición de la verdadera vida cristiana. Cristo pide una consagración sin reserva, un servicio indiviso. Pide el corazón, la mente, el alma, las fuerzas. No debe agradarse al yo. El que vive para sí no es cristiano. El amor debe ser el principio que impulse a obrar. El amor es el principio fundamental del gobierno de Dios en los cielos y en la tierra, y debe ser el fundamento del carácter del cristiano. Sólo este elemento puede hacer estable al cristiano. Sólo esto puede habilitarlo para resistir la prueba y la tentación. Y el amor se revelará en el sacrificio. El plan de redención fue fundado en el sacrificio, un sacrificio tan amplio y tan profundo y tan alto que es inconmensurable. Cristo lo dio todo por nosotros, y aquellos que reciben a Cristo deben estar listos a sacrificarlo todo por la causa de su Redentor. El pensamiento de su honor y de su gloria vendrá antes de ninguna otra cosa.

Si amamos a Jesús, amaremos vivir para él, presentar nuestras ofrendas de gratitud a él, trabajar por él. El mismo trabajo será liviano. Por su causa anhelaremos el dolor, las penalidades y el sacrificio. Simpatizaremos con su vehemente deseo de salvar a los hombres. Sentiremos por las almas el mismo tierno afán que él sintió.

Esta es la religión de Cristo. Cualquier cosa que sea menos que esto es un engaño. Ningún alma se salvará por una mera teoría de la verdad o por una profesión de discipulado. No pertenecemos a Cristo a menos que seamos totalmente suyos. La tibieza en la vida cristiana es lo que hace a los hombres débiles en su propósito

y volubles en sus deseos. El esfuerzo por servir al yo y a Cristo a la vez lo hace a uno oidor pedregoso, y no prevalecerá cuando la prueba le sobrevenga.

Entre las espinas

"Y el que fue sembrado en espinas, éste es el que oye la palabra; pero el afán de este siglo y el engaño de las riquezas, ahogan la palabra, y hácese infructuosa".

La semilla del Evangelio a menudo cae entre las espinas y las malas hierbas; y si no hay una transformación moral en el corazón humano, si los viejos hábitos y prácticas y la vida pecaminosa anterior no se dejan atrás, si los atributos de Satanás no son extirpados del alma, la cosecha de trigo se ahoga. Las espinas llegarán a ser la cosecha, y exterminarán el trigo.

La gracia puede prosperar únicamente en el corazón que constantemente está preparándose para recibir las preciosas semillas de verdad. Las espinas del pecado crecen en cualquier terreno; no necesitan cultivo; pero la gracia debe ser cuidadosamente cultivada. Las espinas y las zarzas siempre están listas para surgir, y de continuo debe avanzar la obra de purificación. Si el corazón no está bajo el dominio de Dios, si el Espíritu Santo no obra incesantemente para refinar y ennoblecer el carácter, los viejos hábitos se revelarán en la vida. Los hombres pueden profesar creer el Evangelio; pero a menos que sean santificados por el Evangelio, su profesión no tiene valor. Si no ganan la victoria sobre el pecado, el pecado la obtendrá sobre ellos. Las espinas que han sido cortadas pero no desarraigadas crecen con presteza, hasta que el alma queda ahogada por ellas.

Cristo especificó las cosas que son dañinas para el alma. Según San Marcos, él mencionó los cuidados de este siglo, el engaño de las riquezas, y la codicia de otras cosas. Lucas especifica los cuidados, las riquezas y los pasatiempos de la vida. Esto es lo que ahoga la palabra, el crecimiento de la semilla espiritual. El alma deja de obtener su nutrición de Cristo, y la espiritualidad se desvanece del corazón.

"Los cuidados de este siglo". Ninguna clase de personas está libre de la tentación de los cuidados del mundo. El trabajo penoso, la privación y el temor de la necesidad le acarrean al pobre perplejidades y cargas. Al rico le sobreviene el temor de la pérdida y una multitud de congojas. Muchos de los que siguen a Cristo olvidan la lección que él nos ha invitado a aprender de las flores del campo. No confían en su cuidado constante. Cristo no puede llevar sus cargas porque ellos no las echan sobre él. Por lo tanto, los cuidados de la vida, que deberían inducirlos a ir al Salvador para obtener ayuda y alivio, los separan de él.

Muchos que podrían ser fructíferos en el servicio de Dios se dedican a adquirir riquezas. La totalidad de su energía es absorbida en las empresas comerciales, y se sienten obligados a descuidar las cosas de naturaleza espiritual. Así se separan de Dios. En las Escrituras se nos ordena que no seamos perezosos en los quehaceres. (Romanos 12:11, vm.) Hemos de trabajar para poder dar al que necesita. Los cristianos deben trabajar, deben ocuparse en los negocios, y pueden hacerlo sin pecar. Pero muchos llegan a estar tan absortos en los negocios, que no tienen tiempo para orar, para estudiar la Biblia, para buscar y servir a Dios. A veces su alma anhela la santidad y el cielo; pero no tienen tiempo para apartarse del ruido del mundo a fin de escuchar el lenguaje del Espíritu de Dios, que habla con majestad y con autoridad. Las cosas de la eternidad se convierten en secundarias y las cosas del mundo en supremas. Es imposible que la simiente de la palabra produzca fruto; pues la vida del alma se emplea en alimentar las espinas de la mundanalidad.

Y muchos que obran con un propósito muy diferente caen en un error similar. Están trabajando para el bien de otros; sus deberes apremian, sus responsabilidades son muchas, y permiten que su trabajo ocupe hasta el tiempo que deben a la devoción. Descuidan la comunión que debieran sostener con Dios por medio de la oración y el estudio de su Palabra. Olvidan que Cristo dijo: "Sin mí nada podéis hacer". (Juan 15:5.) Andan lejos de Cristo; su vida no está saturada de su gracia y se revelan las características del yo. Su servicio se echa a perder por el deseo de la supremacía y por los rasgos ásperos y carentes de bondad del corazón insubordinado. He aquí uno de los principales secretos del fracaso en la obra cristiana. Esta es la razón por la cual sus resultados son a menudo tan pobres.

"El engaño de las riquezas". El amor a las riquezas tiene el poder de infatuar y engañar. Demasiado a menudo aquellos que poseen tesoros mundanales se olvidan de que es Dios el que les ha dado el poder de adquirir riquezas. Dicen: "Mi poder y la fortaleza de mi mano me han traído esta riqueza". (Deuteronomio 8:17.) Su riqueza, en vez de despertar la gratitud hacia Dios, los induce a la exaltación propia. Pierden el sentido de su dependencia de Dios y su obligación con respecto a sus semejantes. En vez de considerar las riquezas como un talento que ha de ser empleado para la gloria de Dios y la elevación de la humanidad, las miran como un medio de servirse a sí mismos. En vez de desarrollar en el hombre los atributos de Dios, las riquezas así usadas desarrollan en él los atributos de Satanás. La simiente de la palabra es ahogada por las espinas.

"Y los pasatiempos de la vida". Hay peligro en las diversiones que persiguen únicamente la complacencia propia. Todos los hábitos de complacencia que debilitan las facultades físicas, que anublan la mente o entorpecen las percepciones espirituales, son "deseos carnales que batallan contra el alma". (1 Pedro 2:11.)

"Y las codicias que hay en las otras cosas". Estas no son necesariamente cosas pecaminosas en sí mismas, sino algo a lo cual se le concede el primer lugar en vez del reino de Dios. Todo lo que desvía la mente de Dios, todo lo que aparta los afectos de Cristo, es un enemigo del alma.

Cuando la mente es juvenil, vigorosa y susceptible de rápido desarrollo, existe la gran tentación de la ambición egoísta, de servir al yo. Si los planes mundanos tienen éxito, se manifiesta una inclinación a continuar en un camino que adormece la

conciencia e impide una estimación correcta de lo que constituye la verdadera excelencia del carácter. Cuando las circunstancias favorezcan este desarrollo, el crecimiento se manifestará en una dirección prohibida por la Palabra de Dios.

En este período de formación de la vida de sus hijos, la responsabilidad de los padres es muy grande. Debe constituir su tema de estudio cómo rodear a la juventud de las debidas influencias, influencias que les den opiniones correctas acerca de la vida y su verdadero éxito. En vez de esto, ¡cuántos padres convierten en el primer objeto de su vida el conseguir para sus hijos la prosperidad mundanal! Eligen todas sus relaciones con este fin. Muchos padres fijan su hogar en alguna gran ciudad, y presentan sus hijos a la sociedad elegante y a la moda. Los rodean de influencias que estimulan la mundanalidad y el orgullo. En esa atmósfera la mente y el alma se empequeñecen. Los blancos nobles y elevados de la vida se pierden de vista. El privilegio de ser hijos de Dios, herederos de la eternidad, se cambia por el beneficio mundanal.

Muchos padres tratan de crear la felicidad de sus hijos satisfaciendo su amor a las diversiones. Les permiten ocuparse en los deportes y asistir a fiestas sociales, y los proveen de dinero para usar libremente en la ostentación y la complacencia propia. Cuanto más se trata de satisfacer el deseo de placer, tanto más se fortalece. El interés de estos jóvenes queda cada vez más absorbido por las diversiones, hasta que llegan a considerarlas como el gran objeto de su vida. Forman hábitos de ociosidad y complacencia propia, que hacen casi imposible que alguna vez lleguen a ser cristianos estables.

Aun a la iglesia, que debe ser el pilar y el fundamento de la verdad, se la halla estimulando el amor egoísta del placer. Cuando debe obtenerse dinero para fines religiosos, ¿a qué medios recurren muchas iglesias? A los bazares, las cenas, las exposiciones de artículos de fantasía, aun a las rifas y a recursos similares. A menudo el lugar apartado para el culto divino es profanado banqueteando y bebiendo, comprando, vendiendo y divirtiéndose. El respeto por la casa de Dios y la reverencia por su culto disminuyen en la mente de los jóvenes. Los baluartes del dominio propio se debilitan. El egoísmo, el apetito, el amor a la ostentación son usados como móviles, y se fortalecen a medida que se complacen.

La búsqueda de los placeres y las diversiones se centraliza en las ciudades. Muchos padres que se establecen en la ciudad con sus hijos, pensando darles mayores ventajas, se desilusionan, y demasiado tarde se arrepienten de su terrible error. Las ciudades de nuestros días se están volviendo rápidamente como Sodoma y Gomorra. Los muchos días feriados estimulan la holgazanería. Los deportes excitantes —el asistir a los teatros, las carreras de caballos, los juegos de azar, el beber licores y las jaranas— estimulan todas las pasiones a una actividad intensa. La juventud es arrastrada por la corriente popular. Aquellos que aprenden a amar las diversiones por las diversiones mismas, abren la puerta a un alud de tentaciones. Se entregan a las bromas y algazaras sociales y a la jovialidad irreflexiva, y su trato con los

amantes de los placeres tiene un efecto intoxicante sobre la mente. Son guiados de una forma de disipación a otra, hasta que pierden tanto el deseo como la capacidad de vivir una vida útil. Sus aspiraciones religiosas se enfrían; su vida espiritual se oscurece. Todas las más nobles facultades del alma, todo lo que une al hombre con el mundo espiritual, es envilecido.

Es cierto que algunos podrán ver su insensatez y arrepentirse. Dios puede perdonarlos. Pero han herido sus propias almas, y han traído sobre ellos un peligro que durará toda su vida. El poder de discernir, que siempre debe ser mantenido aguzado y sensible para distinguir entre lo correcto y lo erróneo, en gran parte se destruye. No son rápidos para reconocer la voz guiadora del Espíritu Santo o para discernir los engaños de Satanás. Demasiado a menudo, en tiempo de peligro, caen en la tentación, y son alejados de Dios. El final de su vida amante de los placeres es la ruina para este mundo y para el mundo venidero.

Los cuidados, las riquezas, los placeres, todos son usados por Satanás en el juego de la vida para conquistar el alma humana. Se nos da la amonestación: "No améis al mundo, ni las cosas que están en el mundo. Si alguno ama al mundo, el amor del Padre no está en él. Porque todo lo que hay en el mundo, la concupiscencia de la carne, y la concupiscencia de los ojos, y la soberbia de la vida, no es del Padre, mas es del mundo". (1 Juan 2:15, 16.) Aquel que lee el corazón de los hombres como un libro abierto dice: "Mirad por vosotros, que vuestros corazones no sean cargados de glotonería y embriaguez, y de los cuidados de esta vida". (Lucas 21:34.) Y el apóstol Pablo, inspirado por el Espíritu Santo, escribe: "Los que quieren enriquecerse, caen en tentación y lazo, y en muchas codicias locas y dañosas, que hunden a los hombres en perdición y muerte. Porque el amor del dinero es la raíz de todos los males: el cual codiciando algunos, se descaminaron de la fe, y fueron traspasados de muchos dolores". (1 Timoteo 6:9, 10.)

La preparación del terreno

A través de la parábola del sembrador, Cristo presenta el hecho de que los diferentes resultados dependen del terreno. En todos los casos, el sembrador y la semilla son los mismos. Así él enseña que si la palabra de Dios deja de cumplir su obra en nuestro corazón y en nuestra vida, la razón estriba en nosotros mismos. Pero el resultado no se halla fuera de nuestro dominio. En verdad, nosotros no podemos cambiarnos a nosotros mismos; pero tenemos la facultad de elegir y de determinar qué llegaremos a ser. Los oyentes representados por la vera del camino, el terreno pedregoso y el de espinas, no necesitan permanecer en esa condición. El Espíritu de Dios está siempre tratando de romper el hechizo de la infatuación que mantiene a los hombres absortos en las cosas mundanas, y de despertar el deseo de poseer el tesoro imperecedero. Es resistiendo al Espíritu como los hombres llegan a desatender y descuidar la palabra de Dios. Ellos mismos son responsables de la dureza de corazón que impide

que la buena simiente eche raíces, y de los malos crecimientos que detienen su desarrollo.

Debe cultivarse el jardín del corazón. Debe abrirse el terreno por medio de un profundo arrepentimiento del pecado. Deben desarraigarse las satánicas plantas venenosas. Una vez que el terreno ha estado cubierto por las espinas, sólo se lo puede utilizar después de un trabajo diligente. Así también, sólo se pueden vencer las malas tendencias del corazón humano por medio de esfuerzos fervientes en el nombre de Jesús y con su poder. El Señor nos ordena por medio de su profeta: "Haced barbecho para vosotros, y no sembréis sobre espinas". "Sembrad para vosotros en justicia, segad para vosotros en misericordia". (Jeremías 4:3; Oseas 10:12.) Dios desea hacer en favor nuestro esta obra, y nos pide que cooperemos con él.

Los sembradores de la semilla tienen una obra que hacer en cuanto a preparar los corazones para que reciban el Evangelio. Se presenta la palabra con demasiado sermoneo y con muy poca obra de corazón a corazón. Se necesita un trabajo personal en favor de las almas de los perdidos. Debemos acercarnos a los hombres individualmente; y con la simpatía de Cristo hemos de tratar de despertar su interés en los grandes asuntos de la vida eterna. Quizá su corazón parezca tan duro como el camino transitado, y tal vez sea aparentemente un esfuerzo inútil presentarles al Salvador; pero aun cuando la lógica pueda no conmover, y los argumentos puedan resultar inútiles para convencer, el amor de Cristo, revelado en el ministerio personal, puede ablandar un corazón pétreo, de manera que la semilla de la verdad pueda arraigarse.

De modo que los sembradores tienen algo que hacer para que la semilla no sea ahogada por las espinas o perezca debido a la poca profundidad del terreno. En el mismo comienzo de la vida cristiana deben enseñarse a cada creyente los principios fundamentales. Debe enseñársele que no ha de ser meramente salvado por el sacrificio de Cristo, sino que ha de hacer que la vida de Cristo sea su vida, y el carácter de Cristo su carácter. Enséñese a todos que han de llevar cargas y deben sacrificar sus inclinaciones naturales. Aprendan la bendición de trabajar para Cristo, imitándolo en la abnegación, y soportando penurias como buenos soldados. Aprendan a confiar en el amor de Cristo y a descargar en él sus congojas. Prueben el gozo de ganar almas para él. En su amor e interés por los perdidos, perderán de vista el yo; los placeres del mundo perderán su poder de atracción y sus cargas no los descorazonarán. La reja del arado de la verdad hará su obra. Romperá el terreno inculto, y no solamente cortará los tallos de las espinas, sino que las arrancará de raíz.

En buena tierra

No siempre ha de chasquearse el sembrador. El Salvador dice de la semilla que cayó en buen terreno: "Este es el que oye y entiende la palabra, y el que lleva fruto: y lleva uno a ciento, y otro a sesenta, y otro a treinta". "La que cayó en buena tierra, éstos son los que con corazón bueno y recto retienen la palabra oída, y llevan fruto en paciencia".

El "corazón bueno y recto" mencionado en la parábola, no es un corazón sin pecado; pues se predica el Evangelio a los perdidos. Cristo dijo: "No he venido a llamar a los justos, sino a los pecadores". (Marcos 2:17.) Tiene corazón recto el que se rinde a la convicción del Espíritu Santo. Confiesa su pecado, y siente su necesidad de la misericordia y el amor de Dios. Tiene el deseo sincero de conocer la verdad para obedecerla.

El "corazón bueno" es el que cree y tiene fe en la palabra de Dios. Sin fe es imposible recibir la palabra. "El que a Dios se allega, crea que le hay, y que es galardonador de los que le buscan". (Hebreos 11:6.)

"Este es el que oye, y entiende la palabra". Los fariseos de los días de Cristo cerraron los ojos para no ver y los oídos para no oír, y en esa forma, la verdad no les pudo llegar al corazón. Tendrían que sufrir el castigo por su ignorancia voluntaria y la ceguera que se imponían a sí mismos. Pero Cristo enseñó a sus discípulos que ellos debían abrir su mente a la instrucción y estar listos para creer. Pronunció una bendición sobre ellos porque vieron y oyeron con ojos y oídos creyentes.

El oyente que se asemeja al buen terreno, recibe la palabra, "no como palabra de hombres, sino según lo es verdaderamente, la palabra de Dios". (1 Tesalonicenses 2:13, VM.) Sólo es un verdadero estudiante el que recibe las Escrituras como la voz de Dios que le habla. Tiembla ante la Palabra; porque para él es una viviente realidad. Abre su entendimiento y corazón para recibirla. Oyentes tales eran Cornelio y sus amigos, que dijeron al apóstol Pedro: "Ahora pues, todos nosotros estamos aquí en la presencia de Dios, para oír todo lo que Dios te ha mandado". (Hechos 10:33.)

El conocimiento de la verdad depende no tanto de la fuerza intelectual como de la pureza de propósito, la sencillez de una fe ferviente y confiada. Los ángeles de Dios se acercan a los que con humildad de corazón buscan la dirección divina. Se les da el Espíritu Santo para abrirles los ricos tesoros de la verdad.

Los oyentes que son comparables a un buen terreno, habiendo oído la palabra, la guardan. Satanás con todos sus agentes del mal no puede arrebatársela.

No es suficiente sólo oír o leer la Palabra; el que desea sacar provecho de las Escrituras, debe meditar acerca de la verdad que le ha sido presentada. Por medio de ferviente atención y del pensar impregnado de oración debe aprender el significado de las palabras de verdad, y debe beber profundamente del espíritu de los oráculos santos.

Dios manda que llenemos la mente con pensamientos grandes y puros. Desea que meditemos en su amor y misericordia, que estudiemos su obra maravillosa en el gran plan de la redención. Entonces podremos comprender la verdad con claridad cada vez mayor, nuestro deseo de pureza de corazón y claridad de pensamiento será más elevado y más santo. El alma que mora en la atmósfera pura de los pensamientos santos, será transformada por la comunión con Dios por medio del estudio de las Escrituras.

"Y llevan fruto". Los que habiendo recibido la palabra la guardan, darán frutos de obediencia. La palabra de Dios, recibida en el alma, se manifestará en buenas obras. Sus resultados se verán en una vida y un carácter semejantes a los de Cristo. Jesús dijo de sí mismo: "El hacer tu voluntad, Dios mío, hame agradado; y tu ley está en medio de mis entrañas". "No busco mi voluntad, mas la voluntad del que me envió, del Padre". Y la Escritura dice: "El que dice que está en él, debe andar como él anduvo". (Salmo 40:8; Juan 5:30; 1 Juan 2:6.)

La palabra de Dios choca a menudo con rasgos de carácter hereditarios y cultivados del hombre y con sus hábitos de vida, pero el oidor que se asemeja al buen terreno al recibir la palabra, acepta todas sus condiciones y requisitos. Sus hábitos, costumbres y prácticas se someten a la palabra de Dios. Ante su vista los mandamientos del hombre finito y falible, se hacen insignificantes al lado de la palabra del Dios infinito. De todo corazón y con un solo propósito busca la vida eterna, y obedecerá la verdad a costa de pérdidas, persecuciones y la muerte misma.

Y da fruto "en paciencia". Nadie que reciba la palabra de Dios quedará libre de dificultades y pruebas; pero cuando se presenta la aflicción, el verdadero cristiano no se inquieta, no pierde la confianza ni se desalienta. Aunque no podamos ver los resultados finales, ni podamos discernir el propósito de las providencias de Dios, no hemos de desechar nuestra confianza. Recordando las tiernas misericordias del Señor, debemos descargar en él nuestra inquietud y esperar con paciencia su salvación.

La vida espiritual se fortalece con el conflicto. Las pruebas, cuando se las sobrelleva bien, desarrollan la firmeza de carácter y las preciosas gracias espirituales. El fruto perfecto de la fe, la mansedumbre y el amor, a menudo maduran mejor entre las nubes tormentosas y la oscuridad.

"El labrador espera el precioso fruto de la tierra, aguardando con paciencia, hasta que reciba la lluvia temprana y tardía". (Santiago 5:7.) Así también el cristiano debe esperar en su vida los frutos de la palabra de Dios. Muchas veces, cuando pedimos en oración las gracias del Espíritu, para contestar nuestras oraciones, Dios nos coloca en circunstancias que nos permiten desarrollar esos frutos; pero no entendemos su propósito, nos asombramos y desanimamos. Sin embargo, nadie puede desarrollar esas gracias a no ser por medio del proceso del crecimiento y la produc-ción de frutos. Nuestra parte consiste en recibir la palabra de Dios, aferrar-nos de ella, y rendirnos plenamente a su dominio; así se cumplirá en nos-otros su propósito.

"El que me ama —dijo Cristo—, mi palabra guardará; y mi Padre le amará, y vendremos a él, y haremos con él morada". (Juan 14:23.) En nosotros se manifestará la influencia dominante de una mente más fuerte y perfecta; porque tenemos una rela-ción viviente con la fuente de una fortaleza que lo soporta todo. En nuestra vida divina seremos llevados a Jesucristo en cautividad. No vivire-mos por más tiempo la vida común de egoísmo, sino que Cristo vivirá en nosotros. Su carácter se reproducirá en nuestra naturaleza. Así llevaremos los frutos del Espíritu Santo: "Uno a treinta, otro a sesenta, y otro a ciento".

El Desarrollo de la Vida

Este capítulo está basado en Marcos 4:26-29.

rra, primero hierba, luego espiga, después grano lleno en la espiga. Y cuando el fruto fuere producido, luego se mete la hoz, porque la siega es llegada".

El agricultor que "mete la hoz, porque la siega es llegada", no puede ser otro que Cristo. El es quien en el gran día final recogerá la cosecha de la tierra. Pero el sembrador de la semilla representa a los que trabajan en lugar de Cristo. Se dice que "la simiente

LA PARABOLA del sembrador suscitó muchas preguntas. Por ella algunos de los oyentes llegaron a la conclusión de que Cristo no iba a establecer un reino terrenal, y muchos se quedaron curiosos y perplejos. Viendo su perplejidad, Cristo usó otras ilustraciones, con las que trató todavía de llevar sus pensamientos de la esperanza de un reino terrenal a la obra de gracia de Dios en el alma.

"Decía más: Así es el reino de Dios, como si un hombre echa simiente en la tierra; y duerme, y se levanta de noche y de día, y la simiente brota y crece como él no sabe. Porque de suyo fructifica la tie-

brota y crece como él no sabe", y esto no es verdad en el caso del Hijo de Dios. Cristo no se duerme sobre su cometido, sino que vela sobre él día y noche. El no ignora cómo crece la simiente.

La parábola de la semilla revela que Dios obra en la naturaleza. La semilla tiene en sí un principio germinativo, un principio que Dios mismo ha implantado; y, sin embargo, si se abandonara la semilla a sí misma, no tendría poder para brotar. El hombre tiene una parte que realizar para promover el crecimiento del grano. Debe preparar y abonar el terreno y arrojar en él la simiente. Debe arar el campo. Pero hay un punto más allá del cual nada puede hacer. No hay fuerza ni sabiduría humana que pueda hacer brotar de la semilla la planta viva. Después de emplear sus esfuerzos hasta el límite máximo, el hombre debe depender aún de Aquel que ha unido la siembra a la cosecha con eslabones maravillosos de su propio poder omnipotente.

Hay vida en la semilla, hay poder en el terreno; pero a menos que se ejerza día y noche el poder infinito, la semilla no dará frutos. Deben caer las lluvias para dar humedad a los campos sedientos, el sol debe impartir calor, debe comunicarse electricidad a la semilla enterrada. El Creador es el único que puede hacer surgir la vida que él ha implantado. Cada semilla crece, cada planta se desarrolla por el poder de Dios.

"Como la tierra produce su renuevo, y como el huerto hace brotar su simiente, así el Señor Jehová hará brotar justicia y alabanza". (Isaías 61:11.) Como en la siembra natural, así también ocurre en la espiritual; el maestro de la verdad debe tratar de preparar el terreno del corazón; debe sembrar la semilla; pero únicamente el poder de Dios puede producir la vida. Hay un punto más allá del cual son vanos los esfuerzos humanos. Si bien es cierto que hemos de predicar la palabra, no podemos impartir el poder que vivificará el alma y hará que broten la justicia y la alabanza. En la predicación de la palabra debe obrar un agente que esté más allá del poder humano. Sólo mediante el Espíritu divino será viviente y poderosa la palabra para renovar el alma para vida eterna. Esto es lo que Cristo se esforzó por inculcar a sus discípulos. Les enseñó que ninguna cosa de las que poseían en sí mismos les daría

éxito en su obra, sino que el poder milagroso de Dios es el que da eficiencia a su propia palabra.

La obra del sembrador es una obra de fe. El no puede entender el misterio de la germinación y el crecimiento de la semilla, pero tiene confianza en los medios por los cuales Dios hace florecer la vegetación. Al arrojar su semilla en el terreno, aparentemente está tirando el precioso grano que podría proporcionar pan para su familia, pero no hace sino renunciar a un bien presente para recibir una cantidad mayor. Tira la semilla, esperando recogerla multiplicada muchas veces en una abundante cosecha. Así han de trabajar los siervos de Cristo, esperando una cosecha de la semilla que siembran.

Quizá durante algún tiempo la buena semilla permanezca inadvertida en un corazón frío, egoísta y mundano, sin dar evidencia de que se ha arraigado en él; pero después, cuando el Espíritu de Dios da su aliento al alma, brota la semilla oculta, y al fin da fruto para la gloria de Dios. En la obra de nuestra vida no sabemos qué prosperará, si esto o aquello. No es una cuestión que nos toque decidir. Hemos de hacer nuestro trabajo y dejar a Dios los resultados. "Por la mañana siembra tu simiente, y a la tarde no dejes reposar tu mano". (Eclesiastés 11:6.) El gran pacto de Dios declara que "todos los tiempos de la tierra; la sementera y la siega... no cesarán". (Génesis 8:22.) Confiando en esta promesa, ara y siembra el agricultor. No menos confiadamente hemos de trabajar nosotros en la siembra espiritual, confiando en su promesa: "Así será mi palabra que sale de mi boca: no volverá a mí vacía, antes hará lo que yo quiero, y será prosperada en aquello para que la envié". "Irá andando y llorando el que lleva la preciosa simiente; mas volverá a venir con regocijo, trayendo sus gavillas". (Isaías 55:11; Salmo 126:6.)

La germinación de la semilla representa el comienzo de la vida espiritual, y el desarrollo de la planta es una bella figura del crecimiento cristiano. Como en la naturaleza, así también en la gracia, no puede haber vida sin crecimiento. La planta debe crecer o morir. Así como su crecimiento es silencioso e imperceptible, pero continuo, así es el desarrollo de la vida cristiana. En cada grado de desarrollo, nuestra vida puede ser perfecta; pero, si se cumple el propósito de Dios para con nosotros, habrá un avance continuo. La santificación es obra de toda la vida. Con la multiplicación de nuestras oportunidades, aumentará nuestra experiencia y se acrecentará nuestro conocimiento. Llegaremos a ser fuertes para llevar responsabilidades, y nuestra madurez estará en relación con nuestros privilegios.

La planta crece al recibir lo que Dios ha provisto para sustentar su vida. Hace penetrar sus raíces en la tierra. Absorbe la luz del sol, el rocío y la lluvia. Recibe las propiedades vitalizadoras del aire. Así el cristiano ha de crecer cooperando con los agentes divinos. Sintiendo nuestra impotencia, hemos de aprovechar todas las oportunidades que se nos dan para adquirir una experiencia más amplia. Así como la planta se arraiga en el suelo, así hemos de arraigarnos profundamente en Cristo. Así como la planta recibe la

luz del sol, el rocío y la lluvia, hemos de abrir nuestro corazón al Espíritu Santo. Ha de hacerse la obra, "no con ejército, ni con fuerza, sino con mi espíritu, ha dicho Jehová de los ejércitos". (Zacarías 4:6.) Si conservamos nuestra mente fija en Cristo, él vendrá a nosotros "como la lluvia, como la lluvia tardía y temprana a la tierra". Como el Sol de justicia, se levantará sobre nosotros, "y en sus alas traerá salud". Floreceremos "como lirio". Seremos "vivificados como trigo", y floreceremos "como la vid". (Oseas 6:3; Malaquías 4:2; Oseas 14:5, 7.) Al depender constantemente de Cristo como nuestro Salvador personal, creceremos en él en todas las cosas, en Aquel que es la cabeza.

El trigo desarrolla "primero hierba, luego espiga, después grano lleno en la espiga". El objeto del agricultor al sembrar la semilla y cultivar la planta creciente es la producción de grano. Desea pan para el hambriento y semilla para las cosechas futuras. Así también el Agricultor divino espera una cosecha como premio de su labor y sacrificio. Cristo está tratando de reproducirse a sí mismo en el corazón de los hombres; y esto lo hace mediante los que creen en él. El objeto de la vida cristiana es llevar fruto, la reproducción del carácter de Cristo en el creyente, para que ese mismo carácter pueda reproducirse en otros.

La planta no germina, crece o da fruto para sí misma, sino que "da simiente al que siembra, y pan al que come". (Isaías 55:10.) Así ningún hombre ha de vivir para sí mismo. El cristiano está en el mundo como representante de Cristo, para la salvación de otras almas.

No puede haber crecimiento o fructificación en la vida que se centraliza en el yo. Si habéis aceptado a Cristo como a vuestro Salvador personal, habéis de olvidar vuestro yo, y tratar de ayudar a otros. Hablad del amor de Cristo, de su bondad. Cumplid con todo deber que se presente. Llevad la carga de las almas sobre vuestro corazón, y por todos los medios que estén a vuestro alcance tratad de salvar a los perdidos. A medida que recibáis el Espíritu de Cristo —el espíritu de amor desinteresado y de trabajo por otros—, iréis creciendo y dando frutos. Las gracias del Espíritu madurarán en vuestro carácter. Se aumentará vuestra fe, vuestras convicciones se profundizarán, vuestro amor se perfeccionará. Reflejaréis más y más la semejanza de Cristo en todo lo que es puro, noble y bello.

"El fruto del Espíritu es: caridad, gozo, paz, tolerancia, benignidad, bondad, fe, mansedumbre, templanza". (Gálatas 5:22, 23.) Este fruto nunca puede perecer, sino que producirá una cosecha, según su género, para vida eterna.

"Cuando el fruto fuere producido, luego se mete la hoz, porque la siega es llegada". Cristo espera con un deseo anhelante la manifestación de sí mismo en su iglesia. Cuando el carácter de Cristo sea perfectamente reproducido en su pueblo, entonces vendrá él para reclamarlos como suyos.

Todo cristiano tiene la oportunidad no sólo de esperar, sino de apresurar la venida de nuestro Señor Jesucristo. (2 Pedro 3:12, VM.) Si todos los que profesan el nombre de Cristo llevaran fruto para su gloria, cuán prontamente se sembraría en todo el mundo la semilla del Evangelio. Rápidamente maduraría la gran cosecha final y Cristo vendría para recoger el precioso grano.

Por Qué Existe el Mal

Este capítulo está basado en Mateo 13:24-30; 37-43.

OTRA parábola les propuso, diciendo: El reino de los cielos es semejante al hombre que siembra buena simiente en su campo: mas durmiendo los hombres, vino su enemigo, y sembró cizaña entre el trigo, y se fue. Y como la hierba salió e hizo fruto, entonces apareció también la cizaña".

"El campo —dijo Jesús— es el mundo". Pero debemos entender que esto significa la iglesia de Cristo en el mundo. La parábola es una descripción de lo que pertenece al reino de Dios, su obra por la salvación de los hombres; y esta obra se realiza por medio de la iglesia. En verdad, el Espíritu Santo ha salido a todo el mundo; por todas partes obra en los corazones de los hombres; pero es en la iglesia donde hemos de crecer y madurar para el alfolí de Dios.

"El que siembra la buena simiente es el Hijo del hombre... La buena simiente son los hijos del reino, y la cizaña son los hijos del malo". La buena simiente representa a aquellos que son nacidos de la palabra de Dios, de la verdad. La cizaña representa a una clase que constituye los frutos o la personificación del error o los falsos principios. "Y el enemigo que la sembró, es el diablo". Ni Dios ni sus ángeles han sembrado jamás una simiente que produjese cizaña. La cizaña es sembrada siempre por Satanás, el enemigo de Dios y del hombre.

En el Oriente, los hombres se vengaban a veces de un enemigo esparciendo en sus campos recién sembrados semillas de alguna hierba nociva que, mientras crecía, se parecía mucho al trigo. Brotando conjuntamente con el trigo, dañaba la cosecha e imponía dificultades y pérdidas al dueño del campo. Así, a causa de la enemistad hacia Cristo, Satanás esparce sus malas semillas entre el buen grano del reino. Y atribuye el fruto de esta siembra al Hijo de Dios. Trayendo al seno de la iglesia a aquellos que llevan el nombre de Cristo pero cuyo carácter lo niega, el maligno hace que Dios sea deshonrado, que la obra de la salvación quede falseada y que las almas peligren.

Los siervos de Cristo se entristecen al ver a los verdaderos y los falsos creyentes mezclados en la iglesia. Anhelan hacer algo para limpiar la iglesia. Como los siervos del padre de familia, están listos para desarraigar la cizaña. Pero Cristo les dice: "No; porque cogiendo la cizaña, no arranquéis también con ella el trigo. Dejad crecer juntamente lo uno y lo otro hasta la siega".

Cristo ha enseñado claramente que aquellos que persisten en pecados manifiestos deben ser separados de la iglesia; pero no nos ha encomendado la tarea de juzgar el carácter y los motivos. El conoce demasiado bien nuestra naturaleza para confiarnos esta obra a nosotros. Si tratásemos de extirpar de la iglesia a aquellos que suponemos cristianos falsos, cometeríamos seguramente errores. A menudo consideramos sin esperanza a los mismos a quienes Cristo está atrayendo hacia sí. Si tuviéramos nosotros que tratar con estas almas de acuerdo con nuestro juicio imperfecto tal vez ello extinguiría su última esperanza. Muchos que se creen cristianos serán hallados faltos al fin. En el cielo habrá muchos de quienes sus prójimos suponían que

nunca entrarían allí. El hombre juzga por la apariencia, pero Dios juzga el corazón. La cizaña y el trigo han de crecer juntamente hasta la cosecha; y la cosecha es el fin del tiempo de gracia.

Existe otra lección en las palabras del Salvador, una lección de maravillosa clemencia y tierno amor. Así como la cizaña tiene sus raíces estrechamente entrelazadas con las del buen grano, los falsos cristianos en la iglesia pueden estar estrechamente unidos con los verdaderos discípulos. El verdadero carácter de estos fingidos creyentes no es plenamente manifiesto. Si se los separase de la iglesia, se haría tropezar a otros que, de no mediar esto, habrían permanecido firmes.

La enseñanza de esta parábola queda ilustrada en el propio trato de Dios con los hombres y los ángeles. Satanás es un engañador. Cuando él pecó en el cielo, aun los ángeles leales no discernieron plenamente su carácter. Esta es la razón por la cual Dios no destruyó en el acto a Satanás. Si lo hubiese hecho, los santos ángeles no hubieran percibido la justicia y el amor de Dios. Una duda acerca de la bondad de Dios habría sido una mala semilla productora de amargos frutos de pecado y dolor. Por lo tanto, el autor del mal fue dejado con vida hasta que desarrollase plenamente su carácter. A través de las largas edades, Dios ha soportado la angustia de contemplar la obra del mal, y otorgó el infinito Don del Calvario antes de permitir que alguien fuese engañado por las falsas interpretaciones del maligno; pues la cizaña no podía ser extirpada sin peligro de desarraigar también el grano precioso. ¿Y no seremos nosotros tan tolerantes para con nuestros semejantes como el Señor del cielo y de la tierra lo es con Satanás?

El mundo no tiene derecho a dudar de la verdad del cristianismo porque en la iglesia haya miembros indignos, ni debieran los cristianos descorazonarse a causa de esos falsos hermanos. ¿Qué ocurrió en la iglesia primitiva? Ananías y Safira se unieron con los discípulos. Simón el mago fue bautizado. Demas, que desamparó a Pablo, había sido contado como creyente. Judas Iscariote figuró entre los apóstoles. El Redentor no quiere perder un alma; su trato con Judas fue registrado para mostrar su larga paciencia con la perversa naturaleza humana; y nos ordena que seamos indulgentes como él lo fue. El dijo que los falsos hermanos se hallarán en la iglesia hasta el fin del tiempo.

A pesar de la amonestación de Cristo, los hombres han tratado de extirpar la cizaña. Para castigar a aquellos que se suponía eran obradores de maldad, la iglesia ha recurrido al poder civil. Aquellos que diferían en sus opiniones de las doctrinas establecidas han sido encarcelados, torturados y muertos, a instigación de hombres que aseveraban estar obrando bajo la sanción de Cristo. Pero es el espíritu de Satanás y no el de Cristo el que inspira tales actos. Es el mismo método que usa Satanás para conquistar el mundo. Dios ha sido falsamente representado por la iglesia a causa de la forma de tratar con aquellos que se suponía eran herejes.

La parábola de Cristo nos enseña a ser humildes y a desconfiar de nos-

otros mismos, y a no juzgar ni condenar a los demás. No todo lo que se siembra en los campos es buena simiente. El hecho de que los hombres se hallen en el seno de la iglesia no prueba que sean cristianos.

La cizaña era muy parecida al trigo mientras estaba verde; pero cuando el campo se ponía blanco para la siega, las hierbas sin valor no tenían ninguna semejanza con el trigo que se doblaba bajo el peso de sus llenas y maduras espigas. Los pecadores que hacen alarde de piedad se mezclan por un tiempo con los verdaderos seguidores de Cristo, y su apariencia de cristianismo tiene por fin engañar a muchos; pero en la cosecha del mundo no habrá ninguna semejanza entre lo bueno y lo malo. Entonces aquellos que se han unido a la iglesia, pero que no se han unido a Cristo, serán manifestados.

Se permite que la cizaña crezca entre el trigo, que tenga todas las ventajas del sol y de la lluvia, pero en el tiempo de la siega, vosotros "os tornaréis, y echaréis de ver la diferencia entre el justo y el malo, entre el que sirve a Dios y el que no le sirve". (Malaquías 3:18.) Cristo mismo decidirá quiénes son dignos de vivir con la familia del cielo. El juzgará a cada hombre de acuerdo con sus palabras y sus obras. El hacer profesión de piedad no pesa nada en la balanza. Es el carácter lo que decide el destino.

El Salvador no nos señala un tiempo en que toda la cizaña se convertirá en trigo. El trigo y la cizaña crecen juntamente hasta el tiempo de la cosecha, el fin del mundo. Entonces la cizaña se ata en manojos para ser quemada, y el trigo se junta en el granero de Dios. "Entonces los justos resplandecerán como el sol en el reino de su Padre". Entonces "enviará el Hijo de Dios sus ángeles y cogerán de su reino todos los escándalos, y los que hacen iniquidad, y los echarán en el horno de fuego: allí será el lloro y el crujir de dientes".

Pequeños Comienzos, Grandes Resultados

Este capítulo está basado en Mateo 13:31, 32;
Marcos 4:30-32; Lucas 13:18, 19.

ENTRE la multitud que escuchaba las enseñanzas de Cristo había muchos fariseos. Estos notaron desdeñosamente cuán pocos de sus oyentes lo reconocían como el Mesías. Y discutían entre sí cómo este modesto maestro podría exaltar a Israel al dominio universal. Sin riquezas, poder u honor, ¿cómo había de establecer el nuevo reino? Cristo leyó sus pensamientos y les contestó: "¿A qué haremos semejante el reino de Dios? ¿O con qué parábola le compararemos?" Entre los gobiernos terrenales no había nada que pudiera servir para establecer una semejanza. Ninguna sociedad civil podía proporcionarle un símbolo. "Es como el grano de mostaza —dijo él—, que cuando se siembra en tierra, es la más pequeña de todas las simientes que hay en la tierra; mas después de sembrado, sube y se hace la mayor de todas las legumbres, y echa grandes ramas, de tal manera que las aves del cielo pueden morar bajo su sombra".

El germen que se halla en la semilla crece en virtud del desarrollo del principio de vida que Dios ha implantado en él. Su desarrollo no depende del poder humano. Así ocurre con el reino de Cristo. Es una nueva creación. Sus principios de desarrollo son opuestos a los que rigen los reinos de este mundo. Los gobiernos terrenales prevalecen por la fuerza física; mantienen su dominio por la guerra; pero el Fundador del nuevo reino es el Príncipe de Paz. El Espíritu Santo representa a los reinos del mundo bajo el símbolo de bestias fieras de rapiña; pero Cristo es el "Cordero de Dios, que quita el pecado del mundo". (Juan 1:29.) En su plan de gobierno no hay empleo de fuerza bruta para forzar la conciencia. Los judíos esperaban que el reino de Dios se estableciese en la misma forma que los reinos del mundo. Para promover la justicia ellos recurrieron a las medidas externas. Trazaron métodos y planes. Pero Cristo implanta un principio. Inculcando la verdad y la justicia, contrarresta el error y el pecado.

Mientras Jesús presentaba esta parábola, podían verse plantas de mostaza lejos y cerca, elevándose por sobre la hierba y los cereales, meciendo suavemente sus ramas en el aire. Los pájaros revoloteaban de rama en rama, y cantaban en medio de su frondoso follaje. Sin embargo la semilla que dio origen a estas plantas gigantes era una de las más pequeñas. Al principio proyectó un tierno brote; pero era de una potente vitalidad, y creció y floreció hasta que alcanzó el gran tamaño que entonces tenía. Así el reino de Cristo al principio parecía humilde e insignificante. Comparado con los reinos de la tierra parecía el menor de todos. La aseveración de Cristo de que era rey fue ridiculizada por los gobernantes de este mundo. Sin embargo, en las grandes verdades encomendadas a los seguidores de Cristo, el reino del Evangelio poseía una vida divina. ¡Y cuán rápido fue su crecimiento, cuán amplia su influencia! Cuando Cristo pronunció esta parábola, había solamente unos pocos campesinos galileos que representaban el nuevo reino. Su pobreza, lo escaso de su número, era presentado repetidas veces como razón por la cual los hombres no debían unirse con estos sencillos pescadores que seguían a Jesús. Pero la semilla de mostaza había de crecer y extender sus ramas a través del mundo. Cuando pereciesen los gobiernos terrenales, cuya gloria llenaba entonces los corazones humanos, el reino de Cristo seguiría siendo una fuerza poderosa y de vasto alcance.

De esta manera, la obra de la gracia en el corazón es pequeña en su comienzo. Se habla una palabra, un rayo de luz brilla en el alma, se ejerce una influencia que es el comienzo de una nueva vida; ¿y quién puede medir sus resultados?

En la parábola de la simiente de mostaza no sólo se ilustra el crecimiento del reino de Cristo, sino que en cada etapa de su crecimiento la experiencia representada en la parábola se repite. Dios tiene una verdad especial y una obra especial para su iglesia en cada generación. La verdad, oculta a los hombres sabios y prudentes del mundo, es revelada a los humildes y a los que son como niños. Exige sacrificios. Tiene batallas que luchar y victorias que ganar. Al principio son pocos los que la defienden. Ellos son contrarrestados

y desdeñados por los grandes hombres del mundo y la iglesia que se conforma al mundo. Ved a Juan el Bautista, el precursor de Cristo, solo, reprendiendo el orgullo y el formalismo de la nación judía. Ved a los primeros portadores del Evangelio a Europa. Cuán oscura, cuán desesperada parecía la misión de Pablo y Silas, los dos tejedores de tiendas, cuando, junto con sus compañeros, tomaron el barco en Troas para Filipo. Ved a "Pablo el anciano", encadenado, predicando a Cristo en la fortaleza de los Césares. Ved las pequeñas comunidades de esclavos y labriegos en conflicto con el paganismo de la Roma imperial. Ved a Martín Lutero oponiéndose a la poderosa iglesia que es la obra maestra de la sabiduría del mundo. Vedle aferrándose a la Palabra de Dios frente al emperador y al papa, declarando: "Aquí hago mi decisión; no puedo hacer de otra manera. Que Dios me ayude". Ved a Juan Wesley predicando a Cristo y su justicia en medio del formalismo, el sensualismo y la incredulidad. Ved a un hombre agobiado por los clamores del mundo pagano, suplicando el privilegio de llevarles el mensaje de amor de Cristo. Escuchad la respuesta del clericalismo: "Siéntese, joven; cuando Dios quiera convertir a los paganos lo hará sin su ayuda ni la mía".

Los grandes dirigentes del pensamiento religioso de esta generación hicieron sonar las alabanzas y edificaron los monumentos de aquellos que plantaron hace siglos la semilla de la verdad. ¿No se vuelven muchos de esta obra para pisotear el crecimiento que brota de la misma semilla hoy en día? Se repite el antiguo clamor:

"Nosotros sabemos que a Moisés habló Dios, mas éste [Cristo en la persona del mensajero que envía] no sabemos de dónde es". (Juan 9:29.) Así como en los primeros siglos, las verdades especiales para este tiempo se hallan, no en posesión de las autoridades eclesiásticas, sino de los hombres y las mujeres que no son demasiado sabios o demasiado instruidos para creer en la palabra de Dios.

"Porque mirad, hermanos, vuestra vocación, que no sois muchos sabios según la carne, no muchos poderosos, no muchos nobles; antes lo necio del mundo escogió Dios, para avergonzar a los sabios; y lo flaco del mundo escogió Dios, para avergonzar lo fuerte; y lo vil del mundo y lo menospreciado escogió Dios, y lo que no es, para deshacer lo que es"; "para que vuestra fe no esté fundada en sabiduría de hombres, mas en poder de Dios". (1 Corintios 1:26-28; 2:5.)

Y en esta última generación la parábola de la semilla de mostaza ha de alcanzar un notable y triunfante cumplimiento. La pequeña simiente llegará a ser un árbol. El último mensaje de amonestación y misericordia ha de ir a "toda nación y tribu y lengua" (Apocalipsis 14:6) "para tomar de ellos pueblo para su nombre". (Hechos 15:14.) "Y la tierra será alumbrada de su gloria". (Apocalipsis 18:1.)

Cómo Instruir y Guardar a los Hijos

PUEDEN enseñarse en la familia y en la escuela preciosas lecciones deducidas de la obra de la siembra y de la forma en que la planta se desarrolla de una semilla. Aprendan los niños y los jóvenes a reconocer en las cosas naturales la obra de los agentes divinos, y serán capaces de posesionarse por la fe de beneficios invisibles. Cuando lleguen a entender la obra maravillosa que Dios hace para suplir las necesidades de su gran familia, y cómo hemos de cooperar con él, tendrán más fe en Dios, y se darán cuenta mejor de su poder manifestado en su propia vida diaria.

Dios creó la semilla, como creó la tierra, mediante su palabra. Por su palabra él le dio el poder de crecer y multiplicarse. Dijo: "Produzca la tierra hierba verde, hierba que dé simiente; árbol de fruto que dé fruto según su género, que su simiente esté en él, sobre la tierra : y fue así... Y vio Dios que era bueno". (Génesis 1:11, 12.) Es esa palabra la que todavía hace que brote la semilla. Toda semilla que hace subir su verde espiga a la luz del sol, declara el milagroso poder de esa palabra pronunciada por Aquel que "dijo, y fue hecho", que "mandó, y existió". (Salmo 33:9.)

Cristo enseñó a sus discípulos a orar: "Danos hoy nuestro pan cotidiano". Y señalando las flores, él les dio la seguridad: "Y si la hierba del campo... Dios la viste así, ¿no hará mucho más a vosotros?" (Mateo 6:11, 30.) Cristo está constantemente trabajando para contestar esta oración y para cumplir esta promesa. Hay un poder invisible que está continuamente obrando como siervo del hombre para alimentarlo y vestirlo. Nuestro Señor emplea muchos agentes para hacer de la semilla, aparentemente tirada, una planta viva. Y él suple en la debida proporción todo lo que se necesita para perfeccionar la cosecha. De ahí las hermosas palabras del salmista:

"Visitas la tierra, y la riegas; en gran manera la enriqueces con el río de Dios, lleno de aguas. Preparas el grano de ellos, cuando así la dispones. Haces se empapen sus surcos, haces descender sus canales: ablándasla con lluvias, bendices sus renuevos. Tú coronas el año de tus bienes; y tus nubes destilan grosura." (Salmo 65:9-11.)

El mundo material se halla bajo el dominio de Dios. Las leyes de la naturaleza son obedecidas por la naturaleza. Todo expresa y obra la voluntad del Creador. La nube y la luz del sol, el rocío y la lluvia, el viento y la tormenta, todo se halla bajo la vigilancia divina, y rinde implícita obediencia a su mandato. Es en obediencia a la ley de Dios como el tallo del grano sube a través de la tierra, "primero hierba, luego espiga, después grano lleno en la espiga". (Marcos 4:28.) El Señor desarrolla estas etapas a su debido tiempo porque no se oponen a su obra. ¿Y será posible que el hombre, hecho a la imagen de Dios, dotado del raciocinio y del habla, sea el único que no aprecie sus dones y desobedezca su voluntad? ¿Serán los seres racionales los únicos que causen confusión en nuestro mundo?

En todas las cosas que tienden al sostén del hombre, se nota la concurrencia del esfuerzo divino y del humano. No puede haber cosecha a menos que la mano humana haga su parte en la siembra de la semilla. Pero sin los agentes que Dios provee al dar el sol y la lluvia, el rocío y las nubes, no habría crecimiento. Tal ocurre en la prosecución de todo negocio, en todo ramo de estudio y en toda ciencia. Y así ocurre también en las cosas espirituales, en la formación del carácter, y en todo ramo de la obra cristiana. Tenemos una parte que cumplir, pero debemos tener el poder de la Divinidad para unirlo con el nuestro, o nuestros esfuerzos serán vanos.

Cuando quiera que el hombre alcanza algo, sea en lo espiritual o en lo temporal, debe recordar que lo hace por medio de la cooperación con su Hacedor. Necesitamos grandemente comprender nuestra dependencia de Dios. Se confía demasiado en los hombres, y en las invenciones humanas. Hay muy poca confianza en el poder que Dios está listo para dar. "Coadjutores somos de Dios". (1 Corintios 3:9.) Inmensamente inferior es la parte que lleva a cabo el agente humano; pero si está unido con la divinidad de Cristo, puede hacer todas las cosas por medio de la fuerza que él imparte.

El desarrollo gradual de la planta, desde la semilla, es una lección objetiva en la crianza del niño.

Hay "primero hierba, luego espiga, después grano lleno en la espiga". Aquel que dio esta parábola creó la semillita, le dio sus propiedades vitales, y ordenó las leyes que rigen su crecimiento. Y las verdades que enseña la parábola se convirtieron en una viviente realidad en la vida de Cristo. Tanto en su naturaleza física como en la espiritual él siguió el orden divino del crecimiento ilustrado por la planta, así como desea que todos los jóvenes lo hagan. Aunque era la Majestad del cielo, el Rey de la gloria, nació como un niño en Belén, y durante un tiempo representó a la infancia desvalida mientras su madre lo cuidaba. En la niñez hizo las obras de un niño obediente. Habló y actuó con la sabiduría de un niño y no con la de un hombre, honrando a sus padres y cumpliendo sus deseos en formas útiles, de acuerdo con la capacidad de un niño. Pero en cada etapa de su desarrollo era perfecto, con la sencilla y natural gracia de una vida exenta de pecado. El registro sagrado dice de su niñez: "El niño crecía, y fortalecíase, y se henchía de sabiduría, y la gracia de Dios era sobre él". Y de su juventud se registra: "Jesús crecía en sabiduría, y en edad, y en gracia para con Dios y los hombres". (Lucas 2:40, 52.)

Aquí se sugiere la obra de los padres y los maestros. Deben procurar cultivar las tendencias de la juventud para que en cada etapa de su vida puedan representar la belleza natural propia de aquel período, desarrollándose naturalmente como las plantas en el jardín.

Los niños exentos de afectación y que actúan con naturalidad son los más atractivos. No es prudente darles atención especial, y repetir delante de ellos sus agudezas. No se debe estimular la vanidad alabando su apariencia, sus palabras o sus acciones. Ni deben vestirse de manera costosa y llamativa. Esto aumenta el orgullo en ellos y despierta la envidia en el corazón de sus compañeros.

Debe cultivarse en los pequeños la sencillez de la niñez. Debe enseñárseles a estar contentos con los pequeños deberes útiles, y el placer y los incidentes propios de sus años. La niñez corresponde a la hierba de la parábola, y la hierba tiene una belleza peculiarmente suya. No se debe forzar a los niños a una madurez precoz, sino que debe retenerse tanto tiempo como sea posible la frescura y la gracia de sus primeros años.

Los niñitos pueden llegar a ser cristianos aunque tengan una experiencia proporcionada a sus años. Esto es todo lo que Dios espera de ellos. Deben ser educados en las cosas espirituales; y los padres deben darles toda la oportunidad que puedan para la formación de su carácter a semejanza del de Cristo. En las leyes por las cuales Dios rige la naturaleza, el efecto sigue a la causa con certeza infalible. La siega testificará de lo que fue la siembra. El obrero perezoso será condenado por su obra. La cosecha testifica contra él. Así también en las cosas espirituales: se mide la fidelidad de cada obrero por los resultados de su obra. El carácter de su obra, sea él diligente o perezoso, se revela por la cosecha. Así se decide su destino para la eternidad.

Cada semilla sembrada produce una cosecha de su especie. Así también es en la vida humana. Todos debemos sembrar las semillas de compasión, simpatía y amor, porque hemos de recoger lo que sembramos. Toda característica de egoísmo, amor propio, estima propia, todo acto de complacencia propia, producirá una cosecha semejante. El que vive para sí está sembrando para la carne, y de la carne cosechará corrupción.

Dios no destruye a ningún hombre. Todo hombre que sea destruido se habrá destruido a sí mismo. Todo el que ahogue las amonestaciones de la conciencia está sembrando las semillas de la incredulidad, y éstas producirán una segura cosecha. Al rechazar la primera amonestación de Dios, el faraón de la antigüedad sembró las semillas de la obstinación, y cosechó obstinación. Dios no lo forzó a la incredulidad. La semilla de la incredulidad que él sembró, produjo una cosecha según su especie. De aquí que continuara su resistencia, hasta que vio a su país devastado y contempló el cuerpo frío de su primogénito y los primogénitos de todos los que estaban en su casa y de todas las familias de su reino, hasta que las aguas cubrieron sus caballos, sus carros y sus guerreros. Su historia es una tremenda ilustración de la verdad de las palabras de que "todo lo que el hombre sembrare, eso también segará". (Gálatas 6:7.) Si los hombres comprendieran esto, tendrían cuidado de la semilla que siembran.

Puesto que la semilla sembrada produce una cosecha, y ésta a su vez es sembrada, la cosecha se multiplica. Esta ley se cumple en nuestra relación con otros. Cada acto, cada palabra, es una semilla que llevará fruto. Cada acto de bondad bien pensado, de obediencia o de abnegación, se reproducirá en otros, y por medio de ellos, todavía en otros, así como cada acto de envidia, malicia o disensión es una semilla que brotará en "raíz de amargura" (Hebreos 12:15), con la cual muchos serán contaminados. ¡Y cuánto mayor será el número de los envenenados por los "muchos"! Así prosigue la siembra del bien y del mal para el tiempo y la eternidad.

La liberalidad, tanto en lo espiritual como en las cosas temporales, se enseña en la lección de la semilla sembrada. El Señor dice: "Dichosos vosotros los que sembráis sobre todas aguas". (Isaías 32:20.) "Esto empero digo: El que siembra escasamente también segará escasamente; y el que siembra en bendiciones, en bendiciones también segará". (2 Corintios 9:6.) El sembrar sobre todas las aguas significa impartir continuamente los dones de Dios. Significa dar dondequiera que la causa de Dios o las necesidades de la humanidad demanden nuestra ayuda. Esto no ocasionará la pobreza. "El que siembra en bendiciones, en bendiciones también segará". El sembrador multiplica su semilla esparciéndola. Tal ocurre con aquellos que son fieles en la distribución de los dones de Dios. Impartiendo sus bendiciones, éstas aumentan. Dios les ha prometido una cantidad suficiente a fin de que puedan continuar dando. "Dad, y se os dará; medida buena, apretada, remecida, y rebosando darán en vuestro seno". (Lucas 6:38.)

Y abarca más que esto la siembra y la cosecha. Cuando distribuimos las bendiciones temporales de Dios, la evidencia de nuestro amor y simpatía despierta en el que las recibe la gratitud y el agradecimiento a Dios. Se prepara el terreno del corazón para recibir las semillas de verdad espiritual. Y el que proporciona la semilla al sembrador hará que éstas germinen y lleven fruto para vida eterna.

Cristo representó su sacrificio redentor por medio del grano echado en la tierra. "Si el grano de trigo no cae en la tierra —dijo Jesús—, y muere, él solo queda; mas si muriere, mucho fruto lleva". (Juan 12:24.) Así la muerte de Cristo producirá frutos para el reino de Dios. De acuerdo con la ley del reino vegetal, la vida será el resultado de su muerte.

Y todos los que produzcan frutos como obreros juntamente con Cristo, deben caer primero en la tierra y morir. La vida debe ser echada en el surco de las necesidades del mundo. Deben perecer el amor propio y el egoísmo. Pero la ley del sacrificio propio es la ley de la preservación propia. La semilla enterrada en el suelo produce fruto, y a su vez éste es sembrado. Así se multiplica la cosecha. El agricultor conserva su grano esparciéndolo. Así en la vida humana: dar es vivir. La vida que se preservará será la vida que se dé liberalmente en servicio a Dios y los hombres. Los que sacrifican su vida por Cristo en este mundo, la conservarán eternamente.

La semilla muere para brotar en forma de nueva vida, y en esto se nos enseña la lección de la resurrección. Todos los que aman a Dios vivirán otra vez en el Edén celestial. Dios ha dicho de los cuerpos humanos que yacen en la tumba para convertirse en polvo: "Se siembra en corrupción; se levantará en incorrupción; se siembra en vergüenza, se levantará con gloria; se siembra en flaqueza, se levantará con potencia". (1 Corintios 15:42, 43.)

Tales son unas pocas de las muchas lecciones enseñadas por la viviente parábola de la naturaleza respecto del sembrador y la semilla. Cuando los padres y los maestros procuran enseñar estas lecciones, deben hacerlo en una forma práctica. Aprendan los niños por sí mismos a preparar el terreno y a sembrar la semilla. Cuando trabaja el padre o maestro puede explicarles acerca del jardín del corazón y la buena o mala semilla que allí se siembra, y así como el jardín puede prepararse para la semilla natural, debe prepararse el corazón para la semilla de la verdad. Cuando esparcen la semilla en el terreno, pueden enseñar la lección de la muerte de Cristo, y cuando surge la espiga, la verdad de la resurrección. Cuando crecen las plantas, puede continuarse con la relación entre la siembra natural y la espiritual.

A los jóvenes debe instruírselos en un forma semejante. Debe enseñárseles a trabajar el terreno. Sería bueno que todas las escuelas tuvieran terreno para el cultivo. Tales terrenos deberían ser considerados como el aula de Dios. Deben considerarse las cosas de la naturaleza como un libro de texto que han de estudiar los hijos de Dios, y del cual pueden obtener el conocimiento relativo al cultivo del alma. Al trabajar el terreno, al disciplinarlo y sojuzgarlo, han de aprenderse lecciones continuamente. Nadie pensaría en establecerse sobre un terreno inculto, esperando que de repente produjera una cosecha. Se necesitan fervor, diligencia y labor perseverante para preparar el terreno para la semilla. Así es en la obra espiritual del corazón humano. Los que quieran beneficiarse con el cultivo del suelo, deben avanzar con la palabra de Dios en su corazón. Encontrarán entonces que el barbecho del corazón ha sido roturado por la influencia subyugadora del Espíritu Santo. A menos que el terreno sea objeto de arduo trabajo, no rendirá cosecha. Así también es el terreno del corazón: el Espíritu de Dios debe trabajar en él para refinarlo y disciplinarlo, antes de que pueda dar fruto para la gloria de Dios.

El terreno no producirá sus riquezas cuando sea trabajado por impulso. Necesita una atención diaria y cuidadosa. Debe ser arado frecuente y profundamente, a fin de mantenerlo libre de las malezas que se alimentan de la buena semilla sembrada. Así preparan la cosecha los que aran y siembran. Nadie debe permanecer en el campo en medio del triste naufragio de sus esperanzas.

La bendición del Señor descansará sobre los que así trabajan la tierra, aprendiendo lecciones espirituales de la naturaleza. Al cultivar el terreno, el obrero sabe poco de los tesoros que se abrirán delante de él. Si bien es cierto que no ha de despreciar la instrucción que pueda recibir de los que tienen experiencia en la obra, y la información que puedan impartirle los hombres inteligentes, debe obtener lecciones por sí mismo. Esta es una parte de su educación. El cultivo del terreno llegará a ser una educación para el alma.

El que hace que brote la semilla y la cuida día y noche, el que le da poder para que se desarrolle, es el Autor de nuestro ser, el Rey del cielo, y él ejerce un cuidado e interés aun mayores hacia sus hijos. Mientras el sembrador humano está sembrando la semilla que mantiene nuestra vida terrenal, el sembrador divino sembrará en el alma la semilla que dará frutos para vida eterna.

Un Poder que Transforma y Eleva

Este capítulo está basado en
Mateo 13:33; Lucas 13:20, 21.

MUCHOS hombres educados y de influencia habían venido a oír al profeta de Galilea. Algunos de ellos miraban con curioso interés la multitud que se había congregado alrededor de Cristo mientras enseñaba a la orilla del mar. En esta gran multitud se hallaban representadas todas las clases de la sociedad. Allí estaban el pobre, el analfabeto, el andrajoso pordiosero, el ladrón que llevaba impreso en su rostro el sello de la culpa, el lisiado, el disoluto, el comerciante y el que no necesitaba trabajar, el encumbrado y el humilde, el rico y el pobre, estrechándose unos contra otros por encontrar un lugar donde estar y escuchar las palabras de Cristo. Al echar un vistazo estos hombres cultos sobre la extraña asamblea se preguntaron: ¿Se compone el reino de Dios de semejante elemento? Nuevamente el Salvador contestó con una parábola:

"El reino de los cielos es semejante a la levadura que tomó una mujer, y escondió en tres medidas de harina, hasta que todo quedó leudo".

Entre los judíos, la levadura se usaba a veces como símbolo del pecado. Al tiempo de la Pascua, el pueblo era inducido a quitar toda levadura de su casa, así como debía quitar el pecado del corazón. Cristo amonestó a sus discípulos: "Guardaos de la levadura de los fariseos, que es hipocresía". Y el apóstol Pablo habla de "la levadura de malicia y de maldad". (Lucas 12:1; 1 Corintios 5:8.) Pero en la parábola del Salvador la levadura se usa para representar el reino de los cielos. Ilustra el poder vivificante y asimilador de la gracia de Dios.

Ninguna persona es tan vil, nadie ha caído tan bajo que esté fuera del alcance de la obra de ese poder. En todos los que se sometan al Espíritu Santo, ha de ser implantado un nuevo principio de vida: la perdida imagen de Dios ha de ser restaurada en la humanidad.

Pero el hombre no puede transformarse a sí mismo por el ejercicio de su voluntad. No posee el poder capaz de obrar este cambio. La levadura, algo completamente externo, debe ser colocada dentro de la harina antes que el cambio deseado pueda operarse en la misma. Así la gracia de Dios debe ser recibida por el pecador antes que pueda ser hecho apto para el reino de gloria. Toda la cultura y la educación que el mundo puede dar, no podrán convertir a una criatura degradada por el pecado en un hijo del cielo. La energía renovadora debe venir de Dios. El cambio puede ser efectuado sólo por el Espíritu Santo. Todos los que quieran ser salvos, sean encumbrados o humildes, ricos o pobres, deben someterse a la operación de este poder.

Como la levadura, cuando se mezcla con la harina, obra desde adentro hacia afuera, tal ocurre con la renovación del corazón que la gracia de Dios produce para transformar la vida. No es suficiente un mero cambio externo para ponernos en armonía con Dios. Hay muchos que tratan de reformarlo corrigiendo este o aquel mal hábito, y esperan llegar a ser cristianos de esta manera, pero ellos están comenzando en un lugar erróneo. Nuestra primera obra tiene que ver con el corazón.

El profesar la fe y el poseer la verdad en el alma son dos cosas diferentes. El mero conocimiento de la verdad no es suficiente. Podemos poseer ese conocimiento, pero el tenor de nuestros pensamientos puede seguir siendo el mismo. El corazón debe ser convertido y santificado.

El hombre que trata de guardar los mandamientos de Dios solamente por un sentido de obligación —porque se le exige que lo haga— nunca entrará en el gozo de la obediencia. El no obedece. Cuando los requerimientos de Dios son considerados como una carga porque se oponen a la inclinación humana, podemos saber que la vida no es una vida cristiana. La verdadera obediencia es el resultado de la obra efectuada por un principio implantado dentro. Nace del amor a la justicia, el amor a la ley de Dios. La esencia de toda justicia es la lealtad a nuestro Redentor. Esto nos inducirá a hacer lo bueno porque es bueno, porque el hacer el bien agrada a Dios.

La gran verdad de la conversión del corazón por el Espíritu Santo es presentada en las palabras que Cristo dirigiera a Nicodemo: "De cierto, de cierto te digo, que el que no naciere otra vez, no puede ver el reino de Dios". "Lo que es nacido de la carne,

carne es; y lo que es nacido del Espíritu, espíritu es. No te maravilles de que te dije: Os es necesario nacer otra vez. El viento de donde quiere sopla, y oyes su sonido; mas no sabes de dónde viene, ni a dónde vaya: así es todo aquel que es nacido del Espíritu". (Juan 3:3-8.)

El apóstol Pablo, escribiendo por la inspiración del Espíritu Santo, dice: "Dios, que es rico en misericordia, por su mucho amor con que nos amó, aun estando nosotros muertos en pecado, nos dio vida juntamente con Cristo; por gracia sois salvos; y juntamente nos resucitó, y asimismo nos hizo sentar en los cielos con Cristo Jesús, para mostrar en los siglos venideros las abundantes riquezas de su gracia en su bondad para con nosotros en Cristo Jesús. Porque por gracia sois salvos por la fe; y esto no de vosotros, pues es don de Dios". (Efesios 2:4-8.)

La levadura escondida en la harina trabaja en forma invisible para hacer que toda la masa se halle bajo el proceso del leudamiento; así la levadura de la verdad trabaja secreta, silenciosa, invariablemente para transformar el alma. Las inclinaciones naturales son mitigadas y sometidas. Nuevos pensamientos, nuevos sentimientos, nuevos motivos son implantados. Se traza una nueva norma del carácter: la vida de Cristo. La mente es cambiada; las facultades son despertadas para obrar en nuevas direcciones. El hombre no es dotado de nuevas facultades, sino que las facultades que tiene son santificadas. La conciencia se despierta. Somos dotados de rasgos de carácter que nos capacitan para servir a Dios.

A menudo se levanta la pregunta: ¿Por qué, entonces, hay tantos que pretenden creer en la Palabra de Dios, en los cuales no se ve una reforma en las palabras, en el espíritu y en el carácter? ¿Por qué hay tantos que no pueden soportar la oposición a sus propósitos y planes, que manifiestan un temperamento no santificado, y cuyas palabras son ásperas, despóticas y apasionadas? Se ve en ellos el mismo amor al yo, la misma indulgencia egoísta, el mismo mal genio y lenguaje precipitado que se notan en la vida de los mundanos. Existe el mismo orgullo sensible, la misma concesión a la inclinación natural, la misma perversidad de carácter que si la verdad fuera completamente desconocida para ellos. La razón es que no están convertidos. No han escondido la levadura de la verdad en su corazón. No ha habido oportunidad para que ella realizara su obra. Sus tendencias naturales y cultivadas a hacer lo malo no han sido sometidas a su poder transformador. Sus vidas revelan la ausencia de la gracia de Cristo, una falta de fe en su poder para transformar el carácter.

"La fe es por el oír y el oír por la palabra de Dios". (Romanos 10:17.) Las Escrituras constituyen el gran agente en la transformación del carácter. Cristo oró: "Santifícalos en tu verdad: tu palabra es verdad". (Juan 17:17.) Si se la estudia y obedece, la Palabra de Dios obra en el corazón, subyugando todo atributo no santificado. El Espíritu Santo viene a convencer del pecado, y la fe que nace en el corazón obra por amor a Cristo, y nos conforma en cuerpo, alma y espíritu a su propia imagen. Entonces Dios puede usarnos para hacer su voluntad. El poder que se nos da obra desde adentro hacia afuera, induciéndonos a comunicar a otros la verdad que nos ha sido transmitida.

Las verdades de la Palabra de Dios hacen frente a la gran necesidad práctica del hombre: la conversión del alma por medio de la fe. No ha de pensarse que estos grandes principios son demasiado puros y santos para ser aplicados en la vida diaria. Son verdades que llegan al cielo y alcanzan la eternidad; y sin embargo, su influencia vital ha de ser entretejida en la experiencia humana. Han de compenetrar todas las grandes y pequeñas cosas de la vida.

Recibida en el corazón, la levadura de la verdad regulará los deseos, purificará los pensamientos, dulcificará la disposición. Aviva las facultades de la mente y las energías del alma. Aumenta la capacidad de sentir, de amar.

El mundo considera como un misterio al hombre imbuido de este principio. El hombre egoísta y amador del dinero vive sólo para conseguir las riquezas, los honores y los placeres de este mundo: omite de sus cálculos el mundo eterno. Pero en el caso del seguidor de Cristo, estas cosas no lo absorberán todo. Por causa de Cristo, trabajará y se negará a sí mismo, para poder ayudar en la gran obra de salvar a las almas que se hallan sin Cristo y sin esperanza en el mundo. El mundo no puede comprender a un hombre tal; porque él tiene en cuenta realidades eternas. El amor de Cristo con su poder redentor ha venido a su corazón. Este amor subyuga todo otro motivo, y eleva a su poseedor

por encima de la influencia corruptora del mundo.

La palabra de Dios ha de tener un efecto santificador en nuestra relación con cada miembro de la familia humana. La levadura de la verdad no producirá espíritu de rivalidad, ambición, deseo de supremacía. El amor verdadero nacido del cielo no es egoísta y cambiable. No depende de la alabanza humana. El corazón de aquel que recibe la gracia de Dios desborda de amor a Dios y a aquellos por los cuales Cristo murió. El yo no lucha para ser reconocido. No ama a otros porque ellos lo aman a él y le agradan, porque aprecian sus méritos, sino porque constituyen una posesión comprada por Cristo. Si sus motivos, palabras o acciones son mal entendidas o falseadas, no se ofende, sino que prosigue invariable su camino. Es amable y considerado, humilde en la opinión que tiene de sí mismo, y sin embargo lleno de esperanza, y siempre confía en la misericordia y el amor de Dios.

El apóstol nos exhorta: "Conforme es santo aquel que os ha llamado, sed también vosotros santos, en toda vuestra manera de vivir; porque está escrito: Habéis de ser santos, porque yo soy santo". (1 Pedro 1:15, 16, VM.) La gracia de Cristo ha de dominar el genio y la voz. Su obra se revelará en la cortesía y la tierna consideración mostradas por el hermano hacia el hermano, con palabras bondadosas y alentadoras. Existe una presencia angelical en el hogar. La vida despide un dulce perfume que asciende a Dios como sagrado incienso. El amor se manifiesta en la bondad, la gentileza, la tolerancia y la longanimidad.

El semblante cambia. Cristo que habita en el corazón, brilla en el rostro de aquellos que le aman y guardan sus mandamientos. La verdad queda escrita allí. Se revela la dulce paz del cielo. Se expresan allí una bondad habitual, un amor más que humano.

La levadura de la verdad efectúa un cambio en todo el hombre, convirtiendo al rústico en refinado, al áspero en amable, al egoísta en generoso. Por su medio el impuro queda limpio, lavado en la sangre del Cordero. Por medio de su poder vivificante, hace que la totalidad de la mente, el alma y las fuerzas quede en armonía con la vida divina. El hombre con su naturaleza humana llega a ser partícipe de la divinidad. Cristo es honrado con la excelencia y la perfección del carácter. Y mientras se efectúan estos cambios, los ángeles rompen en himnos arrobadores, y Dios y Cristo se regocijan sobre las almas transformadas a la semejanza divina.

El Mayor Tesoro

Este capítulo está basado en Mateo 13:44.

ADEMÁS, el reino de los cielos es semejante al tesoro escondido en el campo; el cual hallado, el hombre lo encubre, y de gozo de ello va, y vende todo lo que tiene, y compra aquel campo".

En los tiempos antiguos, los hombres acostumbraban esconder sus tesoros en la tierra. Los robos eran frecuentes, y cuando había un cambio en el poder gobernante, los que tenían grandes posesiones estaban expuestos a que se les aplicasen pesados tributos. Por otra parte, el país estaba en constante peligro de ser invadido por ejércitos merodeadores. Por consiguiente, los ricos trataban de preservar sus riquezas ocultándolas, y la tierra era considerada como un seguro escondite. Pero a menudo se olvidaba el lugar en que se había escondido el tesoro; la muerte podía arrebatar al dueño; el encarcelamiento o el destierro podían alejarlo de su tesoro, y la riqueza cuya preservación le había costado tanto trabajo, era dejada para la persona afortunada que la encontrase. En los días de Cristo no era raro descubrir en un terreno descuidado viejas monedas y ornamentos de oro y plata.

Un hombre alquila un terreno para cultivarlo, y mientras ara la tierra con sus bueyes, desentierra un tesoro. En seguida, ve que una fortuna se halla a su alcance. Restituyendo el oro a su escondite, regresa a casa y vende todo lo que tiene para comprar el terreno que contiene el tesoro. Su familia y sus vecinos piensan que procede como un loco. No ven valor alguno en ese terreno descuidado. Pero el hombre sabe lo que hace, y cuando tiene el título del campo,

revuelve cada parte de él para encontrar el tesoro que ha conseguido.

Esta parábola ilustra el valor del tesoro celestial y el esfuerzo que deberíamos hacer para obtenerlo. El que encontró el tesoro en el campo estaba listo para abandonar todo lo que tenía y realizar una labor incansable, a fin de obtener las riquezas ocultas. Así el que halla el tesoro celestial no debe considerar ningún trabajo demasiado grande y ningún sacrificio demasiado caro para ganar los tesoros de la verdad.

En la parábola, el campo que contiene el tesoro representa las Sagradas Escrituras. Y el Evangelio es el tesoro. La tierra misma no se halla tan entretejida de vetas de oro ni está

tan llena de cosas preciosas como sucede con la Palabra de Dios.

Cómo fue escondido

Se dice que los tesoros del Evangelio están escondidos. Aquellos que son sabios en su propia estima, los que están hinchados por la enseñanza de la vana filosofía, no perciben la hermosura, el poder y el misterio del plan de la redención. Muchos tienen ojos, pero no ven; tienen oídos, pero no oyen; tienen intelecto, pero no disciernen el tesoro escondido.

Un hombre podría pasar por el lugar donde había sido escondido el tesoro. Estando en horrible necesidad, podría sentarse a descansar al pie de un árbol, no sabiendo nada de las riquezas escondidas entre sus raíces. Tal ocurrió con los judíos. Cual áureo tesoro, la verdad había sido confiada al pueblo hebreo. El sistema de culto judaico, que llevaba la firma celestial, había sido instituido por Cristo mismo. Las grandes verdades de la redención se hallaban veladas tras los tipos y los símbolos. Sin embargo, cuando Cristo vino, no reconocieron a Aquel a quien señalaban todos los símbolos. Tenían la Palabra de Dios en su poder; pero las tradiciones que habían pasado de una generación a otra y la interpretación humana de las Escrituras, escondieron de su vista la verdad tal cual es en Jesús. La significación espiritual de los Sagrados Escritos se perdió. El lugar donde estaba atesorado todo el conocimiento les estaba abierto, pero no lo sabían.

Dios no esconde su verdad de los hombres. Por su propia conducta, ellos la oscurecen para sí mismos. Cristo dio al pueblo judío abundantes evidencias de que era el Mesías; pero su enseñanza exigía un cambio decidido en sus vidas. Ellos vieron que si recibían a Cristo debían abandonar sus máximas y tradiciones favoritas y sus prácticas egoístas e impías. Exigía un sacrificio el recibir la verdad invariable y eterna. Por lo tanto, no admitieron la más concluyente evidencia que Dios pudo dar a fin de establecer la fe en Cristo. Profesaban creer en las Escrituras del Viejo Testamento, y sin embargo rehusaron aceptar el testimonio que contenían con respeto a la vida y el carácter de Cristo. Temían ser convencidos, no fuera que se convirtieran y se vieran impelidos a abandonar sus opiniones preconcebidas. El tesoro del Evangelio, el Camino, la

Verdad y la Vida estaba entre ellos, pero rechazaron la dádiva más grande que los cielos pudieran conceder.

"Aun de los príncipes, muchos creyeron en él —leemos—, mas por causa de los fariseos no le confesaban, por no ser echados de la sinagoga". (Juan 12:42.) Estaban convencidos. Creían que Jesús era el Hijo de Dios; pero el confesarlo no estaba de acuerdo con sus ambiciosos deseos. No tenían la fe que podría haberles conseguido el tesoro celestial. Estaban buscando tesoro mundanal.

Y los hombres de nuestros días están buscando afanosamente los tesoros terrenales. Su mente está llena de pensamientos egoístas y ambiciosos. Por ganar las riquezas, el honor o el poder mundanos, colocan las máximas, las tradiciones y los mandamientos de los hombres por encima de los requisitos de Dios. Las riquezas de su Palabra se hallan ocultas a estas personas.

"El hombre animal no percibe las cosas que son del Espíritu de Dios, porque le son locura; y no las puede entender, porque se han de examinar espiritualmente". (1 Corintios 2:14.)

"Si nuestro Evangelio está aún encubierto, entre los que se pierden está encubierto: en los cuales el dios de este siglo cegó los entendimientos de los incrédulos, para que no les replandezca la lumbre del Evangelio de la gloria de Cristo, el cual es la imagen de Dios". (2 Corintios 4:3, 4.)

El valor del tesoro

El Salvador vio que los hombres estaban absortos en conseguir ganancias y perdían de vista las realidades eternas. Intentó corregir este mal. Trató de romper el hechizo infatuador que paralizaba el alma. Elevando su voz clamó: "¿De qué aprovecha al hombre, si granjeare todo el mundo, y perdiere su alma? O ¿qué recompensa dará el hombre por su alma?" (Mateo 16:26.) Cristo presenta ante la humanidad caída el mundo más noble que ha perdido de vista, a fin de que contemplen las realidades eternas. Los transporta hasta los umbrales del Infinito, resplandeciente como la indescriptible gloria de Dios, y les muestra allí el tesoro. El valor de este tesoro es superior al oro o la plata. Las riquezas de las minas de la tierra no pueden compararse con él.

"El abismo dice: No está en mí: Y la mar dijo: Ni conmigo. No se dará por oro, ni su precio será a peso de plata. No puede ser apreciada con oro de Ophir, ni con onique precioso, ni con zafiro. El oro no se le igualará, ni el diamante; ni se trocará por vaso de oro fino. De coral ni de perlas no se hará mención: La sabiduría es mejor que piedras preciosas". (Job 28:14-18.)

Este es el tesoro que se encuentra en las Escrituras. La Biblia es el gran libro de texto de Dios, su gran educador. El fundamento de toda ciencia verdadera se halla en la Biblia. Cada rama del conocimiento puede ser hallada escudriñando la Palabra de Dios. Y sobre toda otra cosa contiene la ciencia de todas las ciencias, la ciencia de la salvación. La Biblia es la mina de las inescrutables riquezas de Cristo.

La verdadera educación superior se obtiene estudiando y obedeciendo

la Palabra de Dios. Pero cuando la Biblia se deja de lado en beneficio de libros que no conducen a Dios y al reino de los cielos, la educación adquirida es una perversión de ese nombre.

Hay en la naturaleza verdades maravillosas. La tierra, el mar y el cielo están llenos de verdad. Son nuestros maestros. La naturaleza hace oír su voz en lecciones de sabiduría celestial y verdad eterna. Pero el hombre caído no entenderá. El pecado ha nublado su visión, y por sí mismo no puede interpretar la naturaleza sin colocarla por encima de Dios. Las lecciones correctas no pueden impresionar la mente de aquellos que rechazan la Palabra de Dios. La enseñanza de la naturaleza se halla tan pervertida por ellos que aparta la mente del Creador.

Muchos enseñan que la sabiduría del hombre es superior a la sabiduría del divino Maestro, y se considera al libro de texto de Dios como anticuado, pasado de moda y carente de interés. Pero no lo consideran así aquellos que han sido vivificados por el Espíritu Santo. Ellos ven el inapreciable tesoro, y lo venderían todo para comprar el campo que lo contiene. En vez de los libros que contienen las suposiciones de los autores reputados como grandes, eligen la Palabra de Aquel que es el mayor autor y el mayor maestro que el mundo jamás haya conocido; que dio su vida por nosotros, a fin de que por su medio tuviésemos vida eterna.

Resultados de descuidar el tesoro

Satanás obra en las mentes de los hombres, y los induce a pensar que hay conocimiento maravilloso que puede ser adquirido fuera de Dios. Mediante razonamientos engañosos, él indujo a Adán y Eva a dudar de la palabra de Dios, y a colocar en su lugar una teoría que los guió a la desobediencia. Y sus sofismas están haciendo hoy lo que hicieron en el Edén. Los maestros que mezclan con la educación que dan, los sentimientos de autores incrédulos, siembran en la mente de la juventud pensamientos que los inducirán a desconfiar de Dios y transgredir su ley. Poco saben ellos lo que hacen. Poco se dan cuenta de cuál será el resultado de su obra.

Un estudiante puede cursar todos los grados de las escuelas y colegios de nuestra época. Puede dedicar todas sus facultades a adquirir conocimiento. Pero a menos que tenga un conocimiento de Dios, a menos que obedezca las leyes que gobiernan su ser, se destruirá a sí mismo. Por hábitos erróneos pierde la facultad de valorarse. Pierde el dominio propio. No puede razonar correctamente acerca de los asuntos que más íntimamente le conciernen. Es descuidado e irracional en la forma de tratar su mente y su cuerpo. Por hábitos erróneos, se arruina. No puede obtener la felicidad; pues su descuido en el cultivo de los principios puros y sanos lo coloca bajo el dominio de los hábitos que destruyen su paz. Sus años de estudio abrumador se pierden, porque se ha destruido a sí mismo. Ha empleado mal sus facultades físicas y

mentales, y el templo de su cuerpo se halla en ruinas. Está arruinado para esta vida y para la venidera. Pensó obtener un tesoro adquiriendo conocimiento y sabiduría terrenales; pero por dejar a un lado la Biblia sacrificó un tesoro que vale más que cualquier otra cosa.

Buscad el tesoro

La Palabra de Dios ha de ser nuestro estudio. Hemos de educar a nuestros hijos en las verdades que allí encontramos. Es un tesoro inagotable; pero los hombres no lo encuentran porque no lo buscan hasta posesionarse de él. Muchos se contentan con una suposición acerca de la verdad. Se conforman con una obra superficial, dando por sentado que tienen todo lo que es esencial. Consideran los dichos de otros como la verdad, y son demasiado indolentes para aplicarse a un trabajo fervoroso y diligente, representado en la Palabra por el acto de cavar para hallar el tesoro oculto. Pero las invenciones de los hombres no solamente no son dignas de confianza, sino que son peligrosas, pues colocan al hombre en el lugar que corresponde a Dios. Colocan los dichos de los hombres donde debería hallarse un "Así dice Jehová".

Cristo es la verdad. Sus palabras son verdad, y tienen un significado más profundo del que aparentan tener en la superficie. Todos los dichos de Cristo tienen un significado que sobrepuja su modesta apariencia. Las mentes avivadas por el Espíritu Santo discernirán el valor de esos dichos. Hallarán las preciosas gemas de verdad, aun cuando sean tesoros escondidos.

Las teorías y especulaciones humanas nunca conducirán a una comprensión de la Palabra de Dios. Aquellos que suponen que entienden de filosofía piensan que sus explicaciones son necesarias para abrir los tesoros del conocimiento e impedir que las herejías se introduzcan en la iglesia. Pero son estas explicaciones las que han introducido falsas teorías y herejías. Los hombres han hecho esfuerzos desesperados por explicar lo que ellos pensaban que eran textos intrincados; pero demasiado a menudo sus esfuerzos no han hecho sino oscurecer aquello que trataban de explicar.

Los sacerdotes y los fariseos pensaban estar haciendo grandes cosas como maestros, colocando sus propias interpretaciones por sobre la Palabra de Dios; pero Cristo dijo de ellos: "No sabéis las Escrituras, ni la potencia de Dios". (Marcos 12:24.) Los declaró culpables de enseñar "como doctrinas mandamientos de hombres". (Marcos 7:7.) Aunque ellos eran los maestros de los oráculos divinos, aunque se suponía que entendían la Palabra, no eran hacedores de la misma. Satanás había cegado sus ojos, de tal manera que no viesen su verdadera importancia.

Esta es la obra que muchos hacen en nuestra época. Muchas iglesias son culpables de este pecado. Hay peligro, gran peligro de que los presuntos sabios de nuestra época repitan lo que hicieron los maestros judíos. Interpretan falsamente los oráculos divinos, y las almas quedan sumidas en la perplejidad y las tinie-

blas a causa de su errónea concepción de la verdad.

Las Escrituras no necesitan ser leídas a la luz empañada de la tradición o la especulación humana. El explicar las Escrituras por la especulación o la imaginación del hombre, es como tratar de alumbrar el sol con una antorcha. La santa Palabra de Dios no necesita de la débil luz de la antorcha de la tierra para que sus glorias sean visibles. Es luz en sí misma: la gloria de Dios revelada; y fuera de ella toda otra luz es empañada.

Pero debe haber fervoroso estudio y diligente investigación. Las percepciones claras y exactas de la verdad no serán nunca la recompensa de la indolencia. Ninguna bendición terrenal puede ser obtenida sin esfuerzo ferviente, paciente y perseverante. Si los hombres quieren tener éxito en los negocios, deben tener la voluntad de obrar, y la fe para esperar los resultados. Y no podemos esperar obtener un conocimiento espiritual sin un trabajo activo. Aquellos que desean encontrar los tesoros de la verdad deben cavar en busca de ellos como el minero cava para hallar el tesoro escondido en la tierra. Ningún trabajo frío e indiferente será provechoso. Es esencial para los viejos y los jóvenes no solamente leer la Palabra de Dios, sino estudiarla con fervor y consagración, orando e investigando para hallar la verdad como tesoro escondido. Los que hagan esto serán recompensados, pues Cristo avivará su inteligencia.

Nuestra salvación depende de nuestro conocimiento de la verdad contenida en las Escrituras. Es la voluntad de Dios que nosotros poseamos dicho conocimiento. Investigad, oh, investigad la preciosa Biblia con corazones hambrientos. Explorad la Palabra de Dios como el minero explora la tierra para encontrar las vetas de oro. Nunca abandonéis el estudio hasta que os hayáis asegurado de vuestra relación con Dios y de su voluntad con respecto a vosotros. Cristo declara: "Y todo lo que pidiereis al Padre en mi nombre, esto haré, para que el Padre sea glorificado en el Hijo. Si algo pidiereis en mi nombre, yo lo haré". (Juan 14:13, 14.)

Los hombres de piedad y talento obtienen visiones de las realidades eternas, pero a menudo dejan de entenderlas, porque las cosas que se ven eclipsan la gloria de las que no se ven. Aquel que quiere buscar con éxito el tesoro escondido debe elevarse a propósitos más nobles que las cosas de este mundo. Sus afectos y todas sus facultades deben ser consagrados a la investigación.

La desobediencia ha impedido el acceso a una gran cantidad de conocimiento que podría haberse obtenido de las Escrituras. La comprensión significa obediencia a los mandamientos de Dios. Las Escrituras no han de ser adaptadas para satisfacer los prejuicios y los celos de los hombres. Pueden ser entendidas solamente por aquellos que buscan humildemente un conocimiento de la verdad para obedecerla.

Preguntas tú: ¿Qué haré para salvarme? Debes abandonar a la puerta de la investigación tus opiniones preconcebidas, tus ideas heredadas y cultivadas. Si escudriñas las Escrituras para vindicar tus propias opiniones, nunca alcanzarás la verdad. Estudia para aprender qué dice el Señor. Y cuando la convicción te posea mientras investigas, si ves que tus opiniones acariciadas no están en armonía con la verdad, no tuerzas la verdad para que cuadre con tu creencia, sino acepta la luz dada. Abre la mente y el corazón, para que puedas contemplar las cosas admirables de la Palabra de Dios.

La fe en Cristo como el Redentor del mundo exige un reconocimiento del intelecto iluminado, dominado por un corazón que puede discernir y apreciar el tesoro celestial. Esta fe es inseparable del arrepentimiento y la transformación del carácter. Tener fe significa encontrar y aceptar el tesoro del Evangelio con todas las obligaciones que impone.

"El que no naciere otra vez no puede ver el reino de Dios". (Juan 3:3.) Puede conjeturar e imaginar, pero sin el ojo de la fe no puede ver el tesoro. Cristo dio su vida para asegurarnos este inestimable tesoro; pero sin la regeneración por medio de la fe en su sangre, no hay remisión de pecados, ni tesoro alguno para el alma que perece.

Necesitamos la iluminación del Espíritu Santo para discernir las verdades de la Palabra de Dios. Las cosas hermosas del mundo natural no se ven hasta que el sol, disipando las tinieblas, las inunda con su luz. Así los tesoros de la Palabra de Dios no son apreciados hasta que no sean revelados por los brillantes rayos del Sol de justicia.

El Espíritu Santo, enviado desde los cielos por la benevolencia del amor infinito toma las cosas de Dios y las revela a cada alma que tiene una fe implícita en Cristo. Por su poder, las verdades vitales de las cuales depende la salvación del alma son impresas en la mente, y el camino de la vida es hecho tan claro que nadie necesita errar en él. Mientras estudiamos las Escrituras, debemos orar para que la luz del Espíritu Santo brille sobre la Palabra, a fin de que veamos y apreciemos sus tesoros.

La recompensa de la investigación

Nadie piense que ya no hay más conocimiento que adquirir. La profundidad del intelecto humano puede ser medida; las obras de los autores humanos pueden dominarse, pero el más alto, profundo y ancho arrebato de la imaginación no puede descubrir a Dios. Hay una infinidad más allá de todo lo que podamos comprender. Hemos contemplado solamente una vislumbre de la gloria divina y de la infinitud del conocimiento y la sabiduría; hemos estado trabajando, por así decirlo, en la superficie de la misma, cuando el rico metal del oro está debajo de la superficie, para recompensar al que cave en su búsqueda. El pozo de la mina debe ser ahondado cada vez más, y el resultado será el hallazgo del glorioso tesoro. Por medio de una fe correcta, el conocimiento divino llegará a ser el conocimiento humano.

Nadie puede escudriñar las Escrituras con el Espíritu de Cristo y quedar sin recompensa. Cuando el hombre esté dispuesto a ser instruido como un niñito, cuando se someta completamente a Dios, encontrará la verdad en su Palabra. Si los hombres fueran obedientes comprenderían el plan del gobierno de Dios. El mundo celestial abriría sus cámaras de gracia y de gloria a la exploración. Los seres humanos serían totalmente diferentes de lo que son ahora; porque al explorar las minas de la verdad, los hombres quedarían ennoblecidos. El misterio de la redención, la encarnación de Cristo, su sacrificio expiatorio, no serían, como ahora, vagos en nuestra mente. Serían no solamente mejor comprendidos, sino del todo más altamente apreciados.

En la oración que Cristo dirigió al Padre, dio al mundo una lección que debe ser grabada en la mente y el alma. "Esta empero es la vida eterna —dijo—: que te conozcan el solo Dios verdadero, y a Jesucristo, al cual has enviado". (Juan 17:3.) Esta es la verdadera educación. Imparte poder. El conocimiento experimental de Dios y de Cristo Jesús, a quien él ha enviado, transforma al hombre a la imagen de Dios. Le da dominio propio, sujetando cada impulso y pasión de la baja naturaleza al gobierno de las facultades superiores de la mente. Convierte a su poseedor en hijo de Dios y heredero del cielo. Lo pone en comunión con la mente del Infinito, y le abre los ricos tesoros del universo.

Este es el conocimiento que se obtiene al escudriñar la Palabra de Dios. Y este tesoro puede ser encontrado por toda alma que desea dar todo lo que posee por obtenerlo.

"Si clamares a la inteligencia, y a la prudencia dieres tu voz; si como a la plata la buscares, y la escudriñares como a tesoros; entonces entenderás el temor de Jehová, y hallarás el conocimiento de Dios". (Proverbios 2:3-5.)

La Perla de Gran Precio

Este capítulo está basado en Mateo 13:45, 46.

EL SALVADOR comparó las bendiciones del amor redentor con una preciosa perla. Ilustró su lección con la parábola del comerciante que busca buenas perlas, "que hallando una preciosa perla, fue y vendió todo lo que tenía, y la compró". Cristo mismo es la perla de gran precio. En él se reúne toda la gloria del Padre, la plenitud de la Divinidad. Es el resplandor de la gloria del Padre, y la misma imagen de su persona. La gloria de los atributos de Dios se expresa en su carácter. Cada página de las Santas Escrituras brilla con su luz. La justicia de Cristo, cual pura y blanca perla, no tiene defecto ni mancha. Ninguna obra humana puede mejorar el grande y precioso don de Dios. Es perfecto. En Cristo "están escondidos todos los tesoros de sabiduría y conocimiento". El "nos ha sido hecho por Dios sabiduría, y justificación, y santificación, y redención". (Colosenses 2:3; 1 Corintios 1:30.) Todo lo que puede satisfacer las necesidades y los anhelos del alma humana, para este mundo y para el mundo venidero, se halla en Cristo. Nuestro Redentor es una perla tan preciosa que en comparación con ella todas las demás cosas pueden reputarse como pérdida.

Cristo "a lo suyo vino, y los suyos no le recibieron". La luz de Dios brilló en las tinieblas del mundo, "mas las tinieblas no la comprendieron". (Juan 1:11, 5.) Pero no todos fueron indiferentes a la dádiva del cielo. El comerciante de la parábola representa a una clase de personas que desea sinceramente la verdad. En diferentes naciones ha habido hombres fervientes y juiciosos que han buscado en la literatura, en la ciencia y en las religiones del mundo pagano aquello que pudieran recibir como el tesoro del alma. Entre los judíos había personas que estaban buscando lo que no tenían. Insatisfechos con una religión formal, anhelaban algo que fuera espiritual y elevador. Los discípulos escogidos por Cristo pertenecían a la última clase; Cornelio y el eunuco etíope, a la primera. Habían estado anhelando la luz del cielo y orando para recibirla; y cuando Cristo se les reveló, lo recibieron con alegría.

En la parábola, la perla no es presentada como dádiva. El tratante la compró a cambio de todo lo que tenía. Muchos objetan el significado de esto, puesto que Cristo es presentado en las Escrituras como un don. El es un don, pero únicamente para aquellos que se entregan a él sin reservas, en alma, cuerpo y espíritu. Hemos de entregarnos a Cristo para vivir una vida de voluntaria obediencia a todos sus requerimientos. Todo lo que somos, todos los talentos y facultades que poseemos son del Señor, para ser consagrados a su servicio. Cuando de esta suerte nos entregamos por completo a él, Cristo, con todos los tesoros del cielo, se da a sí mismo a nosotros. Obtenemos la perla de gran precio.

La salvación es un don gratuito, y sin embargo ha de ser comprado y vendido. En el mercado administrado por la misericordia divina, la perla preciosa se representa vendiéndose sin dinero y sin precio. En este mercado, todos pueden obtener las mercancías del cielo. La tesorería que guarda las joyas de la verdad está abierta para todos. "He aquí he dado una puerta abierta delante de ti —declara el Señor—, la cual ninguno puede cerrar". Ninguna espada guarda el paso por esa puerta. Las voces que provienen de los que están adentro y de los que están a la puerta dicen: Ven. La voz del Salvador nos invita con amor fervoroso: "Yo te amonesto que de mí compres oro afinado en fuego, para que seas hecho rico". (Apocalipsis 3:8, 18.)

El Evangelio de Cristo es una bendición que todos pueden poseer. El más pobre es tan capaz de comprar la salvación como el más rico; porque no se puede conseguir por ninguna cantidad de riqueza mundanal. La obtenemos por una obediencia volun-

taria, entregándonos a Cristo como su propia posesión comprada. La educación, aunque sea de la clase más elevada, no puede por sí misma traer al hombre más cerca de Dios. Los fariseos fueron favorecidos con todas las ventajas temporales y espirituales, y dijeron con jactancioso orgullo: Nosotros somos ricos, y estamos enriquecidos, y no tenemos necesidad de ninguna cosa; aunque eran cuitados y miserables y pobres y ciegos y desnudos. (Apocalipsis 3:17.) Cristo les ofreció la perla de gran precio, mas desdeñaron aceptarla, y él les dijo; "Los publicanos y las rameras os van delante al reino de Dios". (Mateo 21:31.)

No podemos ganar la salvación, pero debemos buscarla con tanto interés y perseverancia como si abandonáramos todas las cosas del mundo por ella.

Hemos de buscar la perla de gran precio, pero no en los emporios del mundo y por medio de los métodos mundanos. El precio que se nos exige no es oro ni plata, porque estas cosas pertenecen a Dios. Abandonad la idea de que las ventajas temporales o espirituales ganarán vuestra salvación. Dios pide vuestra obediencia voluntaria. El os pide que abandonéis vuestros pecados. "Al que venciere —declara Cristo—, yo le daré que se siente conmigo en mi trono, así como yo he vencido, y me he sentado con mi Padre en su trono". (Apocalipsis 3:21.)

Hay algunos que parecen estar siempre buscando la perla celestial. Pero no hacen una entrega total de sus malos hábitos. No mueren al yo para que Cristo viva en ellos. Por lo tanto no encuentran la perla preciosa. No han vencido la ambición no santificada y el amor a las atracciones mundanas. No toman la cruz y siguen a Cristo en el camino de la abnegación y de la renunciación propia. Casi cristianos, aunque todavía no totalmente, parecen estar cerca del reino de los cielos, pero no pueden entrar. Casi, pero no totalmente salvos, significa ser no casi sino totalmente perdidos.

La parábola del tratante que busca buenas perlas tiene un doble significado: se aplica no solamente a los hombres que buscan el reino de los cielos, sino también a Cristo, que busca su herencia perdida. Cristo, el comerciante celestial, que busca buenas perlas, vio en la humanidad extraviada la perla de gran precio. En el hombre, engañado y arruinado por el pecado, vio las posibilidades de la redención. Los corazones que han sido el campo de batalla del conflicto con Satanás, y que han sido rescatados por el poder del amor, son más preciosos para el Redentor que aquellos que nunca cayeron. Dios dirigió su mirada a la humanidad no como a algo vil y sin mérito; la miró en Cristo, y la vio como podría llegar a ser por medio del amor redentor. Reunió todas las riquezas del universo, y las entregó para comprar la perla. Y Jesús, habiéndola encontrado, la vuelve a engastar en su propia diadema. "Serán engrandecidos en su tierra como piedras de corona". "Y serán míos, dijo Jehová de los ejércitos, en el día que yo tengo de hacer tesoro". (Zacarías 9:16; Malaquías 3:17, VV. de NY.)

Pero Cristo como perla preciosa, y nuestro privilegio de poseer este tesoro celestial, es el tema en el cual

más necesitamos meditar. Es el Espíritu Santo el que revela a los hombres el carácter precioso de la buena perla. El tiempo de la manifestación del poder del Espíritu Santo es el tiempo en que en un sentido especial el don del cielo es buscado y hallado. En los días de Cristo, muchos oyeron el Evangelio, pero sus mentes estaban oscurecidas por las falsas enseñanzas, y no reconocieron en el humilde Maestro de Galilea al Enviado de Dios. Mas después de la ascensión de Cristo, su entronización en el reino de la mediación fue señalada por el descenso del Espíritu Santo. En el día de Pentecostés fue dado el Espíritu. Los testigos de Cristo proclamaron el poder del Salvador resucitado. La luz del cielo penetró las mentes entenebrecidas de aquellos que habían sido engañados por los enemigos de Cristo. Ellos lo vieron ahora exaltado a la posición de "Príncipe y Salvador, para dar a Israel arrepentimiento y remisión de pecados". (Hechos 5:31.) Lo vieron circundado de la gloria del cielo, con infinitos tesoros en sus manos para conceder a todos los que se volvieran de su rebelión. Al presentar los apóstoles la gloria del Unigénito del Padre, tres mil almas se convencieron. Se vieron a sí mismos tales cuales eran, pecadores y corrompidos, y vieron a Cristo como su Amigo y Redentor. Cristo fue elevado y glorificado por el poder del Espíritu Santo que descansó sobre los hombres. Por la fe, estos creyentes vieron a Cristo como Aquel que había soportado la humillación, el sufrimiento y la muerte, a fin de que ellos no pereciesen, sino que tuvieran vida eterna. La revelación que el Espíritu hizo de Cristo les impartió la comprensión de su poder y majestad, y elevaron a él sus manos por la fe, diciendo: "Creo". Entonces las buenas nuevas de un Salvador resucitado fueron llevadas hasta los últimos confines del mundo habitado. La iglesia contempló cómo los conversos fluían hacia ella de todas direcciones. Los creyentes se convertían de nuevo. Los pecadores se unían con los cristianos para buscar la perla de gran precio. La profecía se había cumplido: El flaco "será como David, y la casa de David, como ángeles, como el ángel de Jehová". (Zacarías 12:8.) Cada cristiano vio en su hermano la semejanza divina de la benevolencia y el amor. Prevalecía un solo interés. Un objeto era el que predominaba sobre todos los demás. Todos los corazones latían armoniosamente. La única ambición de los creyentes era revelar la semejanza del carácter de Cristo, y trabajar por el engrandecimiento de su reino. "Y la multitud de los que habían creído era de un corazón y un alma... Y los apóstoles daban testimonio de la resurrección del Señor Jesús con gran esfuerzo [poder]; y gran gracia era en todos ellos". "Y el Señor añadía cada día a la iglesia los que habían de ser salvos". (Hechos 4:32, 33; 2:47.) El Espíritu de Cristo animaba a toda la congregación; porque habían encontrado la perla de gran precio.

Estas escenas han de repetirse, y con mayor poder. El descenso del Espíritu Santo en el día de Pentecostés fue la primera lluvia, pero la última lluvia será más abundante. El Espíritu espera que lo pidamos y recibamos. Cristo ha de ser nuevamente revelado en su plenitud por el poder del Espíritu Santo. Los hombres discernirán el valor de la perla preciosa, y junto con el apóstol Pablo dirán: "Las cosas que para mí eran ganancia, helas reputado pérdidas por amor de Cristo. Y ciertamente, aun reputo todas las cosas pérdida por el eminente conocimiento de Cristo Jesús, mi Señor". (Filipenses 3:7, 8.)

La Red y la Pesca

Este capítulo está basado en Mateo 13:47-50.

EL REINO de los cielos es semejante a la red, que echada en la mar, coge de todas suertes de peces: la cual estando llena, la sacaron a la orilla; y sentados, cogieron lo bueno en vasos, y lo malo echaron fuera. Así será al fin del siglo: saldrán los ángeles y apartarán a los malos de entre los justos y los echarán en el horno del fuego: allí será el lloro y el crujir de dientes".

El echar la red es la predicación del Evangelio. Esto reúne en la iglesia tanto a buenos como a malos. Cuando se complete la misión del Evangelio, el juicio realizará la obra de separación. Cristo vio cómo la existencia de los falsos hermanos en la iglesia haría que se hablase mal del camino de la verdad. El mundo injuriaría el Evangelio a causa de las vidas inconsecuentes de los falsos cristianos. Esto haría que hasta los mismos creyentes tropezaran al ver que muchos que llevaban el nombre de Cristo no eran dirigidos por su Espíritu. A causa de que estos pecadores estarían en la iglesia, los hombres correrían el peligro de pensar que Dios disculpaba sus pecados. Por lo tanto, Cristo levanta el velo del los malos se volverán a Dios. El trigo y la cizaña crecen juntos hasta la cosecha. Los buenos y los malos peces son llevados juntamente a la orilla para efectuar una separación final.

Además, estas parábolas enseñan que no habrá más tiempo de gracia después del juicio. Una vez concluida la obra del Evangelio, sigue inmediatamente la separación de los buenos y los malos, y el destino

futuro, y permite que todos contemplen que es el carácter, y no la posición, lo que decide el destino del hombre.

Tanto la parábola de la cizaña como la de la red enseñan claramente que no hay un tiempo en el cual todos

de cada clase de personas queda fijado para siempre.

Dios no desea la destrucción de nadie. "Vivo yo, dice el Señor Jehová, que no quiero la muerte del impío, sino que se torne el impío de su camino, y que viva.

Volveos, volveos de vuestros malos caminos: ¿y por qué moriréis?" (Ezequiel 33:11.) Durante el tiempo de gracia, su Espíritu está induciendo a los hombres a que acepten el don de vida. Son únicamente aquellos que rechazan sus ruegos los que serán dejados para perecer. Dios ha declarado que el pecado debe ser destruido por ser un mal ruinoso para el universo. Los que se adhieren al pecado perecerán cuando éste sea destruido.

Dónde Hallar la Verdad

Este capítulo está basado en Mateo 13:51, 52.

MIENTRAS Cristo enseñaba a la gente estaba también educando a sus discípulos para su obra futura. En toda su instrucción había lecciones para ellos. Después de dar la parábola de la red, les preguntó: "¿Habéis entendido todas estas cosas? Ellos respondieron: Sí, Señor". Luego en otra parábola les presentó su responsabilidad con respecto a las verdades que habían recibido: "Por eso —les dijo— todo escriba docto en el reino de los cielos es semejante a un padre de familia, que saca de su tesoro cosas nuevas y cosas viejas".

El tesoro que el padre de familia ha ganado no lo acumula. Lo saca para compartirlo con otros. Y por el uso el tesoro aumenta. El padre de familia tiene cosas preciosas, tanto nuevas como viejas. Así Cristo enseña que la verdad encomendada a sus discípulos ha de ser comunicada al mundo. Y al impartir el conocimiento de la verdad, éste aumentará.

Todos los que reciben el mensaje del Evangelio en su corazón anhelarán proclamarlo. El amor de Cristo ha de expresarse. Aquellos que se han vestido de Cristo relatarán su experiencia, reproduciendo paso a paso la dirección del Espíritu Santo: su hambre y sed por el conocimiento de Dios y de Cristo Jesús, a quien él ha enviado; el resultado de escudriñar las Escrituras, sus oraciones, la agonía de su alma, y las palabras de Cristo a ellos dirigidas, "Tus pecados te son perdonados".

No es natural que alguien mantenga secretas estas cosas, y aquellos que están llenos del amor de Cristo no lo harán. Su deseo de que otros reciban las mismas bendiciones estará en proporción con el grado en que el Señor los haya hecho depositarios de la verdad sagrada. Y a medida que hagan conocer los ricos tesoros de la gracia de Dios, les será impartida cada vez más la gracia de Cristo. Tendrán el corazón de un niño en lo que se refiere a su sencillez y obediencia sin reservas. Sus almas suspirarán por la santidad, y cada vez les serán revelados más tesoros de verdad y de gracia para ser transmitidos al mundo.

El gran tesoro de la verdad es la Palabra de Dios. La Palabra escrita, el libro de la naturaleza y el libro de la experiencia referente al trato de Dios con la vida humana: he aquí los tesoros de los cuales han de valerse los obreros de Dios. En la investigación de la verdad han de depender de Dios, y no de las inteligencias humanas, de los grandes hombres cuya sabiduría es locura para Dios. Usando los medios que él mismo señaló, el Señor impartirá un conocimiento de sí mismo a todo el que lo busque.

Si el que sigue a Cristo cree su Palabra y la practica, no habrá ciencia en el mundo natural que no pueda entender y apreciar. No hay nada que no le proporcione los medios de impartir la verdad a otros. La ciencia natural es un tesoro de conocimiento del cual puede valerse todo estudiante de la escuela de Cristo. Mientras contemplamos la hermosura de la naturaleza, mientras estudiamos sus lecciones en el cultivo del suelo, en el crecimiento de los árboles, en todas las maravillas de la tierra, del mar y del cielo, obtendremos una nueva percepción de la verdad. Y los misterios relacionados con el trato de Dios con los hombres, las profundidades de su sabiduría y su juicio, tal como se ven en la vida humana, son también un depósito rico en tesoros.

Pero es en la Palabra escrita donde el conocimiento de Dios se revela más claramente al hombre caído. Ella constituye el depósito de las inescrutables riquezas de Cristo.

La Palabra de Dios incluye las escrituras del Antiguo Testamento así como las del Nuevo. El uno no es completo sin el otro. Cristo declaró que las verdades del Antiguo Testamento son tan valiosas como las del Nuevo. Cristo fue el Redentor del hombre en el principio del mundo en igual grado en que lo es hoy. Antes de revestir él su divinidad de humanidad y venir a nuestro mundo, el mensaje evangélico fue dado por Adán, Set, Enoc, Matusalén y Noé. Abrahán en Canaán y Lot en Sodoma llevaron el mensaje, y de generación en generación fieles mensajeros proclamaron a Aquel que había de venir. Los ritos del sistema de culto judío fueron establecidos por Cristo mismo. El fue el fundador de su sistema de sacrificios, la gran realidad simbolizada por todo

su servicio religioso. La sangre que se vertía al ofrecerse los sacrificios señalaba el sacrificio del Cordero de Dios. Todos los sacrificios simbólicos se cumplieron en él.

Cristo, tal como fue manifestado por los patriarcas, simbolizado en el servicio expiatorio, pintado en la ley y revelado por los profetas, constituye las riquezas del Antiguo Testamento. Cristo en su vida, en su muerte y en su resurrección, Cristo tal como lo manifiesta el Espíritu Santo, constituye los tesoros del Nuevo Testamento. Nuestro Salvador, el resplandor de la gloria del Padre, pertenece tanto al Viejo como al Nuevo Testamento.

Los discípulos habían de ir como testigos de la vida, la muerte y la intercesión de Cristo, que los profetas habían predicho. Cristo en su humillación, en su pureza y santidad, en su amor incomparable, había de ser su tema. Y para predicar el Evangelio en su plenitud, ellos debían presentar al Salvador no solamente revelado en su vida y enseñanzas, sino predicho por los profetas del Antiguo Testamento y simbolizado por los servicios expiatorios.

En su enseñanza, Cristo presentó viejas verdades de las cuales él mismo era el originador, verdades que él había hablado mediante patriarcas y profetas; pero ahora arrojaba sobre ellas una nueva luz. ¡Cuán diferente aparecía su significado! Su explicación traía un raudal de luz y espiritualidad. Y él prometió que el Espíritu Santo iluminaría a los discípulos, que la Palabra de Dios estaría siempre desenvolviéndose ante ellos. Podrían presentar sus verdades con nueva belleza.

Desde que la primera promesa de redención fue pronunciada en el Edén, la vida, el carácter y la obra mediadora de Cristo han sido el estudio de las mentes humanas. Sin embargo, cada mente en la cual ha obrado el Espíritu Santo ha presentado estos temas con una luz fresca y nueva. Las verdades de la redención son susceptibles de constante desarrollo y expansión. Aunque viejas, son siempre nuevas, y revelan constantemente una gloria mayor y un poder más grande al que busca la verdad.

En cada época hay un nuevo desarrollo de la verdad, un mensaje de Dios al pueblo de esa generación. Las viejas verdades son todas esenciales; la nueva verdad no es independiente de la vieja, sino un desarrollo de ella. Es únicamente comprendiendo las viejas verdades como podemos entender las nuevas. Cuando Cristo deseó revelar a sus discípulos la verdad de su resurrección, comenzó "desde Moisés, y de todos los profetas", y "declarábales en todas las Escrituras lo que de él decían". (Lucas 24:27.) Pero es la luz que brilla en el nuevo desarrollo de la verdad la que glorifica lo viejo. Aquel que rechaza o descuida lo nuevo no posee realmente lo viejo. Para él la verdad pierde su poder vital y llega a ser solamente una forma muerta.

Existen personas que profesan creer y enseñar las verdades del Antiguo Testamento mientras rechazan el Nuevo. Pero al rehusar recibir las enseñanzas de Cristo, demuestran no creer lo que dijeron los patriarcas y profetas. "Si vosotros creyeseis a Moisés —dijo Cristo—, creeríais a mí; porque de mí escribió él". (Juan

5:46.) Por ende, no hay verdadero poder en sus enseñanzas, ni aun del Antiguo Testamento.

Muchos de los que pretenden creer y enseñar el Evangelio caen en un error similar. Ponen a un lado las escrituras del Antiguo Testamento, de las cuales Cristo declaró: "Ellas son las que dan testimonio de mí". (Juan 5:39.) Al rechazar el Antiguo Testamento, prácticamente rechazan el Nuevo; pues ambos son partes de un todo inseparable. Ningún hombre puede presentar correctamente la ley de Dios sin el Evangelio, ni el Evangelio sin la ley. La ley es el Evangelio sintetizado, y el Evangelio es la ley desarrollada. La ley es la raíz, el Evangelio su fragante flor y fruto.

El Antiguo Testamento arroja luz sobre el Nuevo, y el Nuevo sobre el Viejo. Cada uno de ellos es una revelación de la gloria de Dios en Cristo. Ambos presentan verdades que revelarán continuamente nuevas profundidades de significado para el estudiante fervoroso.

La verdad en Cristo y por medio de Cristo es inconmensurable. El que estudia las Escrituras, mira, por así decirlo, dentro de una fuente que se profundiza y se amplía a medida que más se contemplan sus profundidades. No comprenderemos en esta vida el misterio del amor de Dios al dar a su Hijo en propiciación por nuestros pecados. La obra de nuestro Redentor sobre esta tierra es y siempre será un tema que requerirá nuestro más elevado esfuerzo de imaginación. El hombre puede utilizar toda facultad mental en un esfuerzo por sondear este misterio, pero su mente desfallecerá y se abatirá. El investigador más diligente verá delante de él un mar ilimitado y sin orillas. La verdad, tal como se halla en Cristo, puede ser experimentada, pero nunca explicada. Su altura, anchura y profundidad sobrepujan nuestro conocimiento. Podemos esforzar hasta lo sumo nuestra imaginación para ver sólo turbiamente la vislumbre de un amor inexplicable, tan alto como los cielos, pero que ha descendido hasta la tierra a estampar la imagen de Dios en todo el género humano. Sin embargo, nos es posible ver todo lo que podemos soportar de la compasión divina. Esta se descubre al alma humilde y contrita. Entenderemos la compasión de Dios en la misma proporción en que apreciamos su sacrificio por nosotros. Al estudiar la Palabra de Dios con humildad de corazón, el grandioso tema de la redención se abrirá a nuestra investigación. Aumentará en brillo mientras lo contemplemos; y mientras aspiremos a entenderlo, su altura y profundidad irán continuamente en aumento.

Nuestra vida ha de estar unida con la de Cristo; hemos de recibir constantemente de él, participando de él, el pan vivo que descendió del cielo, bebiendo de una fuente siempre fresca, que siempre ofrece sus abundantes tesoros. Si mantenemos al Señor constantemente delante de nosotros, permitiendo que nuestros corazones expresen el agradecimiento y la alabanza a él debidos, tendremos una frescura perdurable en nuestra vida religiosa. Nuestras oraciones tomarán la forma de una conversación con Dios, como si habláramos con un amigo. El nos dirá personalmente sus misterios. A menudo nos vendrá un dulce y gozoso sentimiento de la presencia de Jesús. A menudo nuestros corazones arderán dentro de nosotros mientras él se acerque para ponerse en comunión con nosotros como lo hizo con Enoc. Cuando ésta es en verdad la experiencia del cristiano, se ven en su vida una sencillez, una humildad, una mansedumbre y bondad de corazón que muestran a todo aquel con quien se relacione que ha estado con Jesús y aprendido de él.

En aquellos que la posean, la religión de Cristo se revelará como un principio vivificador que todo lo penetra, una energía espiritual y viviente que obra. Se manifestará la frescura, el poder y el gozo de la perpetua juventud. El corazón que recibe la palabra de Dios no es como un pozo de agua que se evapora, ni como una cisterna rota que pierde su tesoro. Es como el torrente de la montaña alimentado por fuentes inagotables, cuyas aguas frescas y cristalinas saltan de una roca a otra, refrigerando al cansado, al sediento y al cargado.

Esta experiencia imparte a cada maestro de la verdad las cualidades necesarias para hacerlo un representante de Cristo. El espíritu de la enseñanza de Cristo comunicará fuerza y precisión a sus manifestaciones y oraciones. Su testimonio por Cristo no será mezquino y sin vida. El ministro no predicará repetidas veces los mismos discursos estereotipados. Su mente se abrirá a la constante iluminación del Espíritu Santo.

Cristo dijo: "El que come mi carne y bebe mi sangre, tiene vida eterna... Como me envió el Padre viviente, y yo vivo por el Padre, asimismo el que

me come, él también vivirá por mí...
El Espíritu es el que da vida;... las
palabras que yo os he hablado, son
espíritu y son vida". (Juan 6:54-63.)

Cuando comemos la carne de
Cristo y bebemos su sangre, el elemento de vida eterna se encontrará
en el ministerio. No habrá acopio de
ideas añejas y siempre repetidas. El
sermonear insípido y sin interés ter-
minará. Se presentarán las viejas verdades, pero se verán con una nueva
luz. Habrá una nueva percepción de
la verdad, una claridad y un poder que
todos discernirán. Aquellos que tengan el privilegio de sentarse a los pies
de tales ministros, si son susceptibles
a la influencia del Espíritu Santo, sen-
tirán el poder vivificador de una nueva
vida. El fuego del amor divino se
encenderá en ellos. Sus facultades
perceptivas serán avivadas para discernir la hermosura y la majestad de
la verdad.

El fiel padre de familia representa
lo que debería ser todo maestro de los
niños y los jóvenes. Si hace de la
Palabra de Dios su tesoro, descubrirá
continuamente nueva hermosura y
nueva verdad. Cuando el maestro
confíe en Dios en oración, el Espíritu
de Cristo vendrá sobre él, y Dios
obrará por su medio con el Espíritu
Santo sobre las mentes de los demás.
El Espíritu llena la mente y el corazón
de dulce esperanza, valor e imágenes
bíblicas, y todo esto será comunicado
a la juventud mediante su instrucción.

Las fuentes de paz y gozo celestial,
abiertas en el alma del maestro por
las palabras de la Inspiración, llegarán
a ser un poderoso río de influencia
para bendecir a cuantos se relacionen
con él. La Biblia no será un libro
cansador para el estudiante. Bajo un

instructor sabio, la Palabra llegará a
ser cada vez más deseable. Será
como el pan de vida, y nunca se
volverá añeja. Su frescura y hermosura atraerán y encantarán a los niños
y los jóvenes. Es como el sol cuando
brilla sobre la tierra, que imparte per-
petuamente luz y calor, sin agotarse
nunca.

El Espíritu educador y santo de
Dios se halla en su Palabra. Una luz
nueva y preciosa brilla de cada una de
sus páginas. Allí se revela la verdad,
y las palabras y las frases se hacen
claras y apropiadas para la ocasión,
como la voz de Dios que habla al
alma.

El Espíritu Santo se deleita en diri-
girse a los jóvenes y descubrir ante
ellos los tesoros y las bellezas de la
Palabra de Dios. Las promesas pronunciadas por el gran Maestro cauti-
varán los sentidos y animarán al alma
con un poder espiritual divino. Se
desarrollará en la mente fructífera
una familiaridad con las cosas divinas
que será como una barricada contra
la tentación.

Las palabras de verdad crecerán en
importancia, y llegarán a tener una
amplitud y una profundidad de significado con la cual nunca hemos
soñado. La hermosura y la riqueza de
la Palabra tienen una influencia trans-
formadora sobre la mente y el carácter. La luz del amor divino brillará en
el corazón como una inspiración.

El aprecio por la Biblia crece a
medida que se la estudia. Por cualquier camino que se dirija el estudiante, hallará desplegados la infinita
sabiduría y el amor de Dios.

El significado del sistema de culto
judaico todavía no se entiende plenamente. Verdades vastas y profundas

son bosquejadas por sus ritos y símbolos. El Evangelio es la llave que abre sus misterios. Por medio de un conocimiento del plan de redención, sus verdades son abiertas al entendimiento. Es nuestro privilegio entender estos maravillosos temas en un grado mucho mayor de lo que los entendemos. Hemos de comprender las cosas profundas de Dios. Los ángeles desean contemplar las verdades reveladas a las personas que con corazón contrito están investigando la Palabra de Dios, y están orando para alcanzar más de la longura y la anchura, la profundidad y la altura del conocimiento que sólo él puede dar.

Al acercarnos al fin de la historia de este mundo, las profecías que se relacionan con los últimos días requieren en forma especial nuestro estudio. El último libro del Nuevo Testamento está lleno de verdades que necesitamos entender. Satanás ha cegado las mentes de muchos, de manera que se han regocijado de encontrar alguna excusa para no estudiar el Apocalipsis. Pero Cristo, por medio de su siervo Juan, ha declarado allí lo que acontecerá en los postreros días, y dice: "Bienaventurado el que lee, y los que oyen las palabras de esta profecía, y guardan las cosas en ella escritas". (Apocalipsis 1:3.)

"Esta empero es la vida eterna —dice Cristo—: que te conozcan el solo Dios verdadero, y a Jesucristo, al cual has enviado". (Juan 17:3.) ¿Por qué es que no comprendemos el valor de este conocimiento? ¿Por qué no

arden estas preciosas verdades en nuestro corazón? ¿Por qué no hacen temblar nuestros labios y penetran todo nuestro ser?

Al concedernos su Palabra, Dios nos puso en posesión de toda verdad esencial para nuestra salvación. Millares han sacado agua de estas fuentes de vida, y sin embargo la provisión no ha disminuido. Millares han puesto al Señor delante de sí, y contemplándolo han sido transformados a su misma imagen. Su espíritu arde dentro de ellos mientras hablan de su carácter, contando lo que Cristo es para ellos y lo que ellos son para Cristo. Pero estos investigadores no han agotado estos temas grandiosos y santos. Millares más pueden empeñarse en la obra de investigar los misterios de la salvación. Mientras uno se espacie en la vida de Cristo y el carácter de su misión, rayos de luz brillarán más distintamente con cada intento de descubrir la verdad. Cada nuevo estudio revelará algo más profundamente interesante que lo que ya ha sido desplegado. El tema es inagotable. El estudio de la encarnación de Cristo, su sacrificio expiatorio y su obra de mediación, embargarán la mente del estudiante diligente mientras dure el tiempo; y mirando al cielo con sus innumerables años, exclamará: "Grande es el misterio de la piedad".

En la eternidad aprenderemos aquello que, de haber recibido la iluminación que fue posible obtener aquí, habría abierto nuestro entendimiento. Los temas de la redención llenarán los corazones y las mentes y las lenguas de los redimidos a través de las edades eternas. Entenderán las verdades que Cristo anheló abrir ante sus discípulos, pero que ellos no tenían fe para entender. Eternamente irán apareciendo nuevas visiones de la perfección y la gloria de Cristo. Durante los siglos interminables, el fiel Padre de familia sacará de su tesoro cosas nuevas y cosas viejas.

Cómo Aumentar la Fe y la Confianza

Este capítulo está basado en Lucas 11:1-13.

CRISTO estaba continuamente recibiendo del Padre a fin de poder inpartírnoslo. "La palabra que habéis oído —dijo él—, no es mía, sino del Padre que me envió". "El Hijo del hombre no vino para ser servido, sino para servir". (Juan 14:24; Mateo 20:28.) El vivió, pensó y oró, no para sí mismo, sino para los demás. De las horas pasadas en comunión con Dios él volvía mañana tras mañana, para traer la luz del cielo a los hombres. Diariamente recibía un nuevo bautismo del Espíritu Santo. En las primeras horas del nuevo día, Dios lo despertaba de su sueño, y su alma y sus labios eran ungidos con gracia para que pudiese impartir a los demás. Sus palabras le eran dadas frescas de las cortes del cielo, para que las hablase en sazón al cansado y oprimido. El dice: "El Señor Jehová me dio lengua de sabios, para saber hablar en sazón palabra al cansado; despertará de mañana, despertaráme de mañana oído, para que oiga como los sabios". (Isaías 50:4.)

Los discípulos de Cristo estaban muy impresionados por sus oraciones y por su hábito de comunicación con Dios. Un día, tras una corta ausencia del lado de su Señor, lo encontraron absorto en una súplica. Al parecer inconsciente de su presencia, él siguió orando en voz alta. Los corazones de los discípulos quedaron profundamente conmovidos. Cuando terminó de orar, exclamaron: "Señor, enséñanos a orar".

En respuesta repitió el Padrenuestro, como lo había dado en el Sermón de la Montaña. Y luego, en una parábola, ilustró la lección que deseaba enseñarles.

"¿Quién de vosotros —les dijo— tendrá un amigo, e irá a él a media noche, y le dirá: Amigo, préstame tres panes, porque un amigo mío ha venido a mí de camino, y no tengo qué ponerle delante; y el de dentro respondiendo dijere: No me seas molesto; la puerta está ya cerrada, y mis niños están conmigo en cama; no puedo levantarme, y darte? Os digo, que aunque no se levante a darle por ser su amigo, cierto por su importunidad se levantará, y le dará todo lo que habrá menester".

Aquí Cristo presenta al postulante pidiendo para poder dar de nuevo. Debía obtener pan, o no podría suplir las necesidades del viajero que llegaba cansado, en tardías horas de la noche. Aunque su vecino no esté dispuesto a ser molestado, no desistirá de pedir; su amigo debe ser aliviado; y por fin su importunidad es recompensada; sus necesidades son suplidas.

De la misma manera, los discípulos habían de buscar las bendiciones de Dios. Mediante la alimentación de la multitud y el sermón sobre el pan del cielo, Cristo les había revelado la obra que harían como representantes suyos. Habían de dar el pan de vida a la gente. Aquel que había señalado su obra, vio cuán a menudo su fe sería probada. Con frecuencia se verían en situaciones inesperadas, y se darían cuenta de su humana insuficiencia. Las almas que estuvieran hambrien-

tas del pan de vida vendrían a ellos, y ellos se sentirían destituidos y sin ayuda. Debían recibir alimento espiritual, o no tendrían nada para impartir. Pero no habían de permitir que ningún alma volviese sin ser alimentada. Cristo les dirige a la fuente de abastecimiento. El hombre cuyo amigo vino pidiéndole hospedaje, aun a la hora inoportuna de la medianoche, no lo hizo volver. No tenía nada para poner delante de él, pero se dirigió a uno que tenía alimento, y presentó con instancias su pedido, hasta que el vecino suplió su necesidad. Y Dios, que ha enviado a sus siervos a alimentar a los hambrientos, ¿no suplirá sus necesidades para su propia obra?

Pero el vecino egoísta de la parábola no representa el carácter de Dios. La lección se deduce, no por comparación, sino por contraste. Un hombre egoísta concederá un pedido urgente, a fin de librarse de quien perturba su descanso. Pero Dios se deleita en dar. Está lleno de misericordia, y anhela conceder los pedidos de aquellos que vienen a él con fe. Nos da para que podamos ministrar a los demás, y así llegar a ser como él.

Cristo declara: "Pedid, y se os dará; buscad, y hallaréis; llamad, y os será abierto. Porque todo aquel que pide, recibe; y el que busca, halla; y al que llama, se abre".

El Salvador continúa: "¿Y cuál padre de vosotros, si su hijo le pidiere pan, le dará una piedra? o, si pescado, ¿en lugar de pescado le dará una serpiente? O, si le pidiere un huevo, ¿le dará un escorpión? Pues si vosotros, siendo malos, sabéis dar buenas dádivas a vuestros hijos, ¿cuánto más vuestro Padre celestial dará el Espíritu Santo a los que lo pidieren de él?"

Para fortalecer nuestra confianza en Dios, Cristo nos enseña a dirigirnos a él con un nuevo nombre, un nombre entretejido con las asociaciones más caras del corazón humano. Nos concede el privilegio de llamar al Dios infinito nuestro Padre. Este nombre, pronunciado cuando le hablamos a él y cuando hablamos de él, es una señal de nuestro amor y confianza hacia él, y una prenda de la forma en que él nos considera y se relaciona con nosotros. Pronunciado cuando pedimos un favor o una bendición, es una música en sus oídos. A fin de que no consideráramos una presunción el llamarlo por este nombre, lo repitió en renovadas ocasiones. El desea que lleguemos a familiarizarnos con este apelativo.

Dios nos considera sus hijos. Nos ha redimido del mundo abandonado, y nos ha escogido para que lleguemos a ser miembros de la familia real, hijos e hijas del Rey del cielo. Nos invita a confiar en él con una confianza más profunda y más fuerte que aquella que un hijo deposita en un padre terrenal. Los padres aman a sus hijos, pero el amor de Dios es más grande, más amplio, más profundo de lo que al amor humano le es posible ser. Es inconmensurable. Luego, si los padres terrenales saben dar buenas dádivas a sus hijos, ¿cuánto más nuestro Padre celestial dará el Espíritu Santo a los que se lo piden?

Las lecciones de Cristo con respecto a la oración deben ser cuidadosamente consideradas. Hay una ciencia divina en la oración, y la ilustración de Cristo presenta un principio que todos necesitamos comprender. Demuestra lo que es el verdadero espíritu de oración, enseña la necesidad de la perseverancia al presentar a Dios nuestras peticiones, y nos asegura que él está dispuesto a escucharnos y a contestar la oración.

Nuestras oraciones no han de consistir en peticiones egoístas, meramente para nuestro propio beneficio. Hemos de pedir para poder dar. El principio de la vida de Cristo debe ser el principio de nuestra vida. "Por ellos —dijo Cristo, refiriéndose a sus discípulos— yo me santifico a mí mismo, para que también ellos sean santificados en verdad". (Juan 17:19.) La misma devoción, la misma abnegación, la misma sujeción a las declaraciones de la Palabra de Dios, que se manifestaron en Cristo, deben verse en sus siervos. Nuestra misión en el mundo no es servirnos o agradarnos a nosotros mismos. Hemos de glorificar a Dios cooperando con él para salvar a los pecadores. Debemos pedir bendiciones a Dios para poder comunicarlas a los demás. La capacidad de recibir es preservada únicamente impartiendo. No podemos continuar recibiendo tesoros celestiales sin comunicarlos a aquellos que nos rodean.

En la parábola, el postulante fue rechazado repetidas veces, pero no desistió de su propósito. Así nuestras oraciones no siempre parecen recibir una inmediata respuesta; pero Cristo enseña que no debemos dejar de orar. La oración no tiene por objeto obrar algún cambio en Dios, sino ponernos en armonía con Dios. Cuando le pedimos algo, tal vez vea que necesitamos investigar nuestros corazones y arrepentirnos del pecado. Por lo tanto, nos hace pasar por una prueba, nos hace pasar por la humillación, a fin de que veamos lo que impide la obra de su Santo Espíritu por medio de nosotros.

El cumplimiento de las promesas de Dios es condicional, y la oración no ocupará nunca el lugar del deber. "Si me amáis —dice Cristo—, guardad mis mandamientos". "El que tiene mis mandamientos, y los guarda, aquel es el que me ama; y el que me ama, será amado de mi Padre, y yo le amaré, y me manifestaré a él". (Juan 14:15, 21.) Aquellos que presentan sus peticiones ante Dios, invocando su promesa, mientras no cumplen con las condiciones, insultan a Jehová. Invocan el nombre de Cristo como su autoridad para el cumplimiento de la promesa, pero no hacen las cosas que demostrarían fe en Cristo y amor por él.

Muchos no están cumpliendo las condiciones de aceptación por el Padre. Necesitamos examinar detenidamente las disposiciones que se han hecho para aproximarnos a Dios. Si somos desobedientes, traemos al Señor un pagaré para que él lo haga efectivo cuando no hemos cumplido las condiciones que lo harían pagadero a nosotros. Presentamos a Dios sus promesas y le pedimos que las cumpla, cuando, al hacerlo, él deshonraría su propio nombre.

La promesa es: "Si estuviereis en mí, y mis palabras estuvieren en vosotros, pedid todo lo que quisiereis, y os será hecho". (Juan 15:7.) Y Juan declara: "Y en esto sabemos que nosotros le hemos conocido, si guardamos sus mandamientos. El que dice, yo le he conocido, y no guarda sus mandamientos, el tal es mentiroso, y no hay verdad en él, mas el que

guarda su palabra, la caridad de Dios está verdaderamente perfecta en él". (1 Juan 2:3-5.)

Uno de los últimos mandamientos que Cristo diera a sus discípulos fue: "Que os améis los unos a los otros: como os he amado". (Juan 13:34.) ¿Estamos obedeciendo este mandato, o estamos condescendiendo con rasgos de carácter hirientes y no cristianos? Si de alguna forma hemos agraviado o herido a otros, es nuestro deber confesar nuestra falta y buscar la reconciliación. Esta es una condición esencial para que podamos presentarnos a Dios con fe y pedir su bendición.

Hay otro asunto demasiado a menudo descuidado por los que buscan al Señor en oración. ¿Habéis sido honrados con Dios? El Señor declara mediante el profeta Malaquías: "Desde los días de vuestros padres os habéis apartado de mis leyes, y no las guardasteis. Tornaos a mí, y yo me tornaré a vosotros, ha dicho Jehová de los ejércitos. Mas dijisteis: ¿En qué hemos de tornar? ¿Robará el hombre a Dios? Pues vosotros me habéis robado. Y dijisteis: ¿En qué te hemos robado? Los diezmos y las primicias". (Malaquías 3:7, 8.)

Como dador de todas las bendiciones, Dios reclama una porción determinada de todo lo que poseemos. Esta es la provisión que él ha hecho para sostener la predicación del Evangelio. Y debemos demostrar nuestro aprecio por sus dones devolviendo esto a Dios. Pero si retenemos lo que le pertenece a él, ¿cómo podemos pretender sus bendiciones? Si somos mayordomos infieles en las cosas terrenales, ¿cómo podemos esperar que él nos confíe las celestiales?

Puede ser que aquí se encuentre el secreto de la oración no contestada.

Pero el Señor, en su gran misericordia, está listo para perdonar, y dice: "Traed todos los diezmos al alfolí, y haya alimento en mi casa; y probadme ahora en esto... si no os abriré las ventanas de los cielos, y vaciaré sobre vosotros bendición hasta que sobreabunde. Increparé también por vosotros al devorador, y no os corromperá el fruto de la tierra; ni vuestra vid en el campo abortará... Y todas las gentes os dirán bienaventurados; porque seréis tierra deseable, dice Jehová de los ejércitos". (Malaquías 3:10-12.)

Tal ocurre con todos los demás requerimientos de Dios. Todos sus dones son prometidos a condición de la obediencia. Dios tiene un cielo lleno de bendiciones para los que cooperen con él. Todos los que le obedezcan pueden con confianza reclamar el cumplimiento de sus promesas.

Pero debemos mostrar una confianza firme y sin rodeos en Dios. A menudo él tarda en contestarnos para probar nuestra fe o la sinceridad de nuestro deseo. Al pedir de acuerdo con su Palabra, debemos creer su promesa y presentar nuestras peticiones con una determinación que no será denegada.

Dios no dice: Pedid una vez y recibiréis. El nos ordena que pidamos. Persistid incansablemente en la oración. El pedir con persistencia hace más ferviente la actitud del postulante, y le imparte un deseo mayor de recibir las cosas que pide. Cristo le dijo a Marta junto a la tumba de Lázaro: "Si creyeres, verás la gloria de Dios". (Juan 11:40.)

Pero muchos no tienen una fe viva. Esta es la razón por la cual no ven más del poder de Dios. Su debilidad es el resultado de su incredulidad. Tienen más fe en su propio obrar que en el obrar de Dios en favor de ellos. Ellos se encargan de cuidarse a sí mismos. Hacen planes y proyectos, pero oran poco, y tienen poca confianza verdadera en Dios. Piensan que tienen fe, pero es sólo el impulso del momento. Dejan de comprender su propia necesidad, y lo dispuesto que está Dios a dar; no perseveran en mantener sus pedidos ante el Señor.

Nuestras oraciones han de ser tan fervorosas y persistentes como lo fue la del amigo necesitado que pidió pan a medianoche. Cuanto más fervorosa y constantemente oremos, tanto más íntima será nuestra unión espiritual con Cristo. Recibiremos bendiciones acrecentadas, porque tenemos una fe acrecentada.

Nuestra parte consiste en orar y creer. Velad en oración. Velad, y cooperad con el Dios que oye la oración. Recordad que "coadjutores somos de Dios". (1 Corintios 3:9.) Hablad y obrad de acuerdo con vuestras oraciones. Significará para vosotros una infinita diferencia el que la prueba demuestre que vuestra fe es genuina, o revele que vuestras oraciones son sólo una forma.

Cuando se suscitan perplejidades y surgen dificultades, no busquéis ayuda en la humanidad. Confiadlo todo a Dios. La práctica de hablar de nuestras dificultades a otros, únicamente nos debilita, y no les reporta a los demás ninguna fuerza. Ello hace que la carga de nuestras flaquezas espirituales descanse sobre ellos, y éstas son cosas que ellos no pueden aliviar. Buscamos la fuerza del hombre errante y finito, cuando podríamos tener la fuerza del Dios infalible e infinito.

No necesitáis ir hasta los confines de la tierra para buscar sabiduría, pues Dios está cerca. No son las capacidades que poseéis hoy, o las que tendréis en lo futuro, las que os darán éxito. Es lo que el Señor puede hacer por vosotros. Necesitamos tener una confianza mucho menor en lo que el hombre puede hacer, y una confianza mucho mayor en lo que Dios puede hacer por cada alma que cree. El anhela que extendáis hacia él la mano de la fe. Anhela que esperéis grandes cosas de él. Anhela daros inteligencia así en las cosas materiales como en las espirituales. El puede aguzar el intelecto. Puede impartir tacto y habilidad. Emplead vuestros talentos en el trabajo; pedid a Dios sabiduría, y os será dada.

Haced de la Palabra de Cristo vuestra seguridad. ¿No os ha invitado a ir a él? Nunca os permitáis hablar de una manera descorazonada y desesperada. Si lo hacéis perderéis mucho. Mirando las apariencias, y quejándoos cuando vienen las dificultades y premuras, revelaréis una fe enferma y débil. Hablad y obrad como si vuestra fe fuera invencible. El Señor es rico en recursos: el mundo le pertenece. Mirad al cielo con fe. Mirad a Aquel que posee luz, poder y eficiencia.

Hay en la fe genuina un bienestar, una firmeza de principios y una invariabilidad de propósito que ni el tiempo ni las pruebas pueden debilitar. "Los mancebos se fatigan y se cansan, los mozos flaquean y caen: mas los que esperan a Jehová ten-

drán nuevas fuerzas; levantarán las alas como águilas; correrán, y no se cansaran; caminarán, y no se fatigarán". (Isaías 40:30, 31.)

Hay muchos que anhelan ayudar a otros, pero sienten que no tienen fuerza o luz espiritual que impartir. Presenten ellos sus peticiones ante el trono de la gracia. Rogad por el Espíritu Santo. Dios respalda cada promesa que ha hecho. Con vuestra Biblia en la mano, decid; Yo he hecho como tú has dicho. Presento tu promesa: "Pedid, y se os dará; buscad, y hallaréis; llamad, y os será abierto".

No solamente debemos orar en el nombre de Cristo, sino por la inspiración del Espíritu Santo. Esto explica lo que significa el pasaje que dice que "el mismo Espíritu pide por nosotros con gemidos indecibles". (Romanos 8:26.) Dios se deleita en contestar tal oración. Cuando con fervor e intensidad expresamos una oración en el nombre de Cristo, hay en esa misma intensidad una prenda de Dios que nos asegura que él está por contestar nuestra oración "mucho más abundantemente de lo que pedimos o entendemos". (Efesios 3:20.)

Cristo dijo: "Todo lo que orando pidiereis, creed que lo recibiréis, y os vendrá". "Todo lo que pidiereis al Padre en mi nombre, esto haré, para que el Padre sea glorificado en el Hijo". (Marcos 11:24; Juan 14:13.) Y el amado Juan, por la inspiración del Espíritu Santo, dice con gran claridad y certeza: "Si demandáremos alguna cosa conforme a su voluntad, él nos oye. Y si sabemos que él nos oye en cualquier cosa que demandáremos, sabemos que tenemos las peticiones que le hubiéremos demandado". (1 Juan 5:14, 15.) Presentad, pues, vuestra petición ante el Padre en el nombre de Jesús. Dios honrará tal nombre.

El arco iris rodea el trono como una seguridad de que Dios es verdadero, que en él no hay mudanza ni sombra de variación. Hemos pecado contra él, y somos indignos de su favor; sin embargo, él mismo ha puesto en nuestros labios la más maravillosa de las súplicas: "Por amor de tu nombre no nos deseches, ni trastornes el trono de tu gloria: acuérdate, no invalides tu pacto con nosotros". (Jeremías 14:21.) Cuando venimos a él confesando nuestra indignidad y pecado, él se ha comprometido a atender nuestro clamor. El honor de su trono está empeñado en el cumplimiento de la palabra que nos ha dado.

A semejanza de Aarón, que simbolizaba a Cristo, nuestro Salvador lleva los nombres de todos sus hijos sobre su corazón en el lugar santo. Nuestro gran sumo sacerdote recuerda todas las palabras por medio de las cuales nos ha animado a confiar. Nunca olvida su pacto.

Todo el que pida recibirá. A todo el que llame se le abrirá. No se presentará la excusa: No me seas molesto; la puerta está ya cerrada; no quiero abrirla. A nadie se le dirá jamás: No puedo ayudarte. Aquellos que pidan pan a medianoche para alimentar a las almas hambrientas, tendrán éxito.

En la parábola aquel que pedía para el forastero recibió todo lo que había menester. ¿Y en qué medida nos concederá Dios a fin de que podamos impartir a los demás? "Conforme a la medida del don de Cristo". (Efesios 4:7.) Los ángeles observan

con intenso interés para ver cómo trata el hombre a sus semejantes. Cuando ven que alguien manifiesta la simpatía de Cristo por el errante, se apresuran a ir a su lado, y traen a su memoria las palabras que debe hablar y que serán como pan de vida para el alma. Así "Dios, pues, suplirá todo lo que os falta conforme a sus riquezas en gloria en Cristo Jesús". (Filipenses 4:19.) El hará que vuestro testimonio, con su sinceridad y su verdad, sea poderoso con el poder de la vida venidera. La Palabra del Señor será en vuestros labios cual verdad y justicia.

El esfuerzo personal por otros debe ser precedido de mucha oración secreta; pues requiere gran sabiduría el comprender la ciencia de salvar almas. Antes de comunicaros con los hombres, comunicaos con Cristo. Ante el trono de la gracia celestial, obtened una preparación para ministrar a la gente.

Quebrántese vuestro corazón por el anhelo que tenga de Dios, del Dios vivo. La vida de Cristo ha mostrado lo que la humanidad puede hacer participando de la naturaleza divina. Todo lo que Cristo recibió de Dios, podemos recibirlo también nosotros. Pedid, pues, y recibiréis. Con la fe perseverante de Jacob, con la persistencia inflexible de Elías, pedid para vosotros todo lo que Dios ha prometido.

Dominen vuestra mente las gloriosas concepciones de Dios. Enlácese vuestra vida con la de Cristo mediante recónditos eslabones. Aquel que ordenó que la luz brillara en las tinieblas, desea brillar en vuestro corazón, para daros la luz del conocimiento de la gloria de Dios en el rostro de Jesucristo. (2 Corintios 4:6.) El Espíritu Santo tomará las cosas de Dios y os las mostrará, transfiriéndolas al corazón obediente cual vivo poder. Cristo os conducirá al umbral del Infinito.

Podréis contemplar la gloria que refulge más allá del velo, y revelar a los hombres la suficiencia de Aquel que siempre vive para interceder por nosotros.

Un Signo de Grandeza

Este capítulo está basado en Lucas 18:9-14.

CRISTO dirigió la parábola del fariseo y del publicano a "unos que confiaban de sí mismos como justos, y menospreciaban a los otros". El fariseo sube al templo a adorar, no porque sienta que es un pecador que necesita perdón, sino porque se cree justo, y espera ganar alabanzas. Considera su culto como un acto de mérito que lo recomendará a Dios. Al mismo tiempo, su culto dará a la gente un alto concepto de su piedad. Espera asegurarse el favor de Dios y del hombre. Su culto es impulsado por el interés propio.

Y está lleno de alabanza propia. Lo denota en su apariencia, en su forma de andar y en su forma de orar. Apartándose de los demás, como para decir: "No te llegues a mí, que soy más santo que tú" (Isaías 65:5), se pone en pie y ora "consigo". Con una completa satisfacción propia, piensa que Dios y los hombres lo consideran con la misma complacencia.

"Dios, te doy gracias —dice—, que no soy como los otros hombres, ladrones, injustos, adúlteros, ni aun como este publicano". Juzga su carácter, comparándolo, no con el santo carácter de Dios, sino con el de otros hombres. Su mente se vuelve de

Dios a la humanidad. Este es el secreto de su satisfacción propia.

Sigue repasando sus buenas obras: "Ayuno dos veces a la semana, doy diezmos de todo lo que poseo". La religión del fariseo no alcanza al alma. No está buscando la semejanza del carácter divino, un corazón lleno de amor y misericordia. Está satisfecho con una religión que tiene que ver solamente con la vida externa. Su justicia es la suya propia, el fruto de sus propias obras, y juzgada por una norma humana.

Cualquiera que confíe en que es justo, despreciará a los demás. Así como el fariseo se juzga comparándose con los demás hombres, juzga a otros comparándolos consigo. Su justicia es valorada por la de ellos, y cuanto peores sean, tanto más justo aparecerá él por contraste. Su justicia propia lo induce a acusar. Condena a "los otros hombres" como transgresores de la ley de Dios. Así está manifestando el mismo espíritu de Satanás, el acusador de los hermanos. Con este espíritu le es imposible ponerse en comunión con Dios. Vuelve a su casa desprovisto de la bendición divina.

El publicano había ido al templo con otros adoradores, pero pronto se apartó de ellos, sintiéndose indigno de unirse en sus devociones. Estando en pie lejos, "no quería ni aun alzar los ojos al cielo, sino que hería su pecho" con amarga angustia y aborrecimiento propio. Sentía que había obrado contra Dios; que era pecador y sucio. No podía esperar misericordia, ni aun de los que lo rodeaban, porque lo miraban con desprecio. Sabía que no tenía ningún mérito que lo recomendara a Dios, y

con una total desesperación clamaba: "Dios, sé propicio a mí pecador". No se comparaba con los otros. Abrumado por un sentimiento de culpa, estaba como si fuera solo en la presencia de Dios. Su único deseo era el perdón y la paz, su único argumento era la misericordia de Dios. Y fue bendecido. "Os digo —dice Cristo— que éste descendió a su casa justificado antes que el otro".

El fariseo y el publicano representan las dos grandes clases en que se dividen los que adoran a Dios. Sus dos primeros representantes son los dos primeros niños que nacieron en el mundo. Caín se creía justo, y sólo presentó a Dios una ofrenda de agradecimiento. No hizo ninguna confesión de pecado, y no reconoció ninguna necesidad de misericordia. Abel, en cambio, se presentó con la sangre que simbolizaba al Cordero de Dios. Lo hizo en calidad de pecador, confesando que estaba perdido; su única esperanza era el amor inmerecido de Dios. Dios apreció la ofrenda de Abel, pero no tomó en cuenta a Caín ni a la suya. La sensación de la necesidad, el reconocimiento de nuestra pobreza y pecado, es la primera condición para que Dios nos acepte. "Bienaventurados los pobres en espíritu: porque de ellos es el reino de los cielos". (Mateo 5:3.)

En la historia del apóstol Pedro hay una lección para cada una de las clases representadas por el fariseo y el publicano. Pedro se conceptuaba fuerte al comienzo de su discipulado. Como el fariseo, en su propia estima no era "como los otros hombres". Cuando Cristo, la víspera de ser traicionado, amonestó de antemano a sus discípulos: "Todos seréis escandalizados en mí esta noche", Pedro le dijo confiadamente: "Aunque todos sean escandalizados, mas no yo". (Marcos 14:27-29.) Pedro no conocía el peligro que corría, y lo descarrió la confianza propia. Se creyó capaz de resistir la tentación; pero pocas horas después le vino la prueba, y con maldiciones y juramentos negó a su Señor.

Cuando el canto del gallo le hizo recordar las palabras de Cristo, sorprendido y avergonzado por lo que acababa de hacer, se volvió y miró a su Maestro. En ese momento Cristo miró a Pedro, y éste se comprendió a sí mismo ante la triste mirada, en la que se mezclaban la compasión y el amor hacia él. Salió y lloró amargamente, pues aquella mirada de Cristo quebrantó su corazón. Pedro había llegado al punto de la conversión, y amargamente se arrepintió de su pecado. Fue semejante al publicano en su contrición y arrepentimiento, y como éste, también alcanzó misericordia. La mirada de Cristo le dio la seguridad del perdón.

Entonces desapareció su confianza propia. Nunca más se repitieron sus antiguas aseveraciones jactanciosas. Después de su resurrección, Cristo probó tres veces a Pedro. "Simón, hijo de Jonás —le dijo—, ¿me amas más que éstos?" Pedro no se ensalzó entonces por encima de sus hermanos, sino que apeló a Aquel que podía leer su corazón. "Señor —dijo—, tú sabes todas las cosas; tú sabes que te amo". (Juan 21:15, 17.) Entonces recibió su comisión. Le fue designada una obra más amplia y delicada de la que le había tocado antes. Cristo le ordenó apacentar las ovejas y los corderos. Al confiar así a

su mayordomía las almas por las cuales el Salvador había depuesto su propia vida, Cristo dio a Pedro la mayor prueba de confianza en su rehabilitación. El discípulo que una vez fuera inquieto, jactancioso, lleno de confianza propia, se había vuelto sumiso y contrito. Desde entonces siguió a su Señor con abnegación y sacrificio propio. Participó de los sufrimientos de Cristo; y cuando Cristo se siente en el trono de su gloria, Pedro participará de su gloria.

Hoy día el mal que provocó la caída de Pedro y que apartó al fariseo de la comunión con Dios, está ocasionando la ruina de millares. No hay nada que ofenda tanto a Dios, o que sea tan peligroso para el alma humana, como el orgullo y la suficiencia propia. De todos los pecados es el más desesperado, el más incurable.

La caída de Pedro no fue instantánea, sino gradual. La confianza propia lo indujo a creer que estaba salvado, y dio paso tras paso en el camino descendente hasta que pudo negar a su Maestro. Nunca podemos con seguridad poner la confianza en el yo, ni tampoco, estando, como nos hallamos, fuera del cielo, hemos de sentir que nos encontramos seguros contra la tentación. Nunca debe enseñarse a los que aceptan al Salvador, aunque sean sinceros en su conversión, a decir o sentir que están salvados. Eso es engañoso. Debe enseñarse a todos a acariciar la esperanza y la fe; pero aun cuando nos entregamos a Cristo y sabemos que él nos acepta, no estamos fuera del alcance de la tentación. La Palabra de Dios declara: "Muchos serán limpios, y emblanquecidos, y purificados". (Daniel 12:10.) Sólo el que soporte la prueba, "recibirá la corona de vida". (Santiago 1:12.)

Los que aceptan a Cristo y dicen en su primera fe: "Soy salvo", están en peligro de confiar en sí mismos. Pierden de vista su propia debilidad y constante necesidad de la fortaleza divina. No están preparados para resistir los ardides de Satanás, y cuando son tentados, muchos, como Pedro, caen en las profundidades del pecado. Se nos amonesta: "El que piensa estar firme, mire no caiga". (1 Corintios 10:12.) Nuestra única seguridad está en desconfiar constantemente de nosotros mismos y confiar en Cristo.

Fue necesario que Pedro conociera sus propios defectos de carácter, y su necesidad del poder y la gracia de Cristo. El Señor no podía librarlo de la prueba, pero sí podía salvarlo de la derrota. Si Pedro hubiese estado dispuesto a recibir la amonestación de Cristo, hubiera velado en oración. Habría caminado con temor y temblor para que sus pies no tropezaran, y habría recibido la ayuda divina para que Satanás no venciera.

Pedro cayó debido a su suficiencia propia; y fue restablecido de nuevo debido a su arrepentimiento y humillación. Todo pecador arrepentido puede encontrar estímulo en el relato de este caso. Pedro no fue abandonado, aunque había pecado gravemente. Sobre su alma se habían grabado las palabras de Cristo: "Yo he rogado por ti que tu fe no falte". (Lucas 22:32.) En la amarga agonía de su remordimiento le dieron esperanza esa oración y el recuerdo de la mirada de amor y piedad de Cristo. Cristo se acordó de Pedro después de su resurrección y le dio al ángel el

mensaje para las mujeres: "Id, decid a sus discípulos y a Pedro, que él va antes que vosotros a Galilea: allí le veréis". (Marcos 16:7.) El arrepentimiento de Pedro fue aceptado por el Salvador que perdona los pecados.

Y la misma compasión que se prodigó para rescatar a Pedro, se extiende a cada alma que ha caído bajo la tentación. La treta especial de Satanás es inducir al hombre a pecar, y luego abandonarlo impotente y temblando, temeroso de buscar el perdón. Pero, ¿por qué hemos de temer cuando Dios ha dicho: "Echen mano esos enemigos de mi fortaleza, y hagan paz conmigo. Sí, que hagan paz conmigo"? (Isaías 27:5. VM.) Se ha hecho toda la provisión posible para nuestras debilidades; se ofrece todo estímulo a los que van a Cristo.

Cristo ofreció su cuerpo quebrantado para comprar de nuevo la herencia de Dios, a fin de dar al hombre otra oportunidad. "Por lo cual puede también salvar eternamente a los que por él se allegan a Dios, viviendo siempre para interceder por ellos". (Hebreos 7:25.) Cristo intercede por la raza perdida mediante su vida inmaculada, su obediencia y su muerte en la cruz del Calvario. Y ahora, no como un mero suplicante, intercede por nosotros el Capitán de nuestra salvación, sino como un Conquistador que reclama su victoria. Su ofrenda es completa, y como Intercesor nuestro ejecuta la obra que él mismo se señaló, sosteniendo delante de Dios el incensario que contiene sus méritos inmaculados y las oraciones, las confesiones y las ofrendas de agradecimiento de su pueblo. Ellas, perfumadas con la fragancia de la justicia de Cristo, ascienden hasta Dios en olor suave. La ofrenda se hace completamente aceptable, y el perdón cubre toda transgresión.

Cristo se entregó a sí mismo para ser nuestro sustituto y nuestra seguridad, y no descuida a nadie. El no podría ver a los seres humanos expuestos a la ruina eterna sin derramar su alma hasta la muerte en favor de ellos, y considerará con piedad y compasión a toda alma que comprenda que no puede salvarse a sí misma. No mirará a ningún suplicante tembloroso sin levantarlo. El que mediante su propia expiación proveyó para el hombre un caudal infinito de poder moral, no dejará de emplear ese poder en nuestro favor. Podemos llevar nuestros pecados y tristezas a sus pies, pues él nos ama. Cada una de sus miradas y palabras estimulan nuestra confianza. El conformará y modelará nuestro carácter de acuerdo con su propia voluntad.

Todas las fuerzas satánicas no tienen poder para vencer a un alma que con fe sencilla se apoya en Cristo. "El da esfuerzo al cansado, y multiplica las fuerzas al que no tiene ningunas". (Isaías 40:29.)

"Si confesamos nuestros pecados, él es fiel y justo para que nos perdone nuestros pecados, y nos limpie de toda maldad". El Señor dice: "Conoce empero tu maldad, porque contra Jehová tu Dios has prevaricado". "Esparciré sobre vosotros agua limpia, y seréis limpiados de todas vuestras inmundicias; y de todos vuestros ídolos, os limpiaré". (1 Juan 1:9: Jeremías 3:13. Ezequiel 36:25.)

Pero debemos tener un conocimiento de nosotros mismos, un conocimiento que nos lleve a la contrición, antes de que podamos encontrar perdón y paz. El fariseo no sentía ninguna convicción de pecado. El Espíritu Santo no podía obrar en él. Su alma estaba revestida de una armadura de justicia propia que no podía ser atravesada por los aguzados y bien dirigidos dardos de Dios arrojados por manos angélicas. Cristo puede salvar únicamente al que reconoce que es pecador. El vino "para sanar a los quebrantados de corazón; para pregonar a los cautivos libertad, y a los ciegos vista; para poner en libertad a los quebrantados". Pero "los que están sanos no necesitan médico". (Lucas 4:18; 5:31.) Debemos conocer nuestra verdadera condición, pues de lo contrario no sentiremos nuestra necesidad de la ayuda de Cristo. Debemos comprender nuestro peligro, pues si no lo hacemos, no huiremos al refugio. Debemos sentir el dolor de nuestras heridas, o no desearemos curación.

El Señor dice: "Porque tú dices: Yo soy rico, y estoy enriquecido y no tengo necesidad de ninguna cosa; y no conoces que tú eres un cuitado y miserable y pobre y ciego y desnudo; yo te amonesto que de mí compres oro afinado en fuego, para que seas hecho rico, y seas vestido de vestiduras blancas, para que no se descubra la vergüenza de tu desnudez, y unge tus ojos con colirio, para que veas". (Apocalipsis 3:17, 18.) El oro afinado en el fuego es la fe que obra por el amor. Sólo esto puede ponernos en armonía con Dios. Podemos ser activos, podemos hacer mucha obra; pero sin amor, un amor tal como el que moraba en el corazón de Cristo, nunca podremos ser contados en la familia del cielo.

Ningún hombre por sí mismo puede comprender sus errores. "Engañoso es el corazón más que todas las cosas, y perverso; ¿quién lo conocerá?" (Jeremías 17:9.) Quizá los labios expresen una pobreza de alma que no reconoce el corazón. Mientras se habla a Dios de pobreza de espíritu, el corazón quizá está henchido con la presunción de su humildad superior y justicia exaltada. Hay una sola forma en que podemos obtener un verdadero conocimiento del yo. Debemos contemplar a Cristo. La ignorancia de su vida y su carácter induce a los hombres a exaltarse en su justicia propia. Cuando contemplemos su pureza y excelencia, veremos nuestra propia debilidad, nuestra pobreza y nuestros defectos tales cuales son. Nos veremos perdidos y sin esperanza, vestidos con la ropa de la justicia propia, como cualquier otro pecador. Veremos que si alguna vez nos salvamos, no será por nuestra propia bondad, sino por la gracia infinita de Dios.

La oración del publicano fue oída porque mostraba una dependencia que se esforzaba por asirse del Omnipotente. El yo no era sino vergüenza para el publicano. Así también debe ser para todos los que buscan a Dios. Por fe, la fe que renuncia a toda confianza propia, el necesitado suplicante ha de aferrarse del poder infinito.

Ninguna ceremonia exterior puede reemplazar a la fe sencilla y a la entera renuncia al yo. Pero ningún hombre puede despojarse del yo por sí mismo. Sólo podemos consentir que Cristo haga esta obra. Entonces el lenguaje del alma será: "Señor, toma mi corazón; porque yo no

puedo dártelo. Es tuyo, mantenlo puro, porque yo no puedo mantenerlo por ti. Sálvame a pesar de mi yo, mi yo débil y desemejante a Cristo. Modélame, fórmame, elévame a una atmósfera pura y santa, donde la rica corriente de tu amor pueda fluir por mi alma".

No sólo al comienzo de la vida cristiana ha de hacerse esta renuncia al yo. Ha de renovársela a cada paso que se dé hacia el cielo. Todas nuestras buenas obras dependen de un poder que está fuera de nosotros. Por lo tanto, debe haber un continuo anhelo del corazón en pos de Dios, y una continua y ferviente confesión de los pecados que quebrante el corazón y humille el alma delante de él. Unicamente podemos caminar con seguridad mediante una constante renuncia al yo y dependencia de Cristo.

Cuanto más nos acerquemos a Jesús, y más claramente apreciemos la pureza de su carácter, más claramente discerniremos la excesiva pecaminosidad del pecado, y menos nos sentiremos inclinados a ensalzarnos a nosotros mismos. Aquellos a quienes el cielo reconoce como santos son los últimos en alardear de su bondad. El apóstol Pedro llegó a ser fiel ministro de Cristo, y fue grandemente honrado con la luz y el poder divinos; tuvo una parte activa en la formación de la iglesia de Cristo; pero Pedro nunca olvidó la terrible vicisitud de su humillación; su pecado fue perdonado; y sin embargo, él bien sabía que para la debilidad de carácter que había ocasionado su caída sólo podía valer la gracia de Cristo. No encontraba en sí mismo nada de que gloriarse.

Ninguno de los apóstoles o profetas pretendió jamás estar sin pecado. Los hombres que han vivido más cerca de Dios, que han estado dispuestos a sacrificar la vida misma antes que cometer a sabiendas una acción mala, los hombres a los cuales Dios había honrado con luz y poder divinos, han confesado la pecaminosidad de su propia naturaleza. No han puesto su confianza en la carne, no han pretendido tener ninguna justicia propia, sino que han confiado plenamente en la justicia de Cristo. Así harán todos los que contemplen a Cristo.

En cada paso que demos en la vida cristiana, se ahondará nuestro arrepentimiento. A aquellos a quienes el Señor ha perdonado y a quienes reconoce como su pueblo, él les dice: "Os acordaréis de vuestros malos caminos, y de vuestras obras que no fueron buenas; y os avergonzaréis de vosotros mismos por vuestras iniquidades" (Ezequiel 36:31.) Otra vez él dice: "Confirmaré mi pacto contigo, y sabrás que yo soy Jehová; para que te acuerdes, y te avergüences, y nunca más abras la boca a causa de tu vergüenza, cuando me aplacare para contigo de todo lo que hiciste, dice el Señor Jehová". (Ezequiel 16:62, 63.) Entonces nuestros labios no se abrirán en glorificación propia. Sabremos que únicamente Cristo es nuestra suficiencia. Haremos nuestra la confesión del apóstol: "Yo sé que en mí (es a saber, en mi carne) no mora el bien". "Lejos esté de mí gloriarme, sino en la cruz de nuestro Señor Jesucristo, por el cual el mundo me es crucificado a mí, y yo al mundo". (Romanos 7:18; Gálatas 6:14.)

En armonía con esto se da la orden: "Ocupaos en vuestra salvación con temor y temblor; porque Dios es el que en vosotros obra así el querer como el hacer, por su buena voluntad". (Filipeses 2:12, 13.) Dios no os manda temer que él dejará de cumplir sus promesas, que se cansará su paciencia, o que llegará a faltar su compasión. Temed que vuestra voluntad no sea mantenida sujeta a la de Cristo, que vuestros rasgos de carácter hereditarios y cultivados rijan vuestra vida. "Dios es el que en vosotros obra así el querer como el hacer, por su buena voluntad". Temed que el yo se interponga entre vuestra alma y el gran Artífice. Temed que la voluntad propia malogre el elevado propósito que Dios desea alcanzar mediante vosotros. Temed confiar en vuestra propia fuerza, temed retirar vuestra mano de la mano de Cristo, e intentar recorrer el camino de la vida sin su presencia constante.

Debemos evitar todo lo que estimule el orgullo y la suficiencia propia; por lo tanto, debemos estar apercibidos para no dar ni recibir lisonjas o alabanzas. La adulación es obra de Satanás. El se ocupa tanto en adular como en acusar y condenar, y así procura la ruina del alma. Los que alaban a los hombres son usados como agentes por Satanás. Alejen de sí las palabras de alabanza los obreros de Cristo. Sea ocultado el yo. Sólo Cristo debe ser exaltado. Diríjase todo ojo, y ascienda alabanza de todo corazón "al que nos amó, y nos ha lavado de nuestros pecados con su sangre". (Apocalipsis 1:5.)

La vida que abriga el temor de Jehová no será una vida de tristeza y oscuridad. La ausencia de Cristo es la que entristece el semblante y hace de la vida una peregrinación de suspiros. Los que están llenos de estima y amor propios no sienten la necesidad de una unión viviente y personal con Cristo. El corazón que no ha caído sobre la Roca está orgulloso de estar entero. Los hombres desean una religión dignificada. Desean seguir por un camino suficientemente ancho como para llevar por él sus propios atributos. Su amor propio, su amor a la popularidad y a la alabanza excluyen al Salvador de su corazón, y sin él hay oscuridad y tristeza. Pero Cristo al morar en el alma es una fuente de gozo. Para todos los que lo reciben, la nota tónica de la Palabra de Dios es el regocijo.

"Porque así dijo el Alto y Sublime, el que habita la eternidad, y cuyo nombre es el Santo: Yo habito en la altura y la santidad, y con el quebrantado y humilde de espíritu, para hacer vivir el espíritu de los humildes, y para vivificar el corazón de los quebrantados". (Isaías 57:15.)

Fue cuando estuvo oculto en la hendidura de la roca cuando Moisés contempló la gloria de Dios. Cuando nos ocultemos en la Roca hendida, será cuando Cristo nos cubrirá con su mano traspasada, y oiremos lo que el Señor dice a sus siervos. A nosotros, como a Moisés, Dios se revelará como "misericordioso y piadoso; tardo para la ira, y grande en benignidad y verdad; que guarda la misericordia en millares, que perdona la iniquidad, la rebelión, y el pecado". (Éxodo 34:6, 7.)

La obra de la redención implica consecuencias de las cuales es difícil que el hombre tenga concepto alguno. "Cosas que ojo no vio, ni oreja oyó, ni han subido en corazón de hombre, son las que ha Dios preparado para aquellos que le aman". (1 Corintios 2:9.) Cuando el pecador, atraído por el poder de Cristo, se acerca a la cruz levantada y se postra delante de ella, se realiza una nueva creación. Se le da un nuevo corazón; llega a ser una nueva criatura en Cristo Jesús. La santidad encuentra que no hay nada más que requerir. Dios mismo es "el que justifica al que es de la fe de Jesús". Y "a los que justificó, a éstos también glorificó". (Romanos 3:26; 8:30.) Si bien es cierto que son grandes la vergüenza y la degradación producidas por el pecado, aún mayores serán el honor y la exaltación mediante el amor redentor. A los seres humanos que se esfuerzan por estar en conformidad con la imagen divina, se les imparte algo del tesoro celestial, una excelencia de poder que los colocará aun por encima de los ángeles que nunca han caído.

"Así ha dicho Jehová, Redentor de Israel, el Santo suyo, al menospreciado de alma, al abominado de las gentes... Verán reyes, y levantaránse príncipes, y adorarán por Jehová; porque fiel es el Santo de Israel, el cual te escogió". (Isaías 49:7.)

"Porque cualquiera que se ensalza, será humillado; y el que se humilla, será ensalzado".

La Fuente del Poder Vencedor

Este capítulo está basado en
Lucas 18:1-8.

CRISTO había estado hablando del período que habría de preceder inmediatamente a su segunda venida, y de los peligros por los cuales deberían pasar sus discípulos. Con referencia especial a ese tiempo relató la parábola "sobre que es necesario orar siempre, y no desmayar".

"Había un juez en una ciudad —dijo él—, el cual ni temía a Dios, ni respetaba a hombre. Había también en aquella ciudad una viuda, la cual venía a él, diciendo: Hazme justicia de mi adversario. Pero él no quiso por algún tiempo; mas después de esto dijo dentro de sí: Aunque ni temo a Dios, ni tengo respeto a hombre, todavía, porque esta viuda me es molesta, le haré justicia, porque al fin no venga y me muela. Y dijo el Señor: Oíd lo que dice el juez injusto. ¿Y Dios no hará justicia a sus escogidos que claman a él día y noche, aunque sea longánime acerca de ellos? Os digo que los defenderá presto".

El juez presentado aquí no tenía consideración por la justicia ni compasión por los dolientes. La viuda que le presentaba su caso había sido rechazada con persistencia. Repetidas veces había acudido a él, sólo para ser tratada con desprecio, y ser ahuyentada del tribunal. El juez sabía que su causa era justa, y podría haberla socorrido en seguida, pero no quería hacerlo. Quería demostrar su poder arbitrario, y se complacía en dejarla pedir, rogar y suplicar en vano. Pero ella no quería desmayar ni desalentarse. A pesar de la indiferencia y dureza de corazón de él, insistió en su petición hasta que el juez consintió en atender el caso. "Aunque ni temo a Dios, ni tengo respeto a hombre —dijo—, todavía, porque esta viuda me es molesta, le haré justicia, porque al fin no venga y me muela". Para salvar su reputación, para evitar que se diese publicidad a su juicio parcial y unilateral, hizo justicia a la mujer perseverante.

"¿Y Dios no hará justicia a sus escogidos, que claman a él día y noche, aunque sea longánime acerca de ellos? Os digo que los defenderá presto". Cristo presenta aquí un agudo contraste entre el juez injusto y Dios. El juez cedió a la petición de la viuda simplemente por egoísmo, a fin de quedar aliviado de su importunidad. No sentía por ella ni piedad ni compasión; su miseria no le importaba nada. ¡Cuán diferente es la actitud de Dios hacia los que lo buscan! Las súplicas de los menesterosos y angustiados son consideradas por él con infinita compasión.

La mujer que suplicó justicia al juez había perdido a su marido por la muerte. Pobre y sin amigos, no tenía medios de salvar su fortuna arruinada. Así, por el pecado, el hombre ha perdido su relación con Dios. Por sí mismo no puede salvarse, pero en Cristo somos acercados al Padre. Los elegidos de Dios son caros a su corazón. Son aquellos a quienes él ha llamado de las tinieblas a su luz admirable, para manifestar su alabanza, a fin de que resplandezcan como luces en medio de las tinieblas del mundo. El juez injusto no tenía interés especial en la viuda que lo importunaba pidiéndole liberación; sin embargo, a fin de deshacerse de sus lastimeras súplicas, la oyó, y la libró de su adversario. Pero Dios ama a sus hijos con amor infinito. Para él el objeto más caro que hay en la tierra es su iglesia.

"Porque la parte de Jehová es su pueblo; Jacob la cuerda de su here-

dad. Hallólo en tierra de desierto, y en desierto horrible y yermo; trájolo alrededor, instruyólo, guardólo como la niña de su ojo". "Porque así ha dicho Jehová de los ejércitos: Después de la gloria me enviará él a las gentes que os despojaron: porque el que os toca, toca a la niña de su ojo". (Deuteronomio 32:9, 10; Zacarías 2:8.)

La oración de la viuda: "Hazme justicia de mi adversario", representa la oración de los hijos de Dios. Satanás es su gran adversario. Es "el acusador de nuestros hermanos" (Apocalipsis 12:10), el cual los acusa delante de Dios día y noche. Está continuamente obrando para representar falsamente y acusar, engañar y destruir al pueblo de Dios. Y en esta parábola Jesús enseña a sus discípulos a orar por la liberación del poder de Satanás y sus agentes.

En la profecía de Zacarías, se pone de manifiesto la obra de acusador que hace Satanás, y la obra de Cristo de resistir al adversario de su pueblo. El profeta dice: "Y mostróme a Josué, el gran sacerdote, el cual estaba delante del ángel de Jehová; y Satán estaba a su mano derecha para serle adversario. Y dijo Jehová a Satán: Jehová te reprenda, oh Satán; Jehová, que ha escogido a Jerusalén, te reprenda. ¿No es éste tizón arrebatado del incendio? Y Josué estaba vestido de vestimentas viles, y estaba delante del ángel". (Zacarías 3:1-3.)

El pueblo de Dios está representado aquí por un criminal en el juicio. Josué, como sumo sacerdote, está pidiendo una bendición para su pueblo, que está en gran aflicción. Mientras está intercediendo delante de Dios, Satanás está a su diestra como adversario suyo. Acusa a los hijos de Dios, y hace aparecer su caso tan desesperado como sea posible. Presenta delante del Señor sus malas acciones y defectos. Muestra sus faltas y fracasos, esperando que aparezcan de tal carácter a los ojos de Cristo que él no les preste ayuda en su gran necesidad. Josué, como representante del pueblo de Dios, está bajo la condenación, vestido de ropas inmundas. Consciente de los pecados de su pueblo, se siente abatido por el desaliento. Satanás oprime su alma con una sensación de culpabilidad que lo hace sentirse casi sin esperanza. Sin embargo, ahí está como suplicante, frente a la oposición de Satanás.

La obra de Satanás como acusador empezó en el cielo. Esta ha sido su obra en la tierra desde la caída del hombre, y será su obra en un sentido especial mientras nos acercamos al fin de la historia de este mundo. A medida que ve que su tiempo se acorta, trabaja con mayor ardor para engañar y destruir. Se aíra cuando ve en la tierra un pueblo que, aun con su debilidad y carácter pecaminoso, tiene respeto por la ley de Jehová. Está resuelto a hacer que ese pueblo no obedezca a Dios. Se deleita en su indignidad, y tiene lazos preparados para cada alma, a fin de que todos queden entrampados y separados de Dios. Trata de acusar y condenar a Dios y a todos los que luchan por llevar a cabo sus propósitos en este mundo, con misericordia y amor, con compasión y perdón.

Toda manifestación del poder de Dios en favor de su pueblo despierta la enemistad de Satanás. Cada vez que Dios obra en su favor, Satanás y sus ángeles obran con renovado vigor para lograr su ruina. Tiene celos de todos aquellos que hacen de Cristo su fuerza. Su objeto consiste en instigar al mal, y cuando tiene éxito arroja toda la culpa sobre los tentados. Señala sus ropas contaminadas, sus caracteres deficientes. Presenta su debilidad e insensatez, su pecado e ingratitud, su carácter distinto al de Cristo, que ha deshonrado a su Redentor. Todo esto lo presenta como un argumento que prueba su derecho a destruirlos a voluntad. Se esfuerza por espantar sus almas con el pensamiento de que su caso no tiene esperanza, que la mancha de su contaminación no podrá nunca lavarse. Espera destruir así su fe, a fin de que cedan plenamente a sus tentaciones, y abandonen su fidelidad a Dios.

Los hijos del Señor no pueden contestar las acusaciones de Satanás. Al mirarse a sí mismos, están listos a desesperar, pero apelan al divino Abogado. Presentan los méritos del Redentor. Dios puede ser "justo, y el que justifica al que es de la fe de Jesús". (Romanos 3:26.) Con confianza los hijos del Señor le suplican que acalle las acusaciones de Satanás, y anule sus lazos. "Hazme justicia de mi adversario", ruegan; y con el poderoso argumento de la cruz, Cristo impone silencio al atrevido acusador.

"Y dijo Jehová a Satán: Jehová te reprenda, oh Satán; Jehová, que ha escogido a Jerusalén, te reprenda. ¿No es éste tizón arrebatado del incendio?" Cuando Satanás trata de cubrir al pueblo de Dios con negrura y arruinarlo, Cristo se interpone. Aunque han pecado, Cristo ha tomado la culpabilidad de su pecado sobre su propia alma. Ha arrebatado a la especie humana como tizón del fuego. Por su naturaleza humana está unido al hombre, mientras que por su naturaleza divina es uno con el Dios infinito. La ayuda está puesta al alcance de las almas que perecen. El adversario queda reprendido.

"Y Josué estaba vestido de vestimentas viles, y estaba delante del ángel. Y habló el ángel, e intimó a los que estaban delante de sí, diciendo: Quitadle esas vestimentas viles. Y a él dijo: Mira que he hecho pasar tu pecado de ti, y te he hecho vestir de ropas de gala. Después dijo: Pongan mitra limpia sobre su cabeza. Y pusieron una mitra limpia sobre su cabeza, y vistiéronle de ropas". Luego, con la autoridad del Señor de los ejércitos, el ángel hizo una promesa solemne a Josué, representante del pueblo de Dios: "Si anduvieres por mis caminos, y si guardares mi ordenanza, también tú gobernarás mi casa, también tú guardarás mis atrios, y entre estos que aquí están te daré plaza" (Zacarías 3:3-7), aun entre los ángeles que rodean el trono de Dios.

No obstante los defectos del pueblo de Dios, Cristo no se aparta de los objetos de su cuidado. Tiene poder para cambiar sus vestiduras. Saca sus ropas contaminadas, y pone sobre los que se arrepienten y creen, su propio manto de justicia, y escribe "Perdonado" frente a sus nombres en los registros del cielo. Los confiesa como suyos ante el universo celestial. Su adversario Satanás queda desenmascarado como acusador y engañador. Dios hará justicia a sus elegidos.

La oración: "Hazme justicia de mi adversario", se aplica no solamente a

Satanás, sino a los agentes a quienes instiga a presentar falsamente, a tentar y destruir al pueblo de Dios. Los que han decidido obedecer los mandamientos de Dios entenderán por experiencia que tienen adversarios que son dominados por una fuerza infernal. Tales adversarios asediaron a Cristo a cada paso, con una constancia y resolución que ningún ser humano puede conocer jamás. Los discípulos de Cristo, como su Maestro, son perseguidos por la tentación continua.

Las Escrituras describen la condición del mundo precisamente antes de la segunda venida de Cristo. El apóstol Santiago presenta la codicia y la opresión que prevalecerán. Dice: "Ea ya ahora, oh ricos..., os habéis allegado tesoro para en los postreros días. He aquí, el jornal de los obreros que han segado vuestras tierras, el cual por engaño no les ha sido pagado de vosotros, clama; y los clamores de los que habían segado, han entrado en los oídos del Señor de los ejércitos. Habéis vivido en deleites sobre la tierra, y sido disolutos; habéis cebado vuestros corazones como en el día de sacrificios. Habéis condenado y muerto al justo y él no os resiste". (Santiago 5:1-6.) Este es un cuadro de lo que existe hoy. Por toda suerte de opresión y extorsión, los hombres están amontonando fortunas colosales, mientras que los clamores de la humanidad que perece de hambre están ascendiendo a Dios.

"Y el derecho se retiró, y la justicia se puso lejos: porque la verdad tropezó en la plaza, y la equidad no pudo venir. Y la verdad fue detenida; y el que se apartó del mal fue puesto en presa". (Isaías 59:14, 15.) Esto se cumplió en la vida terrenal de Cristo. El era leal a los mandamientos de Dios, poniendo a un lado las tradiciones y requerimientos humanos, que se habían ensalzado en su lugar. Por causa de esto fue aborrecido y perseguido. Esta historia se repite. Las leyes y tradiciones de los hombres son ensalzadas por encima de la ley de Dios, y los que son fieles a los mandamientos de Dios sufren oprobio y persecución. Cristo, por causa de su fidelidad a Dios, fue acusado como violador del sábado y blasfemo. Se declaró que él estaba poseído por un demonio, y se lo denunció como Beelzebub. De igual manera sus seguidores son acusados y calumniados. Así espera Satanás inducirlos a pecar y deshonrar a Dios.

El carácter del juez de la parábola, que no temía ni a Dios ni al hombre, fue presentado por Cristo para demostrar la clase de juicio que se realizaba entonces y que pronto se iba a presenciar en su propio proceso. Deseaba que su pueblo de todos los tiempos comprendiese cuán poca confianza se puede tener en los gobernantes o jueces terrenales en el día de la adversidad. Con frecuencia los elegidos de Dios tienen que estar delante de los hombres que ocupan posiciones oficiales, pero que no hacen de la Palabra de Dios su guía y consejero, sino que siguen sus propios impulsos sin disciplina ni consagración.

En la parábola del juez injusto, Cristo demostró lo que debemos hacer. "¿Y Dios no hará justicia a sus escogidos, que claman a él día y noche?" Cristo, nuestro ejemplo, no hizo nada para vindicarse o librarse a sí mismo. Confió su caso a Dios. Así

los que le siguen no han de acusar o condenar, ni recurrir a la fuerza para librarse a sí mismos.

Cuando sufrimos pruebas que parecen inexplicables, no debemos permitir que nuestra paz sea malograda. Por injustamente que seamos tratados, no permitamos que la pasión se despierte. Condescendiendo con un espíritu de venganza nos dañamos a nosotros mismos. Destruimos nuestra propia confianza en Dios y ofendemos al Espíritu Santo. Hay a nuestro lado un testigo, un mensajero celestial, que levantará por nosotros una barrera contra el enemigo. El nos envolverá con los brillantes rayos del Sol de justicia. A través de ellos Satanás no puede penetrar. No puede atravesar este escudo de luz divina.

Mientras el mundo progresa en la impiedad, ninguno de nosotros necesita hacerse la ilusión de que no tendrá dificultades. Pero son esas mismas dificultades las que nos llevan a la cámara de audiencias del Altísimo. Podemos pedir consejo a Aquel que es infinito en sabiduría.

El Señor dice: "Invócame en el día de la angustia". (Salmo 50:15.) El nos invita a presentarle lo que nos tiene perplejos y las cosas que nos faltan, y nuestra necesidad de la ayuda divina. Nos aconseja ser constantes en la oración. Tan pronto como las dificultades surgen, debemos dirigirle nuestras sinceras y fervientes peticiones. Nuestras oraciones importunas evidencian nuestra vigorosa confianza en Dios. El sentimiento de nuestra necesidad nos induce a orar con fervor, y nuestro Padre celestial es movido por nuestras súplicas.

A menudo, los que sufren el oprobio o la persecución por causa de su fe son tentados a pensar que Dios los ha olvidado. A la vista de los hombres, se hallan entre la minoría. Según todas las apariencias sus enemigos triunfan sobre ellos. Pero no violen ellos su conciencia. Aquel que sufrió por ellos y llevó sus pesares y aflicciones, no los ha olvidado. Los hijos de Dios no son dejados solos e indefensos. La oración mueve el brazo de la Omnipotencia. Por la oración, los hombres "sojuzgaron reinos, obraron justicia, obtuvieron promesas, cerraron las bocas de los leones, apagaron la violencia del fuego" —y llegamos a saber lo que esto significa cuando oímos acerca de los mártires que murieron por su fe—, "pusieron en fuga a ejércitos de gente extranjera". (Hebreos 11:33, 34, VM.)

Si consagramos nuestra vida al servicio de Dios, nunca podremos ser colocados en una situación para la cual Dios no haya hecho provisión. Cualquiera sea nuestra situación, tenemos un Guía que dirige nuestro camino; cualesquiera sean nuestras perplejidades, tenemos un seguro Consejero; sea cual fuere nuestra pena, desamparo o soledad, tenemos un Amigo que simpatiza con nos otros. Si en nuestra ignorancia, damos pasos equivocados, Cristo no nos abandona. Su voz, clara y distinta, nos dice: "Yo soy el camino, y la verdad, y la vida". (Juan 14:6.) "El librará al menesteroso que clamare, y al afligido que no tuviere quien le socorra". (Salmo 72:12.)

El Señor declara que será honrado por aquellos que se acerquen a él, que fielmente se ocupen en su servicio. "Tú le guardarás en completa paz, cuyo pensamiento en ti persevera;

porque en ti se ha confiado". (Isaías 26:3.) El brazo de la Omnipotencia se extiende para conducirnos hacia adelante, siempre adelante. Avanza —dice el Señor—; te enviaré ayuda. Porque pides por causa de la gloria de mi nombre, lo recibirás. Seré honrado ante la vista de los que esperan ver tu fracaso. Ellos verán cómo mi palabra triunfará gloriosamente. "Y todo lo que pidiereis en oración, creyendo, lo recibiréis". (Mateo 21:22.)

Clamen a Dios todos los que son afligidos o tratados injustamente. Apartaos de aquellos cuyo corazón es como el acero, y haced vuestras peticiones a vuestro Hacedor. Nunca es rechazado nadie que acuda a él con corazón contrito. Ninguna oración sincera se pierde. En medio de las antífonas del coro celestial, Dios oye los clamores del más débil de los seres humanos. Derramamos los deseos de nuestro corazón en nuestra cámara secreta, expresamos una oración mientras andamos por el camino, y nuestras palabras llegan al trono del Monarca del universo. Pueden ser inaudibles para todo oído humano, pero no morirán en el silencio, ni serán olvidadas a causa de las actividades y ocupaciones que se efectúan. Nada puede ahogar el deseo del alma. Este se eleva por encima del ruido de la calle, por encima de la confusión de la multitud, y llega a las cortes del cielo. Es a Dios a quien hablamos, y nuestra oración es escuchada.

Vosotros los que os sentís los más indignos, no temáis encomendar vuestro caso a Dios. Cuando se dio a sí mismo en Cristo por los pecados del mundo, tomó a su cargo el caso de cada alma. "El que aun a su propio Hijo no perdonó, antes le entregó por todos nosotros, ¿cómo no nos dará también con él todas las cosas?" (Romanos 8:32.) ¿No cumplirá él la palabra de gracia dada para nuestro ánimo y fortaleza?

El mayor deseo de Cristo es redimir su herencia del dominio de Satanás. Pero antes de que seamos librados del poder satánico exteriormente, debemos ser librados de su poder interiormente. El Señor permite las pruebas a fin de que seamos limpiados de la mundanalidad, el egoísmo y los rasgos de carácter duros y anticristianos. El permite que las profundas aguas de la aflicción cubran nuestra alma para que lo conozcamos, y a Jesucristo a quien ha enviado, con el objeto de hacer brotar en nuestro corazón anhelos profundos de ser purificados de la contaminación y que salgamos de la prueba más puros, más santos, más felices. A menudo entramos en el crisol de la prueba con nuestras almas oscurecidas por el egoísmo, pero si somos pacientes bajo la prueba decisiva, saldremos reflejando el carácter divino. Cuando su propósito en la aflicción se cumpla, "exhibirá tu justicia como la luz, y tus derechos como el mediodía". (Salmo 37:6.)

No hay peligro de que el Señor descuide las oraciones de sus hijos. El peligro es que, en la tentación y la prueba, se descorazonen, y dejen de perseverar en oración.

El Salvador manifestó compasión divina hacia la mujer sirofenisa. Su corazón fue conmovido al contemplar su aflicción. Anhelaba darle una seguridad inmediata de que su oración había sido escuchada; pero quería enseñar una lección a sus discípulos, y por un momento pareció

desatender el clamor de su corazón torturado. Cuando la fe de la mujer se hubo manifestado, le dirigió palabras de encomio, y la envió con la preciosa bendición que había pedido. Los discípulos nunca olvidaron esta lección, y fue registrada para demostrar el resultado de la oración perseverante.

Fue Cristo mismo quien puso en el corazón de aquella madre la persistencia que no pudo ser rechazada. Fue Cristo el que concedió valor y determinación ante el juez a la viuda suplicante. Fue Cristo quien, siglos antes, en el conflicto misterioso desarrollado junto al Jaboc, había inspirado a Jacob la misma fe perseverante. Y no dejó sin recompensar la confianza que él mismo había implantado.

Aquel que vive en el santuario celestial juzga con justicia. Se complace más en sus hijos que luchan contra la tentación en un mundo de pecado que en las huestes de ángeles que rodean su trono.

Todo el universo celestial manifiesta el más grande interés en esta motita que es nuestro mundo; pues Cristo ha pagado un precio infinito por las almas de sus habitantes. El Redentor del mundo ha ligado la tierra con el cielo mediante lazos de inteligencia, pues aquí se hallan los redimidos del Señor. Los seres celestiales todavía visitan la tierra como en los días en que andaban y hablaban con Abrahán y con Moisés. En medio de las actividades y el trajín de nuestras grandes ciudades, en medio de las multitudes que atestan la vía pública y los centros de comercio, donde desde la mañana hasta la noche la gente obra como si los negocios, los deportes y los placeres constituyeran todo lo que hay en la vida, en esos lugares en que hay tan pocos que contemplan las realidades invisibles, aun allí el cielo tiene todavía vigilantes y santos. Hay agentes invisibles que observan cada palabra y cada acto de los seres humanos. En toda asamblea reunida con propósitos de comercio o placer, en toda reunión de culto, hay más oyentes de los que pueden verse con los ojos mortales. A veces los seres celestiales descorren el velo que esconde el mundo invisible, a fin de que nuestros pensamientos se vuelvan de la prisa y la tensión de la vida, a considerar que hay testigos invisibles de todo lo que hacemos o decimos.

Necesitamos entender mejor la misión de los ángeles visitadores. Sería bueno considerar que en todo nuestro trabajo tenemos la cooperación y el cuidado de los seres celestiales. Ejércitos invisibles de luz y poder atienden a los humildes y mansos que creen en las promesas de Dios y las reclaman. Querubines, serafines y ángeles, poderosos en fortaleza —millares de millares y millones de millones—, se hallan a su diestra, "todos espíritus ministradores, enviados para servicio a favor de los que han de heredar la salvación". (Hebreos 1:14, VHA.)

Estos mensajeros angelicales llevan un fiel registro de las palabras y los hechos de los hijos de los hombres. Cada acto de crueldad o injusticia ejecutado contra los hijos de Dios, todo lo que ellos tienen que sufrir por causa del poder de los obradores de maldad, se registra en los cielos.

"¿Y Dios no hará justicia a sus escogidos, que claman a el día y noche, aunque sea longánime acerca

de ellos? Os digo que los defenderá presto".

"No perdáis, pues, vuestra confianza, que tiene grande remuneración de galardón; porque la paciencia os es necesaria; para que, habiendo hecho la voluntad de Dios, obtengáis la promesa. Porque aún un poquito, y el que ha de venir vendrá, y no tardará". (Hebreos 10:35-37.) "Mirad cómo el labrador espera el precioso fruto de la tierra, aguardando con paciencia, hasta que reciba la lluvia temprana y tardía. Tened también vosotros paciencia; confirmad vuestros corazones: porque la venida del Señor se acerca". (Santiago 5:7, 8.)

La longanimidad de Dios es maravillosa. La justicia espera largo tiempo mientras la misericordia suplica al pecador. Pero "justicia y juicio son el asiento de su trono". (Salmo 97:2.) "Jehová es tardo para la ira", pero es "grande en poder, y no tendrá al culpado por inocente. Jehová marcha entre tempestad y turbión, y las nubes son el polvo de sus pies". (Nahúm 1:3.)

El mundo ha llegado a ser temerario en la transgresión de la ley de Dios. A causa de la larga clemencia divina, los hombres han pisoteado su autoridad. Se han fortalecido mutuamente en la opresión y la crueldad que ejercen contra su herencia, diciendo: "¿Cómo sabe Dios? ¿Y hay conocimiento en lo alto?" (Salmo 73:11.) Pero existe una línea que no pueden traspasar. Se acerca el tiempo en que llegarán al límite prescrito. Aun ahora casi han pasado los límites de la paciencia de Dios, los límites de su gracia y misericordia. El Señor se interpondrá para defender su propio honor, para librar a su pueblo, y para reprimir los desmanes de la injusticia.

En los días de Noé, los hombres habían descuidado la ley de Dios hasta que casi todo recuerdo del Creador había desaparecido de la tierra. Su iniquidad alcanzó tal grado que el Señor trajo un diluvio sobre la tierra que arrasó a todos sus impíos habitantes. En diversas edades el Señor ha hecho conocer la forma en que obra. Cuando ha llegado una crisis, él se ha manifestado, y se ha interpuesto para estorbar la ejecución de los planes de Satanás. En el caso de naciones, familias e individuos, permitió a menudo que las cosas llegaran a una crisis, y entonces su intervención se efectuó en forma notable. En esas ocasiones él ha manifestado que hay un Dios en Israel que hará que su ley permanezca incólume y defenderá a su pueblo.

En este tiempo en que prevalece la iniquidad, podemos saber que la última crisis está por llegar. Cuando el desafío a la ley de Dios sea casi universal, cuando su pueblo esté oprimido y afligido por sus semejantes, el Señor se interpondrá.

Se acerca el tiempo en que él dirá: "Anda, pueblo mío, éntrate en tus aposentos, cierra tras ti tus puertas; escóndete un poquito, por un momento, en tanto que pasa la ira. Porque he aquí que Jehová sale de su lugar para visitar la maldad del morador de la tierra contra él, y la tierra descubrirá sus sangres, y no más encubrirá sus muertos". (Isaías 26:20, 21.) Puede ser que hombres que pretenden ser cristianos defrauden y opriman ahora al pobre; roben

a las viudas y a los huérfanos; se inspiren de ira satánica porque no pueden dominar las conciencias de los hijos de Dios; pero por todo esto Dios los llamará a juicio. "Juicio sin misericordia será hecho con aquel que no hiciere misericordia". (Santiago 2:13.) No pasará mucho tiempo antes que ellos estén ante el Juez de toda la tierra para rendir cuenta del dolor que han causado a los cuerpos y las almas de los que forman la herencia divina. Pueden ahora permitirse falsas acusaciones, pueden ridiculizar a aquellos que Dios ha señalado para hacer su obra. Pueden enviar a los creyentes en Dios a la cárcel, a los trabajos forzados, al destierro, a la muerte; pero por toda angustia infligida, por toda lágrima vertida, tendrán que dar cuenta. Dios les pagará doblemente por sus pecados. Con respecto a Babilonia, el símbolo de la iglesia apóstata, Dios dice a sus ministros de juicio: "Sus pecados han llegado hasta el cielo, y Dios se ha acordado de sus maldades. Tornadle a dar como ella os ha dado, y pagadle al doble según su obra; en el cáliz que ella os dio a beber, dadle a beber doblado". (Apocalipsis 18:5, 6.)

De la India, del Africa, de la China, de las islas del mar, de entre los pisoteados millones que habitan los países llamados cristianos, el clamor del dolor humano asciende a Dios. Ese clamor no subirá por mucho tiempo más sin ser contestado. Dios limpiará la tierra de su corrupción moral, no por un mar de aguas, como en los días de Noé, sino por un mar de fuego que no podrá ser apagado por ninguna invención humana.

"Será tiempo de angustia, cual nunca fue después que hubo gente hasta entonces: mas en aquel tiempo será libertado tu pueblo, todos los que se hallaren escritos en el libro". (Daniel 12:1.)

De buhardillas, de chozas, de calabozos, de patíbulos, de montañas y desiertos, de cuevas de la tierra y cavernas del mar, Cristo reunirá a sus hijos a sí. En la tierra, han sido destituidos, afligidos y atormentados. Millones han descendido a la tumba cargados de infamia por haber rehusado rendirse a las engañosas pretensiones de Satanás. Los hijos de Dios han sido ajusticiados por los tribunales humanos como los más viles criminales. Pero está cerca el día cuando Dios será "el juez". (Salmo 50:6.) Entonces las decisiones de la tierra serán invertidas. "Quitará la afrenta de su pueblo". A cada hijo de Dios se le darán ropas blancas. "Y llamarles han Pueblo Santo, Redimidos de Jehová". (Isaías 25:8; Apocalipsis 6:11; Isaías 62:12.)

Cualesquiera sean las cruces que hayan sido llamados a llevar, cualesquiera las pérdidas que hayan soportado, cualquiera la persecución que hayan sufrido, aun hasta la pérdida de su vida temporal, los hijos de Dios serán ampliamente recompensados. "Verán su cara; y su nombre estará en sus frentes". (Apocalipsis 22:4.)

La Esperanza de la Vida

Este capítulo está basado en Lucas 15:1-10.

CUANDO los "publicanos y pecadores" se reunían alrededor de Cristo, los rabinos expresaban su descontento. "Este a los pecadores recibe —decían—, y con ellos come".

Con esta acusación insinuaban que a Cristo le gustaba asociarse con los pecadores y los viles, y que era insensible a su iniquidad. Los rabinos se habían desilusionado con Jesús. ¿Por qué él, que pretendía tener un carácter tan elevado, no se juntaba con ellos y seguía sus métodos de enseñanza? ¿Por qué se portaba tan modestamente, trabajando entre los hombres de todas las clases? Si fuese un profeta verdadero, decían, estaría de acuerdo con nosotros, y trataría a los publicanos y pecadores con la indiferencia que merecen. Encolerizaba a esos guardianes de la sociedad el que Aquel con quien estaban continuamente en disputa, pero cuya pureza de vida los aterrorizaba y condenaba, se juntara, con una simpatía tan visible, con los parias de la sociedad. No aprobaban sus métodos. Se consideraban a sí mismos como educados, refinados y preeminentemente religiosos; pero el ejemplo de Cristo presentaba al desnudo su egoísmo.

También los encolerizaba el hecho de que los que mostraban sólo desprecio por los rabinos, los que nunca eran vistos en las sinagogas, acudieran a Jesús, y escucharan con arrobada atención sus palabras. Los escribas y fariseos sentían sólo condenación ante aquella presencia pura; ¿cómo era, entonces, que los publicanos y pecadores resultaban atraídos a Jesús?

No sabían que la explicación residía en las mismas palabras que habían pronunciado como una acusación despectiva: "Este a los pecadores recibe". Los que acudían a Jesús sentían en su presencia que, aun para ellos, había escape del hoyo del pecado. Los fariseos habían tenido sólo desprecio y condenación para ellos; pero Cristo los saludaba como a hijos de Dios, indudablemente apartados de la casa del Padre, pero no olvidados por el corazón del Padre. Y su misma desgracia y pecado los convertía en mayor grado en el objeto de su compasión. Cuanto más se habían alejado de él, tanto más ferviente era el anhelo y mayor el sacrificio hecho para su rescate.

Todo esto podrían haberlo aprendido los maestros de Israel de los sagrados rollos de que se enorgullecían de ser guardianes y expositores. ¿No había escrito David, ese David que había caído en un pecado mortal: "Yo anduve errante como oveja extraviada; busca a tu siervo"? (Salmo 119:176.) ¿No había revelado Miqueas el amor de Dios hacia los pecadores diciendo: "¿Qué Dios como tú, que perdonas la maldad, y olvidas el pecado del resto de su heredad? No retuvo para siempre su enojo, porque es amador de misericordia". (Miqueas 7:18.)

La oveja perdida

En esta ocasión Cristo no recordó a sus oyentes las palabras de las Escrituras. Recurrió al testimonio de lo que ellos mismos conocían. Las extensas mesetas situadas al este del Jordán proporcionaban abundantes pastos para los rebaños, y por los desfiladeros y colinas boscosas habían vagado muchas ovejas perdidas, que eran buscadas y traídas de vuelta por el

i(186-187)

cuidado del pastor. En el grupo que rodeaba a Jesús había pastores, y también hombres que habían invertido dinero en rebaños y manadas, y todos podían apreciar su ilustración: "¿Qué hombre de vosotros, teniendo cien ovejas, si perdiere una de ellas, no deja las noventa y nueve en el desierto, y va a la que se perdió, hasta que la halle?"

Estas almas a quienes despreciáis, dijo Jesús, pertenecen a Dios. Son suyas por la creación y la redención, y son de valor a su vista. Así como el pastor ama a sus ovejas, y no puede descansar cuando le falta aunque sólo sea una, así, y en un grado infinitamente superior, Dios ama a toda alma descarriada. Los hombres pueden negar el derecho de su amor, pueden apartarse de él, pueden escoger otro amo; y sin embargo son de Dios, y él anhela recobrar a los suyos. Dice: "Como reconoce su rebaño el pastor el día que está en medio de sus ovejas esparcidas, así reconoceré mis ovejas, y las libraré de todos los lugares en que fueron esparcidas el día del nublado y de la oscuridad". (Ezequiel 34:12.)

En la parábola, el pastor va en busca de una oveja, la más pequeñita de todas. Así también, si sólo hubiera habido un alma perdida, Cristo habría muerto por esa sola.

La oveja que se ha descarriado del redil es la más impotente de todas las criaturas. El pastor debe buscarla, pues ella no puede encontrar el camino de regreso. Así también el alma que se ha apartado de Dios, es tan impotente como la oveja perdida, y si el amor divino no hubiera ido en su rescate, nunca habría encontrado su camino hacia Dios.

El pastor que descubre que falta una de sus ovejas, no mira descuidadamente el rebaño que está seguro y dice: "Tengo noventa y nueve, y me sería una molestia demasiado grande ir en busca de la extraviada. Que regrese, y yo abriré la puerta del redil y la dejaré entrar". No; tan pronto como se extravía la oveja, el pastor se llena de pesar y ansiedad. Cuenta y recuenta el rebaño, y no dormita cuando descubre que se ha perdido una oveja. Deja las noventa y nueve dentro del aprisco y va en busca de la perdida. Cuanto más oscura y tempestuosa es la noche, y más peligroso el camino, tanto mayor es la ansiedad del pastor y más ferviente su búsqueda. Hace todos los esfuerzos posibles por encontrar esa sola oveja perdida.

Con cuánto alivio siente a la distancia su primer débil balido. Siguiendo el sonido, trepa por las alturas más empinadas, y va al mismo borde del precipicio con riesgo de su propia vida. Así la busca, mientras el balido, cada vez más débil, le indica que la oveja está por morir. Al fin es recompensado su esfuerzo; encuentra la perdida. Entonces no la reprende porque le ha causado tanta molestia. No la arrea con un látigo. Ni aun intenta conducirla al redil. En su gozo pone la temblorosa criatura sobre sus hombros; si está magullada y herida, la toma en sus brazos, la aprieta contra su pecho, para que le dé vida el calor de su corazón. Agradecido porque su búsqueda no ha sido vana, la lleva de vuelta al redil.

Gracias a Dios, él no ha presentado a nuestra imaginación el cuadro de un pastor que regresa dolorido sin la oveja. La parábola no habla de fracaso, sino de éxito y gozo en la recuperación. Aquí está la garantía divina de que no es descuidada o dejada al desamparo ni aun una de las ovejas descarriadas del aprisco de Dios. Cristo rescatará del hoyo de la corrupción y de las zarzas del pecado a todo el que tenga el deseo de ser redimido.

Alma desalentada, anímate aunque hayas obrado impíamente. No pienses que *quizá* Dios perdonará tus transgresiones y permitirá que vayas a su presencia. Dios ha dado el primer paso. Aunque te habías rebelado contra él, salió a buscarte. Con el tierno corazón del pastor, dejó las noventa y nueve y salió al desierto a buscar la que se había perdido. Toma en sus brazos de amor al alma lastimada, herida y a punto de morir, y gozosamente la lleva al aprisco de la seguridad.

Los judíos enseñaban que antes de que se extendiera el amor de Dios al pecador, éste debía arrepentirse. A su modo de ver, el arrepentimiento es una obra por la cual los hombres ganan el favor del cielo. Y éste fue el pensamiento que indujo a los fariseos a exclamar con asombro e ira: "Este a los pecadores recibe". De acuerdo con sus ideas, no debía permitir que se le acercaran sino los que se habían arrepentido. Pero en la parábola de la oveja perdida, Cristo enseña que la salvación no se debe a nuestra búsqueda de Dios, sino a su búsqueda de nosotros. "No hay quien entienda, no hay quien busque a Dios; todos se apartaron". (Romanos 3:11, 12.) No nos arrepentimos para que Dios nos ame, sino que él nos revela su amor para que nos arrepintamos.

Cuando al fin es llevada al aprisco la oveja perdida, la alegría del pastor se expresa con himnos melodiosos de regocijo. Llama a sus amigos y vecinos y les dice: "Dadme el parabién, porque he hallado mi oveja que se había perdido". Así también cuando el gran Pastor de las ovejas encuentra a un extraviado, el cielo y la tierra se unen en agradecimiento y regocijo.

"Habrá más gozo en el cielo de un pecador que se arrepiente, que de noventa y nueve justos que no nece-

sitan arrepentimiento". Vosotros, los fariseos, dijo Cristo, os consideráis como los favoritos del cielo. Pensáis que estáis seguros en vuestra propia justicia. Sabed, por lo tanto, que si no necesitáis arrepentimiento, mi misión no es para vosotros. Estas pobres almas que sienten su pobreza y pecaminosidad, son precisamente aquellas que he venido a rescatar. Los ángeles del cielo están interesados en los perdidos que despreciáis. Os quejáis y mostráis vuestro desprecio cuando una de estas almas se une conmigo; pero sabed que los ángeles se regocijan y el himno de triunfo resuena en las cortes celestiales.

Los rabinos tenían el dicho de que hay regocijo en el cielo cuando es destruido uno que ha pecado contra Dios; pero Jesús enseñó que la obra de destrucción es una obra extraña; aquello en lo cual todo el cielo se deleita es la restauración de la imagen de Dios en las almas que él ha hecho.

Cuando alguien que se haya extraviado grandemente en el pecado trate de volver a Dios, encontrará crítica y desconfianza. Habrá quienes pongan en duda la veracidad de su arrepentimiento, o que murmurarán: "No es firme; no creo que se mantendrá". Tales personas no están haciendo la obra de Dios sino la de Satanás, que es el acusador de los hermanos. Mediante sus críticas, el maligno trata de desanimar a aquella alma, y llevarla aún más lejos de la esperanza y de Dios. Contemple el pecador arrepentido el regocijo del cielo por su regreso. Descanse en el amor de Dios, y en ningún caso se descorazone por las burlas y las sospechas de los fariseos.

Los rabinos entendieron que la parábola de Cristo se aplicaba a los publicanos y pecadores; pero también tiene un significado más amplio. Cristo representa con la oveja perdida no sólo al pecador individual, sino también al mundo que ha apostatado y ha sido arruinado por el pecado. Este mundo no es sino un átomo en los vastos dominios que Dios preside. Sin embargo, este pequeño mundo caído, la única oveja perdida, es más precioso a su vista que los noventa y nueve que no se descarriaron del aprisco. Cristo, el amado Comandante de las cortes celestiales, descendió de su elevado estado, puso a un lado la gloria que tenía con el Padre, a fin de salvar al único mundo perdido. Para esto dejó allá arriba los mundos que no habían pecado, los noventa y nueve que le amaban, y vino a esta tierra, para ser "herido... por nuestras rebeliones" y "molido por nuestros pecados". (Isaías 53:5.) Dios se dio a sí mismo en su Hijo para poder tener el gozo de recobrar la oveja que se había perdido.

"Mirad cuál amor nos ha dado el Padre, que seamos llamados hijos de Dios". (1 Juan 3:1.) Y Cristo dijo: "Como tú me enviaste al mundo, también los he enviado al mundo", para cumplir "lo que falta de las aflicciones de Cristo por su cuerpo, que es la iglesia". (Juan 17:18; Colosenses 1:24.) Cada alma que Cristo ha rescatado está llamada a trabajar en su nombre para la salvación de los perdidos. Esta obra había sido descuidada en Israel. ¿No es descuidada hoy día por los que profesan ser los seguidores de Cristo?

¿A cuántos de los errantes, tú, lector, has buscado y llevado de vuelta al redil? Cuando te apartas de los que no parecen promisorios ni atractivos, ¿te das cuenta de que estás descuidando las almas que está buscando Cristo? En el preciso momento en que te apartas de ellos, quizá es cuando necesiten más de tu compasión. En cada reunión de culto, hay almas que anhelan descanso y paz. Quizá parezca que viven vidas descuidadas, pero no son insensibles a la influencia del Espíritu Santo. Muchas de ellas pueden ser ganadas para Cristo.

Si no se lleva la oveja perdida de vuelta al aprisco, vaga hasta que perece, y muchas almas descienden a la ruina por falta de una mano que se extienda para salvarlas. Los que van errantes pueden parecer duros e indiferentes; pero si hubieran tenido las mismas ventajas que otros han tenido, habrían revelado mayor nobleza de alma, y mayor talento para la utilidad. Los ángeles se compadecen de ellos. Los ángeles lloran mientras los ojos humanos están secos y los corazones cerrados a la piedad.

¡Oh, la falta de simpatía profunda y enternecedora por los tentados y errantes! ¡Oh, más del espíritu de Cristo, y menos, mucho menos del yo!

Los fariseos entendieron la parábola de Cristo como un reproche para ellos. En vez de aceptar las críticas que hacían de su obra, él había reprochado su descuido hacia los publicanos y pecadores. No lo había hecho abiertamente para no cerrar sus corazones contra él; pero su ilustración les presentaba precisamente la obra que Dios requería de ellos y que no habían hecho. Si hubieran sido verdaderos pastores, esos dirigentes de Israel habrían hecho la obra de un pastor. Hubieran manifestado la misericordia y el amor de Cristo, y se habrían unido con él en su misión. Al rechazar esto habían probado que eran falsas sus pretensiones de piedad. Ahora muchos rechazaron el reproche de Cristo, pero hubo algunos que quedaron convencidos por sus palabras. Después de la ascensión de Cristo al cielo, descendió sobre éstos el Espíritu Santo y se unieron con los discípulos precisamente en la obra bosquejada en la parábola de la oveja perdida.

La dracma perdida

Después de presentar la parábola de la oveja perdida, Cristo narró otra, diciendo: "¿Qué mujer que tiene diez dracmas, si perdiere una dracma, no enciende el candil, y barre la casa, y busca con diligencia hasta hallarla?"

En el Oriente, las casas de los pobres por lo general consistían en una sola habitación, con frecuencia sin ventanas y oscura. Raras veces se barría la pieza, y una moneda al caer al suelo quedaba rápidamente cubierta por el polvo y la basura. Aun de día, para poderla encontrar, debía encenderse una vela y barrerse diligentemente la casa.

La dote matrimonial de la esposa consistía por lo general en monedas, que ella preservaba cuidadosamente como su posesión más querida, para transmitirla a sus hijas. La pérdida de una de esas monedas era considerada como una grave calamidad, y el recobrarla causaba un gran regocijo que

compartían de buen grado las vecinas.

"Cuando la hubiere hallado —dijo Cristo—, junta a las amigas y las vecinas, diciendo: Dadme el parabién, porque he hallado la dracma que había perdido. Así os digo que hay gozo delante de los ángeles de Dios por un pecador que se arrepiente".

Esta parábola, como la anterior, presenta la pérdida de algo que mediante una búsqueda adecuada se puede recobrar, y eso con gran gozo. Pero las dos parábolas representan diferentes clases de personas. La oveja extraviada sabe que está perdida. Se ha apartado del pastor y del rebaño y no puede volver. Representa a los que comprenden que están separados de Dios, que se hallan dentro de una nube de perplejidad y humillación, y se ven grandemente tentados. La moneda perdida simboliza a los que están perdidos en sus faltas y pecados, pero no comprenden su condición. Están apartados de Dios, pero no lo saben. Sus almas están en peligro, pero son inconscientes e indiferentes. En esta parábola, Cristo enseña que aun los indiferentes a los requerimientos de Dios, son objeto de su compasivo amor. Han de ser buscados para que puedan ser llevados de vuelta a Dios. La oveja se extravió del rebaño; estuvo perdida en el desierto o en las montañas. La dracma se perdió en la casa. Estaba a la mano, pero sólo podía ser recobrada mediante una búsqueda diligente.

Esta parábola tiene una lección para las familias. Con frecuencia hay gran descuido en el hogar respecto al alma de sus miembros. Entre ellos quizá haya uno que está apartado de Dios; pero cuán poca ansiedad se experimenta a fin de que en la relación familiar no se pierda uno de los dones confiados por Dios.

La moneda, aunque se encuentre entre el polvo y la basura, es siempre una pieza de plata. Su dueño la busca porque es de valor. Así toda alma, aunque degradada por el pecado, es considerada preciosa a la vista de Dios. Así como la moneda lleva la imagen e inscripción de las autoridades, también el hombre, al ser creado, llevaba la imagen y la inscripción de Dios, y aunque ahora está malograda y oscurecida por la influencia del pecado, quedan aun en cada alma los rastros de esa inscripción. Dios desea recobrar esa alma, y volver a escribir en ella su propia imagen en justicia y santidad.

La mujer de la parábola busca diligentemente su moneda perdida. Enciende el candil y barre la casa. Quita todo lo que pueda obstruir su búsqueda. Aunque sólo ha perdido una dracma, no cesará en sus esfuerzos hasta encontrarla. Así también en la familia, si uno de los miembros se pierde para Dios, deben usarse todos los medios para rescatarlo. Practiquen todos los demás un diligente y cuidadoso examen propio. Investíguese el proceder diario. Véase si no hay alguna falta o error en la dirección del hogar, por el cual esa alma se empecina en su impenitencia.

Los padres no deben descansar si en su familia hay un hijo que vive inconsciente de su estado pecaminoso. Enciéndase el candil. Escudríñese la Palabra de Dios, y al amparo de su luz examínese diligentemente todo lo que hay en el hogar para ver por qué está perdido ese hijo. Escudriñen los padres su propio corazón, examinen sus hábitos y prácticas. Los hijos son la herencia del Señor y somos responsables ante él por el manejo de su propiedad.

Hay padres y madres que anhelan trabajar en algún campo misionero; hay muchos que son activos en su obra cristiana fuera de su hogar, mientras que sus propios hijos son extraños al Salvador y su amor. Muchos padres confían al pastor o al maestro de la escuela sabática la obra de ganar a sus hijos para Cristo; pero al hacerlo descuidan su propia responsabilidad recibida de Dios. La educación y preparación de sus hijos para que sean cristianos es el servicio de carácter más elevado que los padres puedan ofrecer a Dios. Es una obra que demanda un trabajo paciente, y un esfuerzo diligente y perseverante que dura toda la vida. Al descuidar este propósito demostramos ser mayordomos desleales. Dios no aceptará ninguna excusa por tal descuido.

Pero no han de desesperar los que son culpables de descuido. La mujer que había perdido una dracma buscó hasta encontrarla. Así también trabajen los padres por los suyos, con amor, fe y oración, hasta que gozosamente puedan presentarse a Dios diciendo: "He aquí, yo y los hijos que me dio Jehová". (Isaías 8:18.)

Esta es verdadera obra misionera, y es tan provechosa para los que la hacen como para aquellos en favor de los cuales se realiza. Mediante nuestro fiel interés en el círculo del hogar nos preparamos para la obra en pro de los miembros de la familia del Señor, con los cuales viviremos por las edades eternas si somos fieles a Cristo. Hemos de mostrar por nuestros hermanos y hermanas en Cristo el mismo interés que tenemos mutuamente como miembros de una familia.

Y el propósito de Dios es que todo esto nos capacite para trabajar por otros. A medida que se amplíen nuestras simpatías y aumente nuestro amor, encontraremos por doquiera una obra que hacer. La gran familia humana de Dios abarca el mundo, y no ha de pasarse por alto descuidadamente ninguno de sus miembros.

Dondequiera que estemos, la dracma perdida espera nuestra búsqueda. ¿La estamos buscando? Día tras día nos encontramos con los que no tienen interés en la religión; conversamos con ellos, y los visitamos; mas ¿mostramos interés en su bienestar espiritual? ¿Les presentamos a Cristo como el Salvador que perdona los pecados? Con nuestro corazón ardiendo con el amor de Cristo, ¿les hablamos acerca de ese amor? Si no lo hacemos, ¿cómo podremos encontrarnos con esas almas perdidas, eternamente perdidas, cuando estemos con ellas delante del trono de Dios?

¿Quién puede estimar el valor de un alma? Si queréis saber su valor, id al Getsemaní, y allí velad con Cristo durante esas horas de angustia, cuando su sudor era como grandes gotas de sangre. Mirad al Salvador pendiente de la cruz. Oíd su clamor desesperado: "Dios mío, Dios mío, ¿por qué me has desamparado?" (Marcos 15:34.) Mirad la cabeza herida, el costado atravesado, los pies maltrechos. Recordad que Cristo lo arriesgó todo. Por nuestra redención el cielo mismo se puso en peligro. Podréis estimar el valor de un alma al pie de la cruz, recordando que Cristo habría entregado su vida por un solo pecador.

Si estáis en comunión con Cristo, estimaréis a cada ser humano como él lo estima. Sentiréis hacia otros el mismo amor profundo que Cristo ha sentido por nosotros. Entonces podréis ganar y no ahuyentar, atraer y no repeler a aquellos por quienes él murió. Nadie podría haber sido llevado de vuelta a Dios si Cristo no hubiese hecho un esfuerzo personal por él; y mediante esa obra personal podemos rescatar las almas. Cuando veáis a los que van a la muerte, no descansaréis en completa indiferencia y tranquilidad. Cuanto mayor sea su pecado y más profunda su miseria, más fervientes y tiernos serán vuestros esfuerzos por curarlos. Comprenderéis la necesidad de los que sufren, los que han pecado contra Dios y están oprimidos por una carga de culpabilidad. Vuestro corazón sentirá simpatía por ellos, y les extenderéis una mano ayudadora. Los llevaréis a Cristo en los brazos de vuestra fe y amor. Velaréis sobre ellos y los animaréis, y vuestra simpatía y confianza hará que les sea difícil perder su constancia.

Todos los ángeles del cielo están dispuestos a cooperar en esta obra. Todos los recursos del cielo están a disposición de los que tratan de salvar a los perdidos. Los ángeles os ayudarán a llegar hasta los más descuidados y endurecidos. Y cuando uno se vuelve a Dios, se alegra todo el cielo; los serafines y los querubines tañen sus arpas de oro, y cantan alabanzas a Dios y al Cordero por su misericordia y bondad amante hacia los hijos de los hombres.

La Rehabilitación del Hombre

Este capítulo está basado en Lucas 15:11-32.

LAS parábolas de la oveja perdida, de la moneda perdida y del hijo pródigo, presentan en distintas formas el amor compasivo de Dios hacia los que se descarriaron de él. Aunque ellos se han alejado de Dios, él no los abandona en su miseria. Está lleno de bondad y tierna compasión hacia todos los que se hallan expuestos a las tentaciones del astuto enemigo.

En la parábola del hijo pródigo, se presenta el proceder del Señor con aquellos que conocieron una vez el amor del Padre, pero que han permitido que el tentador los llevara cautivos a su voluntad.

"Un hombre tenía dos hijos; y el menor de ellos dijo a su padre: Padre, dame la parte de la hacienda que me pertenece: y les repartió la hacienda. Y no muchos días después, juntándolo todo el hijo menor, partió lejos a una provincia apartada".

Este hijo menor se había cansado de la sujeción a que estaba sometido en la casa de su padre. Le parecía que se le restringía su libertad. Interpretaba mal el amor y cuidado que le prodigaba su padre, y decidió seguir los dictados de su propia inclinación.

El joven no reconoce ninguna obligación hacia su padre, ni expresa gratitud; no obstante reclama el privilegio de un hijo en la participación de los bienes de su padre. Desea recibir ahora la herencia que le correspondería a la muerte de su padre. Está empeñado en gozar del presente, y no se preocupa de lo futuro.

Habiendo obtenido su patrimonio, fue "a una provincia apartada", lejos de la casa de su padre. Teniendo dinero en abundancia y libertad para hacer lo que le place, se lisonjea de haber logrado el deseo de su corazón. No hay quien le diga: No hagas esto, porque será perjudicial para ti; o: Haz esto porque es recto. Las malas compañías le ayudan a hundirse cada vez más profundamente en el pecado, y desperdicia "su hacienda viviendo perdidamente".

La Biblia habla de hombres que "diciéndose ser sabios; se hicieron fatuos" (Romanos 1:22); y éste es el caso del joven de la parábola. Despilfarra con rameras la riqueza que egoístamente reclamó de su padre.

Malgasta el tesoro de su virilidad. Los preciosos años de vida, la fuerza del intelecto, las brillantes visiones de la juventud, las aspiraciones espirituales, todos son consumidos en el altar de la concupiscencia.

Sobreviene una gran hambre; él comienza a sentir necesidad y se llega a uno de los ciudadanos de aquel país, quien lo envía al campo a apacentar cerdos. Para un judío ésta era la más mezquina y degradante de las ocupaciones. El joven que se había jactado de su libertad, ahora se encuentra esclavo. Está sometido al peor de los yugos: "Detenido... con las cuerdas de su pecado". (Proverbios 5:22.) El esplendor y el brillo que lo ofuscaron han desaparecido, y siente el peso de su cadena. Sentado en el suelo de aquella tierra desolada y azotada por el hambre, sin otra compañía que los cerdos, se resigna a saciarse con los desperdicios con que se alimentan las bestias. No conserva la amistad de ninguno de los alegres compañeros que lo rodeaban en sus días de prosperidad y comían y bebían a costa suya. ¿Dónde está ahora su gozo desenfrenado? Tranquilizando su conciencia, amodorrando su sensibilidad, se creyó feliz; pero ahora, sin dinero, sufriendo de hambre, con su orgullo humillado, con su naturaleza moral empequeñecida, con su voluntad debilitada e indigna de confianza, con sus mejores sentimientos aparentemente muertos, es el más desventurado de los mortales.

¡Qué cuadro se presenta aquí de la condición del pecador! Aunque rodeado de las bendiciones del amor divino, no hay nada que el pecador, empeñado en la complacencia propia y los placeres pecaminosos, desee

tanto como la separación de Dios. A semejanza del hijo desagradecido, pretende que las cosas buenas de Dios le pertenecen por derecho. Las recibe como una cosa natural, sin expresar agradecimiento ni prestar ningún servicio de amor. Así como Caín salió de la presencia del Señor para buscarse hogar; así como el pródigo vagó por "una provincia apartada", así los pecadores buscan la felicidad en el olvido de Dios. (Romanos 1:28.)

Cualquiera sea su apariencia, toda vida cuyo centro es el yo, se malgasta. Quienquiera que intente vivir lejos de Dios, está malgastando su sustancia, desperdiciando los años mejores, las facultades de la mente, el corazón y el alma, y labrando su propia bancarrota para la eternidad. El hombre que se separa de Dios para servirse a sí mismo, es esclavo del mundo, de las riquezas. La gente que Dios creó para asociarse con los ángeles, ha llegado a degradarse en el servicio de lo terreno y bestial. Este es el fin al cual conduce el servicio del yo. Si habéis escogido una vida tal, sabed que estáis gastando dinero en aquello que no es pan, y trabajando por lo que no satisface. Llegarán horas cuando os daréis cuenta de vuestra degradación. Solos en la provincia apartada sentís vuestra miseria, y en vuestra desesperación clamáis: "¡Miserable hombre de mí! ¿quién me librará del cuerpo de esta muerte?" (Romanos 7:24.) Las palabras del profeta contienen la declaración de una verdad universal cuando dice: "Maldito el hombre que confía en el hombre, y pone carne por su brazo y su corazón se aparta de Jehová. Pues será como la retama en el desierto, y no verá cuando viniere el bien; sino que morará en las securas en el desierto, en tierra despoblada y deshabitada". (Jeremías 17:5, 6.) Dios "hace que su sol salga sobre malos y buenos, y llueve sobre justos e injustos" (Mateo 5:45); pero los hombres poseen la facultad de privarse del sol y la lluvia. Así, mientras brilla el Sol de justicia, y las lluvias de gracia caen libremente para todos, podemos, separándonos de Dios, morar "en las securas en el desierto".

El amor de Dios aún implora al que ha escogido separarse de él, y pone en acción influencias para traerlo de vuelta a la casa del Padre. El hijo pródigo volvió en sí en medio de su desgracia. Fue quebrantado el engañoso poder que Satanás había ejercido sobre él. Se dio cuenta de que su sufrimiento era la consecuencia de su propia necedad, y dijo: "¡Cuántos jornaleros en la casa de mi padre tienen abundancia de pan, y yo aquí perezco de hambre! Me levantaré, e iré a mi padre". Desdichado como era, el pródigo halló esperanza en la convicción del amor de su padre. Fue ese amor el que lo atrajo hacia el hogar. Del mismo modo, la seguridad del amor de Dios constriñe al pecador a volverse a Dios. "Su benignidad te guía a arrepentimiento". (Romanos 2:4.) La misericordia y compasión del amor divino, a manera de una cadena de oro, rodea a cada alma en peligro. El Señor declara: "Con amor eterno te he amado; por tanto te soporté con misericordia". (Jeremías 31:3.) El hijo se decide a confesar su culpa. Irá al padre diciendo: "Padre, he pecado contra el cielo, y contra ti; ya no soy digno de ser llamado tu hijo". Pero agrega, mostrando cuán

mezquino es su concepto del amor de su padre: "Hazme como a uno de tus jornaleros".

El joven se aparta de la piara y los desperdicios, y se dirige hacia su hogar. Temblando de debilidad, y desmayando de hambre, prosigue ansiosamente su camino. No tiene con qué ocultar sus harapos; pero su miseria ha vencido a su orgullo, y se apresura para pedir el lugar de un siervo donde una vez fuera hijo.

Poco se imaginaba el alegre e irreflexivo joven, cuando salía de la casa de su padre, el dolor y la ansiedad que dejaba en el corazón de ese padre. Mientras bailaba y banqueteaba con sus turbulentos compañeros, poco pensaba en la sombra que se había extendido sobre su casa. Y cuando con pasos cansados y penosos toma el camino que lleva a su casa, no sabe que hay uno que espera su regreso. Sin embargo, "como aún estuviese lejos", su padre lo distinguió. El amor percibe rápidamente. Ni aun la degradación de los años de pecado puede ocultar al hijo de los ojos de su padre. El "fue movido a misericordia, y corrió, y echóse sobre su cuello", en un largo, estrecho y tierno abrazo.

El padre no había de permitir que ningún ojo despreciativo se burlara de la miseria y los harapos de su hijo. Saca de sus propios hombros el amplio y rico manto y cubre el cuerpo consumido de su hijo, y el joven solloza arrepentido, diciendo: "Padre, he pecado contra el cielo y contra ti, y ya no soy digno de ser llamado tu hijo". El padre lo retiene junto a sí, y lo lleva a la casa. No se le da oportunidad de pedir el lugar de un siervo. El es un hijo, que será honrado con lo mejor de que dispone la casa, y a quien los siervos y siervas habrán de respetar y servir.

El padre dice a sus siervos: "Sacad el principal vestido, y vestidle; y poned un anillo en su mano, y zapatos en sus pies. Y traed el becerro grueso, y matadlo, y comamos, y hagamos fiesta: porque éste mi hijo muerto era, y ha revivido; habíase perdido, y es hallado. Y comenzaron a regocijarse".

En su juventud inquieta el hijo pródigo juzgaba a su padre austero y severo. ¡Cuán diferente su concepto de él ahora! Del mismo modo, los que siguen a Satanás creen que Dios es duro y exigente. Creen que los observa para denunciarlos y condenarlos, y que no está dispuesto a recibir al pecador mientras tenga alguna excusa legal para no ayudarle. Consideran su ley como una restricción a la felicidad de los hombres, un yugo abrumador del que se libran con alegría. Pero aquel cuyos ojos han sido abiertos por el amor de Cristo, contemplará a Dios como un ser compasivo. No aparece como un ser tirano e implacable sino como un padre que anhela abrazar a su hijo arrepentido. El pecador exclamará con el salmista: "Como el padre se compadece de los hijos, se compadece Jehová de los que le temen". (Salmo 103:13.)

En la parábola no se vitupera al pródigo ni se le echa en cara su mal proceder. El hijo siente que el pasado es perdonado y olvidado, borrado para siempre. Y así Dios dice al pecador: "Yo deshice como a nube tus rebeliones, y como a niebla tus pecados". (Isaías 44:22.) "Perdonaré la maldad de ellos, y no me acordaré más de su pecado". (Jeremías

31:34.) "Deje el impío su camino, y el hombre inicuo sus pensamientos, y vuélvase a Jehová, el cual tendrá de él misericordia, y al Dios nuestro, el cual será amplio en perdonar". (Isaías 55:7.) "En aquellos días y en aquel tiempo, dice Jehová, la maldad de Israel será buscada, y no parecerá; y los pecados de Judá, y no se hallarán". (Jeremías 50:20.)

¡Qué seguridad se nos da aquí de la buena voluntad de Dios para recibir al pecador arrepentido! ¿Has escogido tú, lector, tu propio camino? ¿Has vagado lejos de Dios? ¿Has procurado deleitarte con los frutos de la transgresión, para hallar tan sólo que se vuelven ceniza en tus labios? Y ahora desperdiciada tu hacienda, frustrados los planes de tu vida, y muertas tus esperanzas, ¿te sientes solo y abandonado? Hoy aquella voz que hace tiempo ha estado hablando a tu corazón, pero a la cual no querías escuchar, llega a ti distinta y clara: "Levantaos, y andad, que no es ésta la holganza; porque está contaminada, corrompióse, y de grande corrupción". (Miqueas 2:10.) Vuelve a la casa de tu Padre. El te invita diciendo: "Tórnate a mí, porque yo te redimí". (Isaías 44:22.)

No prestéis oído a la sugestión del enemigo de permanecer lejos de Cristo hasta que os hayáis hecho mejores; hasta que seáis suficientemente buenos para ir a Dios. Si esperáis hasta entonces, nunca iréis. Cuando Satanás os señale vuestros vestidos sucios, repetid la promesa de Jesús: "Al que a mí viene, no le echo fuera". (Juan 6:37.) Decid al enemigo que la sangre de Jesucristo limpia de todo pecado. Haced vuestra la oración de David: "Purifícame con hisopo, y seré limpio: lávame, y seré emblanquecido más que la nieve". (Salmo 51:7.)

Levantaos e id a vuestro Padre. El os saldrá al encuentro muy lejos. Si dais, arrepentidos, un solo paso hacia él, se apresurará a rodearos con sus brazos de amor infinito. Su oído está abierto al clamor del alma contrita. El conoce el primer esfuerzo del corazón para llegar a él. Nunca se ofrece una oración, aun balbuceada, nunca se derrama una lágrima, aun en secreto, nunca se acaricia un deseo sincero, por débil que sea, de llegar a Dios, sin que el Espíritu de Dios vaya a su encuentro. Aun antes de que la oración sea pronunciada, o el anhelo del corazón sea dado a conocer, la gracia de Cristo sale al encuentro de la gracia que está obrando en el alma humana.

Vuestro Padre celestial os quitará los vestidos manchados por el pecado. En la hermosa profecía parabólica de Zacarías, el sumo sacerdote Josué, que estaba delante del ángel del Señor vestido con vestimentas viles, representa al pecador. Y el Señor dice: "Quitadle esas vestimentas viles. Y a él dijo: Mira que he hecho pasar tu pecado de ti, y te he hecho vestir de ropas de gala... Y pusieron una mitra limpia sobre su cabeza, y vistiéronle de ropas". (Zacarías 3:4, 5.) Precisamente así os vestirá Dios con "vestidos de salud", y os cubrirá con el "manto de justicia". "Bien que fuisteis echados entre los tiestos, seréis como las alas de la paloma cubierta de plata, y sus plumas con amarillez de oro". (Isaías 61:10; Salmo 68:13.)

"El os llevará a su casa de banquete, y su bandera que flameará

sobre vosotros será amor". (Cantares 2:4.) "Si anduvieres por mis caminos —declara él—, entre éstos que aquí están te daré plaza" (Zacarías 3:7), aun entre los santos ángeles que rodean su trono.

"Como el gozo del esposo con la esposa, así se gozará contigo el Dios tuyo". "El salvará; gozaráse sobre ti con alegría, callará de amor, se regocijará sobre ti con cantar". (Isaías 62:5; Sofonías 3:17.) Y el cielo y la tierra se unirán en el canto de regocijo del Padre: "Porque éste mi hijo muerto era, y ha revivido; habíase perdido, y es hallado".

Hasta esta altura, en la parábola del Salvador no hay ninguna nota discordante que rompa la armonía de la escena de gozo; pero ahora Cristo introduce otro elemento. Cuando el pródigo vino al hogar, "su hijo el mayor estaba en el campo; el cual como vino, y llegó cerca de casa, oyó la sinfonía y las danzas; y llamando a uno de los criados, preguntóle qué era aquello. Y él le dijo: Tu hermano ha venido; y tu padre ha muerto el becerro grueso, por haberle recibido salvo. Entonces se enojó, y no quería entrar". Este hermano mayor no había compartido la ansiedad y los desvelos de su padre por el que estaba perdido. No participa, por lo tanto, del gozo del padre por el regreso del extraviado. Los cantos de regocijo no encienden ninguna alegría en su corazón. Inquiere de uno de los siervos la razón de la fiesta, y la respuesta excita sus celos. No irá a dar la bienvenida a su hermano perdido. Considera como un insulto a su persona el favor mostrado al pródigo.

Cuando el padre sale a reconvenirlo, se revelan el orgullo y la malignidad de su naturaleza. Presenta su propia vida en la casa de su padre como una rutina de servicio no recompensado, y coloca entonces en mezquino contraste el favor manifestado al hijo recién llegado. Aclara el hecho de que su propio servicio ha sido el de un siervo más bien que el de un hijo. Cuando hubiera debido hallar gozo perdurable en la presencia de su padre, su mente descansaba en el provecho que provendría de su vida prudente. Sus palabras revelan que por esto él se ha privado de los placeres del pecado. Ahora si este hermano ha de compartir los dones de su padre, el hijo mayor se considera agraviado. Envidia el favor mostrado a su hermano. Demuestra claramente que si él hubiese estado en lugar de su padre, no hubiera recibido al pródigo. Ni aun lo reconoce como a un hermano, sino que habla fríamente de él como "tu hijo".

No obstante, el padre arguye tiernamente con él. "Hijo —dice—, tú siempre estás conmigo, y todas mis cosas son tuyas". A través de todos estos años de la vida perdida de tu hermano, ¿no has tenido el privilegio de gozar de mi compañía?

Todas las cosas que podían contribuir a la felicidad de sus hijos estaban a su entera disposición. El hijo no necesitaba preocuparse de dones o recompensas. "Todas mis cosas son tuyas". Necesitas solamente creer en mi amor, y tomar los dones que se te otorgan liberalmente.

Un hijo se había ido por algún tiempo de la casa, no discerniendo el amor del padre. Pero ahora ha vuelto, y una corriente de gozo hace desaparecer todo pensamiento de desasosiego. "Este tu hermano

muerto era, y ha revivido; habíase perdido, y es hallado".

¿Se logró que el hermano mayor viera su propio espíritu vil y desagradecido? ¿Llegó a ver que aunque su hermano había obrado perversamente, era todavía su hermano? ¿Se arrepintió el hermano mayor de sus celos y de la dureza de su corazón? Concerniente a esto, Cristo guardó silencio. Porque la parábola todavía se estaba desarrollando, y a sus oyentes les tocaba determinar cuál sería el resultado.

El hijo mayor representaba a los impenitentes judíos del tiempo de Cristo, y también a los fariseos de todas las épocas que miran con desprecio a los que consideran como publicanos y pecadores. Por cuanto ellos mismos no han ido a los grandes excesos en el vicio, están llenos de justicia propia. Cristo hizo frente a esos hombres cavilosos en su propio terreno. Como el hijo mayor de la parábola, tenían privilegios especiales otorgados por Dios. Decían ser hijos en la casa de Dios, pero tenían el espíritu del mercenario. Trabajaban, no por amor, sino por la esperanza de la recompensa. A su juicio, Dios era un patrón exigente. Veían que Cristo invitaba a los publicanos y pecadores a recibir libremente el don de su gracia —el don que los rabinos esperaban conseguir sólo mediante obra laboriosa y penitencia—, y se ofendían. El regreso del pródigo, que llenaba de gozo el corazón del Padre, solamente los incitaba a los celos.

La amonestación del padre de la parábola al hijo mayor, era una tierna exhortación del cielo a los fariseos. "Todas mis cosas son tuyas", pero no como pago, sino como don. Como el pródigo, las podéis recibir solamente como la dádiva inmerecida del amor del Padre.

La justificación propia no solamente induce a los hombres a tener un falso concepto de Dios, sino que también los hace fríos de corazón y criticones para con sus hermanos. El hijo mayor, en su egoísmo y celo, estaba listo para vigilar a su hermano, para criticar toda acción, y acusarlo por la menor deficiencia. Estaba listo para descubrir cada error, y agrandar todo mal acto. Así trataría de justificar su propio espíritu no perdonador. Muchos están haciendo lo mismo hoy día. Mientras el alma está soportando sus primeras luchas contra un diluvio de tentaciones, ellos se mantienen porfiados, tercos, quejándose, acusando. Pueden pretender ser hijos de Dios, pero están manifestando el espíritu de Satanás. Por su actitud hacia sus hermanos, estos acusadores se colocan donde Dios no puede darles la luz de su presencia.

Muchos se están preguntando constantemente: "¿Con qué prevendré a Jehová, y adoraré al alto Dios? ¿vendré ante él con holocaustos, con becerros de un año? ¿Agradaráse Jehová de millares de carneros, o de diez mil arroyos de aceite?" Pero, "oh hombre, él te ha declarado qué sea lo bueno, y qué pida de ti Jehová: solamente hacer juicio, y amar misericordia, y humillarte para andar con tu Dios". (Miqueas 6:6-8.)

Este es el servicio que Dios ha escogido: "Desatar las ligaduras de impiedad, deshacer los haces de opresión, y dejar ir libres a los quebrantados, y que rompáis todo yugo..., y no te escondas de tu carne". (Isaías 58:6,7.) Cuando comprendáis que sois pecadores salvados solamente por el amor de vuestro Padre celestial, sentiréis tierna compasión por otros que están sufriendo en el pecado. No afrontaréis más la miseria y el arrepentimiento con celos y censuras. Cuando el hielo del egoísmo de vuestros corazones se derrita, estaréis en armonía con Dios, y participaréis de su gozo por la salvación de los perdidos.

Es cierto que pretendes ser hijo de Dios, pero si esta pretensión es verdadera, es "tu hermano" el que "muerto era, y ha revivido; habíase perdido, y es hallado". Está unido a ti por los vínculos más estrechos; porque Dios lo reconoce como hijo. Si niegas tu relación con él, demuestras que no eres sino asalariado en la casa, y no hijo en la familia de Dios.

Aunque no os unáis para dar la bienvenida a los perdidos, el regocijo se producirá, y el que haya sido restaurado tendrá lugar junto al Padre y en la obra del Padre. Aquel a quien se le perdona mucho, ama mucho. Pero vosotros estaréis en las tinieblas de afuera. Porque "el que no ama, no conoce a Dios; porque Dios es amor". (1 Juan 4:8.)

Aliento en las Dificultades

Este capítulo está basado en Lucas 13:1-9.

Cuando Cristo enseñaba, unía la invitación misericordiosa a la amonestación referente al juicio. "El Hijo del hombre —dijo— no ha venido para perder las almas de los hombres, sino para salvarlas". "No envió Dios a su Hijo al mundo para que condene al mundo, mas para que el mundo sea salvo por él". (Lucas 9:56; Juan 3:17.) Su misión de mise-ricordia, en relación con la justicia y el juicio divinos, se ilustra en la pará-bola de la higuera estéril.

Cristo había estado amonestando a la gente acerca del advenimiento del reino de Dios, y había reprendido severamente su ignorancia e indife-rencia. Ellos estaban prontos para leer las señales del cielo que prede-cían el estado del tiempo; pero no discernían las señales de los tiempos, que tan claramente indicaban su misión.

Pero los hombres estaban tan listos entonces como lo están hoy a sacar la conclusión de que ellos son los favoritos del cielo, y que el mensaje de reprobación se dirige a algún otro. Los oyentes le contaron a Jesús acerca de un suceso que acababa de causar gran excitación. Algunas de las medidas de Poncio Pilato, el gobernador de Judea, habían ofendido al pueblo. Se había producido un tumulto popular en Jerusalén, y Pilato había tratado de reprimirlo por la violencia. En cierta ocasión sus soldados habían hasta invadido los recintos del templo, y quitado la vida a algunos peregrinos galileos en el mismo acto de degollar sus sacrificios. Los judíos consideraban la calamidad como un juicio que venía a consecuencia del pecado del que lo sufría, y aquellos que relataron este acto de violencia, lo hicieron con secreta satisfacción. A su parecer, su propia buena fortuna comprobaba que ellos eran mucho mejores, y por lo tanto, más favorecidos por Dios que aquellos galileos. Esperaban oír de Jesús palabras de condenación contra aquellos hombres, que, a no dudarlo, harto merecían su castigo.

Los discípulos de Cristo no se aventuraron a expresar sus ideas hasta que oyeron la opinión de su Maestro. El les había dado lecciones definidas con respecto a juzgar los caracteres de otros hombres, y medir la retribución de acuerdo con su juicio finito. Sin embargo, esperaban que Cristo denunciase a esos hombres como más pecadores que los demás.

Grande fue su sorpresa al oír la respuesta del Señor.

Volviéndose a la multitud, el Salvador dijo: "¿Pensáis que estos galileos, porque han padecido tales cosas, hayan sido más pecadores que todos los galileos? No, os digo; antes si no os arrepintiereis, todos pereceréis igualmente". Estas espantosas calamidades tenían por objeto inducirlos a humillar sus corazones, y a arrepentirse de sus pecados. La tormenta de la venganza se preparaba, y estaba a punto de estallar sobre todos los que no habían encontrado un refugio en Cristo.

Mientras Jesús hablaba con sus discípulos y con la multitud, miró hacia lo futuro con mirada profética, y vio a Jerusalén cercada de ejércitos. Oyó la marcha de los extranjeros que avanzaban contra la ciudad escogida, y vio los millares y más millares que perecían en el sitio. Muchos de los judíos fueron, a semejanza de aquellos galileos, muertos en los atrios del templo en el mismo acto de ofrecer sus sacrificios. Las calamidades que habían caído sobre los individuos eran amonestaciones de Dios dirigidas a una nación igualmente culpable. "Si no os arrepintiereis —dijo Jesús—, todos pereceréis igualmente". Por un corto tiempo, el día de gracia se prolongaba para ellos. Todavía era tiempo de conocer las cosas que atañían a su paz.

"Tenía uno una higuera plantada en su viña —continuó Jesús—, y vino a buscar fruto en ella, y no lo halló. Y dijo al viñero: He aquí tres años ha que vengo a buscar fruto en esta higuera, y no lo hallo: córtala, ¿por qué ocupará aún la tierra?"

Los oyentes de Cristo no podían interpretar mal la aplicación de sus palabras. David había cantado acerca de Israel como la viña sacada de Egipto. Isaías había escrito: "La viña de Jehová de los ejércitos es la casa de Israel, y los hombres de Judá planta suya deleitosa". (Isaías 5:7.) La generación a la cual el Salvador había venido, estaba representada por la higuera plantada en la viña del Señor, que se hallaba dentro del círculo de su cuidado y bendición especiales.

El propósito de Dios hacia su pueblo, y las gloriosas posibilidades que se abrían ante ellos, habían sido presentados en las hermosas palabras siguientes: "Serán llamados árboles de justicia, plantío de Jehová, para gloria suya". (Isaías 61:3.) El moribundo Jacob, bajo el Espíritu de la inspiración, había dicho acerca de su más amado hijo: "Ramo fructífero José, ramo fructífero junto a fuente, cuyos vástagos se extienden sobre el muro". Y dijo: el "Dios de tu padre" "te ayudará", el Todopoderoso "te bendecirá con bendiciones de los cielos de arriba, con bendiciones del abismo que está abajo". (Génesis 49:22, 25.) Así Dios había plantado a Israel como una hermosa viña junto a las fuentes de la vida. Había colocado a su viña "en un recuesto, lugar fértil. Habíala cercado, y despedregádola, y plantádola de vides escogidas". (Isaías 5:1, 2.)

"Esperaba que llevase uvas, y llevó uvas silvestres". (Isaías 5:2.) La gente que vivía en los días de Cristo hacía mayor ostentación de piedad que la que hacían los judíos de los primeros tiempos, pero estaba todavía más destituida de las dulces gracias del Espíritu de Dios. Los preciosos frutos del carácter que hicieron tan fragante y hermosa la vida de José, no se manifestaron en la nación judía.

Dios en su Hijo había estado buscando fruto y no lo había encontrado. Israel era un estorbo en la tierra. Su misma existencia era una maldición; pues ocupaba en la viña el lugar que podía haber servido para un árbol fructífero. Despojaba al mundo de las bendiciones que Dios se proponía darle. Los israelitas habían representado mal a Dios entre las naciones. No eran meramente inútiles sino un obstáculo decidido. En gran medida su religión descarriaba a la gente, y obraba la ruina en vez de la salvación.

En la parábola, el viñador no pone objeción a la afirmación de que si el árbol permanecía infructífero debía ser cortado; pero conoce y comparte los intereses del dueño en cuanto a aquel árbol estéril. Nada podía darle mayor placer que verlo crecer y fructificar. Responde al deseo del dueño diciendo: "Déjala aún este año, hasta que la excave y estercole. Y si hiciere fruto, bien".

El viñador no rehúsa trabajar por una planta tan poco promisoria. Está listo a prodigarle más cuidado aún. Hará más favorable su ambiente y le prodigará la máxima atención.

El dueño y el viñador son uno en su interés por la higuera. Así el Padre y el Hijo eran uno en su amor por el pueblo escogido. Cristo estaba diciendo a sus oyentes que se les concederían mayores oportunidades. Todo medio que el amor de Dios pudiese idear, sería puesto en práctica a fin de que ellos llegasen a ser árboles de justicia que produjeran fruto para la bendición del mundo.

Jesús no habló en la parábola acerca del resultado de la obra del viñador. Su parábola terminó en ese punto. El desenlace dependía de la generación que había oído sus palabras. A los hombres de esa generación se les dio la solemne amonestación: "Si no, la cortarás después". De ellos dependía el que las palabras irrevocables fuesen pronunciadas. El día de la ira estaba cercano. Con las calamidades que ya habían caído sobre Israel, el dueño de la viña los había amonestado misericordiosamente acerca de la destrucción del árbol que no producía fruto.

La amonestación resuena a través del tiempo hasta esta generación. ¿Eres tú, oh corazón descuidado, un árbol sin fruto en la viña del Señor? ¿Se dirán respecto a ti antes de mucho las palabras de juicio? ¿Por cuánto tiempo has recibido sus dones? ¿Por cuánto tiempo ha velado y esperado él una retribución de amor? Plantado en su viña, bajo el cuidado especial del jardinero, ¡qué privilegios son los tuyos! ¡Cuán a menudo ha conmovido tu corazón el tierno mensaje del Evangelio! Has tomado el nombre de Cristo; exteriormente eres un miembro de la iglesia, que es su cuerpo, y sin embargo eres consciente de que no tienes ninguna conexión vital con el gran corazón de amor. La corriente de su vida no fluye a través de ti. Las dulces gracias de su carácter, "los frutos del Espíritu", no se ven en tu vida.

El árbol sin fruto recibe la lluvia, la luz del sol y el cuidado del jardinero. Obtiene alimento de la tierra. Pero sus ramas improductivas solamente oscurecen el terreno, de manera que las plantas fructíferas no pueden crecer bajo su sombra. Así los dones de Dios, que te fueron prodigados, no reportan bendición para el mundo. Estás despojando a otros de los privilegios que, si no fuera por ti, serían suyos.

Comprendes, aunque sea sólo oscuramente, que eres un estorbo en el terreno. Sin embargo, en su gran misericordia, Dios no te ha cortado. No te considera con frialdad. No se vuelve con indiferencia, ni te abandona a la destrucción. Al mirar sobre ti, clama, como clamó hace tantos siglos con respecto a Israel: "¿Cómo tengo de dejarte, oh Efraim? ¿he de entregarte yo, Israel?... No ejecutaré el furor de mi ira, no volveré para destruir a Efraim: porque Dios soy, y no hombre". (Oseas 11:8, 9.) El piadoso Salvador dice con respecto a ti: Déjalo este año, hasta que yo excave alrededor de él, y lo cultive.

Con qué incansable amor Cristo ministró a Israel durante el período adicional de gracia. Sobre la cruz él oró: "Padre, perdónalos, porque no saben lo que hacen". (Lucas 23:34.) Después de su ascensión, el Evangelio fue predicado primero en Jerusalén. Allí fue derramado el Espíritu Santo. Allí la primera iglesia evangélica reveló el poder del Salvador resucitado. Allí Esteban —"su rostro como el rostro de un ángel" (Hechos 6:15)— presentó su testimonio y depuso su vida. Todo lo que los cielos mismos podían conceder lo concedieron. "¿Qué más se había de hacer a mi viña —dijo Cristo— que yo no haya hecho en ella?" (Isaías 5:4.) Así su cuidado y trabajo por ti no son disminuidos sino aumentados. Todavía él dice: "Yo Jehová la guardo, cada momento la regaré; guardaréla de noche y de día, porque nadie la visite". (Isaías 27:3.)

"Si hiciere fruto, bien; y si no, la cortarás después".

El corazón que no responde a los agentes divinos, llega a endurecerse hasta que no es más susceptible a la influencia del Espíritu Santo. Es entonces cuando se pronuncia la palabra: "Córtala, ¿por qué ocupará aún la tierra?"

Hoy él te invita: "Conviértete, oh Israel, a Jehová tu Dios... Yo medicinaré tu rebelión, amarélos de voluntad... Yo seré a Israel como rocío; él florecerá como lirio, y extenderá sus raíces como el Líbano... Volverán, y se sentarán bajo de su sombra: serán vivificados como trigo, y florecerán como la vid... De mí será hallado tu fruto". (Oseas 14:1-8.)

Una Generosa Invitación

Este capítulo está basado en Lucas 14:1, 12-24.

EL SALVADOR era huésped en la fiesta de un fariseo. El aceptaba las invitaciones tanto de los ricos como de los pobres, y, según su costumbre, vinculaba la escena que tenía delante con lecciones de verdad. Entre los judíos las fiestas sagradas se relacionaban con todas sus épocas de regocijo nacional y religioso. Eran para ellos un tipo de las bendiciones de la vida eterna. La gran fiesta en la cual habían de sentarse junto con Abrahán, Isaac y Jacob, mientras los gentiles estuviesen fuera mirando con ojos anhelantes, era un tema en el cual les gustaba espaciarse. La lección de amonestación e instrucción que Cristo quería dar, la ilustró en esta ocasión mediante la parábola de la gran cena. Los judíos pensaban reservarse exclusivamente para sí las bendiciones de Dios, tanto las que se referían a la vida presente como las que se relacionaban con la futura. Negaban la misericordia de Dios a los gentiles. Por la parábola, Cristo les demostró que ellos estaban al mismo tiempo rechazando la invitación misericordiosa, el llamamiento al reino de Dios. Les mostró que la invitación que habían desatendido debía ser enviada a aquellos a quienes habían despreciado, aquellos de los cuales habían apartado sus vestiduras, como si se tratara de leprosos que debían ser rehuidos.

Al escoger los huéspedes para su fiesta, el fariseo había consultado sus propios intereses egoístas. Cristo le dijo: "Cuando haces comida o cena, no llames a tus amigos, ni a tus hermanos, ni a tus parientes, ni a vecinos ricos; porque también ellos no te vuelvan a convidar, y te sea hecha compensación. Mas cuando haces banquete, llama a los pobres, los mancos, los cojos, los ciegos; y serás bienaventurado; porque no te pueden retribuir; mas te será recompensado en la resurrección de los justos".

Cristo estaba aquí repitiendo la instrucción que había dado a Israel por medio de Moisés. Dios los había instruido con respecto a sus fiestas sagradas: "El extranjero, y el huérfano, y la viuda, que hubiera en tus poblaciones... comerán y serán saciados". (Deuteronomio 14:29.) Estas reuniones habían de ser como lecciones objetivas para Israel. Después de habérseles enseñado en esta forma el gozo de la hospitalidad verdadera, durante el año habían de cuidar de los necesitados y los pobres. Y estas fiestas tenían una lección más amplia. Las bendiciones espirituales dadas a Israel no eran solamente para los israelitas. Dios les había concedido el pan de vida para que lo repartieran al mundo.

Ellos no habían cumplido esa obra. Las palabras de Cristo eran un reproche para su egoísmo. Estas palabras eran desagradables para los fariseos. Esperando encauzar la conversación por otro curso, uno de ellos, con aire de santurrón, exclamó: "Bienaventurado el que comerá pan en el reino de los cielos". Este hombre hablaba con gran seguridad, como si él mismo tuviera la certeza de poseer un lugar en el reino. Su actitud era similar a la de aquellos que se regocijan porque son salvos por Cristo, cuando no

cumplen con las condiciones en virtud de las cuales se promete la salvación. El espíritu que lo animaba se asemejaba al de Balaam cuando oró: "Muera mi persona de la muerte de los rectos, y mi postrimería sea como la suya". (Números 23:10.) El fariseo no estaba pensando en su propia preparación para el cielo: tan sólo en lo que esperaba gozar allí. Su observación tenía por propósito desviar la mente de los huéspedes del tema de su deber práctico. Pensó hacerlos pasar de la vida actual al tiempo remoto de la resurrección de los justos.

Cristo leyó el corazón del hipócrita y, manteniendo sobre él sus ojos, descubrió ante el grupo el carácter y el valor de sus privilegios actuales. Les mostró que tenían una parte que hacer en ese mismo tiempo para poder participar de la bienaventuranza futura.

"Un hombre —dijo— hizo una gran cena, y convidó a muchos". Cuando llegó el tiempo de la fiesta, el amo envió a sus siervos a casa de los huéspedes a quienes esperaba, con un segundo mensaje: "Venid, que ya está todo aparejado". Pero mostraron una extraña indiferencia. "Y comenzaron todos a una a excusarse. El primero le dijo: He comprado una hacienda, y necesito salir y verla; te ruego que me des por excusado. Y el otro le dijo: He comprado cinco yuntas de bueyes, y voy a probarlos, ruégote que me des por excusado. Y el otro dijo: Acabo de casarme, y por tanto no puedo ir".

Ninguna de las excusas se fundaba en una necesidad real. El hombre que necesitaba salir y ver la hacienda, ya la había comprado. Su prisa por ir a verla se debía a que su interés estaba concentrado en la compra efectuada. Los bueyes también habían sido comprados. Y probarlos tenía por fin sólo satisfacer el interés del comprador. La tercera excusa no tenía más semejanza de razón. El hecho de que el huésped se hubiera casado no necesitaba impedir su presencia en la fiesta. Su esposa también habría sido bienvenida. Pero tenía sus propios proyectos de placer, y éstos le parecían más deseables que la fiesta a la cual había prometido asistir. Había aprendido a hallar placer en la compañía de otras personas fuera del anfitrión. No pidió que se le diera por excusado, y ni siquiera hizo una tentativa de ser cortés en su rechazamiento. El "No puedo ir" era solamente un velo que cubría el "No quiero ir".

Todas las excusas revelaban una mente preocupada. Estos huéspedes en perspectiva habían llegado a estar completamente absortos en otros intereses. La invitación que se habían comprometido a aceptar fue puesta a un lado, y el amigo generoso quedó insultado por la indiferencia de ellos.

Por medio de la gran cena, Cristo presenta los privilegios ofrecidos mediante el Evangelio. La provisión consiste nada menos que en Cristo mismo. El es el pan que desciende del cielo; y de él surgen raudales de salvación. Los mensajeros del Señor habían proclamado a los judíos el advenimiento del Salvador. Habían señalado a Cristo como "el Cordero de Dios que quita el pecado del mundo". (Juan 1:29.) En la fiesta que había aparejado, Dios les ofreció el mayor don que los cielos podían conceder, un don que sobrepujaba todo

cómputo. El amor de Dios había provisto el costoso banquete, y había ofrecido recursos inagotables. "Si alguno comiere de este pan —dijo Cristo—, vivirá para siempre". (Juan 6:51.)

Pero para aceptar la invitación a la fiesta del Evangelio, debían subordinar sus intereses mundanos al único propósito de recibir a Cristo y su justicia. Dios lo dio todo por el hombre, y le pide que coloque el servicio del Señor por encima de toda consideración terrenal y egoísta. No puede aceptar un corazón dividido. El corazón que se halla absorto en los afectos terrenales no puede rendirse a Dios.

La lección es para todos los tiempos. Hemos de seguir al Cordero de Dios dondequiera que vaya. Ha de escogerse su dirección y avaluarse su compañía por sobre toda compañía de amigos mundanos. Cristo dice: "El que ama padre o madre más que a mí, no es digno de mí; y el que ama a hijo o hija más que a mí, no es digno de mí". (Mateo 10:37.)

Alrededor de la mesa familiar, mientras partían el pan de todos los días, muchos repetían en los días de Cristo: "Bienaventurado el que comerá pan en el reino de los cielos". Pero Cristo mostró cuán difícil es encontrar huéspedes para la mesa preparada a un costo infinito. Aquellos que lo escuchaban sabían que habían despreciado la invitación de la misericordia. Para ellos las posesiones mundanas, las riquezas, los placeres, eran cosas que absorbían todo su interés. A una se habían excusado todos.

Así ocurre en nuestros días. Las excusas presentadas para rechazar la invitación a la fiesta abarcan todas las que hoy se dan para rechazar la invitación del Evangelio. Los hombres declaran que no pueden poner en peligro sus perspectivas mundanas atendiendo las exigencias del Evangelio. Consideran sus intereses temporales de más valor que las cosas de la eternidad. Las mismas bendiciones que han recibido de Dios llegan a ser una barrera que separa sus almas de su Creador y Redentor. No quieren ser interrumpidos en sus afanes mundanos, y dicen al mensajero de misericordia: "Ahora vete; mas en teniendo oportunidad te llamaré". (Hechos 24:25.) Otros presentan las dificultades que podrían levantarse en sus relaciones sociales si obedecieran el llamamiento de Dios. Dicen que no pueden estar en desacuerdo con sus parientes y conocidos. De esta forma llegan a ser los mismos actores descritos en la parábola. El Señor de la fiesta considera que sus débiles excusas demuestran desprecio por su invitación.

El hombre que dijo: "Acabo de casarme, y por lo tanto no puedo ir", representa una clase numerosa de personas. Hay muchos que permiten que sus esposas o esposos les impidan escuchar el llamamiento de Dios. El esposo dice: "No puedo obedecer mis convicciones en cuanto a mi deber mientras mi esposa se oponga a ello. Su influencia haría excesivamente difícil para mí la obediencia". La esposa escucha el llamamiento de gracia: "Venid, que ya está todo aparejado", y dice: " 'Te ruego que me des por excusado'. Mi esposo rechaza la invitación misericordiosa. El dice que sus negocios le impiden aceptarla. Debo acompañar a mi esposo, y por lo tanto no puedo asistir". El

corazón de los hijos queda impresionado. Desean ir a la fiesta. Pero aman a su padre y a su madre, y porque éstos no escuchan el llamamiento evangélico, los hijos piensan que no puede esperarse que ellos vayan. Ellos también dicen: "Ruégote que me des por excusado".

Todos éstos rechazan el llamado del Salvador porque temen la división en el círculo de la familia. Suponen que al rehusar obedecer a Dios aseguran la paz y la prosperidad del hogar; pero esto es un engaño. Aquellos que siembran egoísmo segarán egoísmo. Al rechazar el amor de Cristo rechazan lo único que puede impartir pureza y firmeza al amor humano. No solamente perderán el cielo, sino que dejarán de disfrutar verdaderamente de aquello por lo cual sacrificaron el cielo.

En la parábola, el que daba la fiesta notó cómo había sido tratada su invitación, y "enojado... dijo a su siervo: Ve presto por las plazas y por las calles de la ciudad, y mete acá los pobres, los mancos, y cojos, y ciegos".

El anfitrión se apartó de aquellos que habían despreciado su generosidad, e invitó a una clase que no era perfecta, que no poseía casas o terrenos. Invitó a los que eran pobres y hambrientos, y que apreciarían las bondades provistas. "Los publicanos y las rameras —dijo Cristo— os van delante al reino de Dios". (Mateo 21:31.) Por viles que sean los individuos que los hombres desprecian y apartan de sí, no son demasiado degradados, demasiado miserables para ser objeto de la atención y el amor de Dios. Cristo anhela que los seres humanos trabajados, cansados y oprimidos vengan a él. Ansía darles la luz, el gozo y la paz que no pueden encontrarse en ninguna otra parte. Los mayores pecadores son el objeto de su amor y piedad profundos y fervorosos. El envía su Espíritu Santo para obrar en ellos instándolos con ternura y tratando de guiarlos al Salvador.

El siervo que hizo entrar a los pobres y los ciegos informó a su señor: "Hecho es como mandaste, y aun hay lugar. Y dijo el Señor al siervo: Ve por los caminos y por los vallados, y fuérzalos a entrar, para que se llene mi casa". Aquí Cristo señala la obra del Evangelio fuera del círculo del judaísmo, en los caminos y vallados del mundo.

En obediencia a este mandamiento, Pablo y Bernabé declararon a los judíos: "A vosotros a la verdad era menester que se os hablase la palabra de Dios; mas pues que la desecháis, y os juzgáis indignos de la vida eterna, he aquí, nos volvemos a los gentiles. Porque así nos ha mandado el Señor, diciendo: Te he puesto para luz de los gentiles, para que seas salud hasta lo postrero de la tierra. Y los gentiles oyendo esto, fueron gozosos, y glorificaban la palabra del Señor: y creyeron todos los que estaban ordenados para la vida eterna". (Hechos 13:46-48.)

El mensaje evangélico proclamado por los discípulos de Cristo fue el anuncio de su primer advenimiento al mundo. Llevó a los hombres las buenas nuevas de la salvación por medio de la fe en él. Señalaba hacia su segundo advenimiento en gloria para redimir a su pueblo, y colocaba ante los hombres la esperanza, por medio de la fe y la obediencia, de compartir

la herencia de los santos en luz. Este mensaje se da a los hombres hoy en día, y en esta época va unido con el anuncio de que la segunda venida de Cristo es inminente. Las señales que él mismo dio de su aparición se han cumplido, y por la enseñanza de la Palabra de Dios, podemos saber que el Señor está a las puertas.

Juan en el Apocalipsis predice la proclamación del mensaje evangélico precisamente antes de la segunda venida de Cristo. El contempla a un "ángel volar por en medio del cielo, que tenía el Evangelio eterno para predicarlo a todos los que moran en la tierra, y a toda nación y tribu y lengua y pueblo, diciendo en alta voz: Temed a Dios, y dadle honra; porque la hora de su juicio es venida". (Apocalipsis 14:6, 7.)

En la profecía, esta amonestación referente al juicio, con los mensajes que con ella se relacionan, es seguida por la venida del Hijo del hombre en las nubes de los cielos. La proclamación del juicio es el anuncio de que la segunda aparición del Salvador está por acaecer. Y a esta proclamación se denomina el Evangelio eterno. Así se ve que la predicación de la segunda venida de Cristo, el anuncio de su cercanía, es una parte esencial del mensaje evangélico.

La Biblia declara que en los últimos días los hombres se hallarían absortos en las ocupaciones mundanas, en los placeres y en la adquisición de dinero. Serían ciegos a las realidades eternas. Cristo dice: "Como los días de Noé, así será la venida del Hijo del hombre. Porque como en los días antes del diluvio estaban comiendo y bebiendo, casándose y dando en casamiento, hasta el día en que Noé entró en el arca, y no conocieron hasta que vino el diluvio y llevó a todos, así será también la venida del Hijo del hombre". (Mateo 24:37-39.) Tal ocurre en nuestros días. Los hombres se afanan en obtener ganancias y en la complacencia egoísta, como si no hubiera Dios, ni cielo, ni más allá. En los días de Noé la amonestación referente al diluvio fue enviada para despertar a los hombres en medio de su impiedad y llamarlos al arrepentimiento. Así el mensaje de la segunda venida de Cristo tiene por objeto arrancar a los hombres de su interés absorbente en las cosas mundanas. Está destinado a despertarlos al sentido de las realidades eternas, a fin de que den oídos a la invitación que se les hace para ir a la mesa del Señor.

La invitación del Evangelio ha de ser dada a todo el mundo, "a toda nación y tribu y lengua y pueblo". (Apocalipsis 14:6.) El último mensaje de amonestación y misericordia ha de iluminar el mundo entero con su gloria. Ha de llegar a toda clase de personas, ricas y pobres, encumbradas y humildes. "Ve por los caminos y por los vallados —dice Cristo—, y fuérzalos a entrar, para que se llene mi casa".

El mundo está pereciendo por falta del Evangelio. Hay hambre de la Palabra de Dios. Hay pocos que predican esa Palabra sin mezclarla con la tradición humana. Aunque los hombres tienen la Biblia en sus manos, no reciben las bendiciones que Dios ha colocado en ella para los que la estudian. El Señor invita a sus siervos a llevar su mensaje a la gente. La Palabra de vida eterna debe ser dada a

aquellos que están pereciendo en sus pecados.

En el mandato de ir por los caminos y por los vallados, Cristo especifica la obra de todos aquellos a quienes él llama para que ministren en su nombre. El mundo entero constituye el campo de los ministros de Cristo. Su congregación comprende toda la familia humana. El Señor desea que su palabra de gracia penetre en toda alma.

En gran medida esto debe realizarse mediante un trabajo personal. Este fue el método de Cristo. Su obra se realizaba mayormente por medio de entrevistas personales. Dispensaba una fiel consideración al auditorio de una sola alma. Por medio de esa sola alma a menudo el mensaje se extendía a millares.

No hemos de esperar que las almas vengan a nosotros; debemos buscarlas donde estén. Cuando la palabra ha sido predicada en el púlpito, la obra sólo ha comenzado. Hay multitudes que nunca recibirán el Evangelio a menos que éste les sea llevado.

La invitación a la fiesta fue primeramente dada a la nación judía, el pueblo que había sido llamado para que sus miembros actuaran como maestros y directores entre los hombres, el pueblo en cuyas manos se hallaban los rollos proféticos que anunciaban el advenimiento de Cristo, y al cual había sido encomendado el servicio simbólico que representaba su misión. Si los sacerdotes y el pueblo hubieran escuchado el llamamiento, se habrían unido con los mensajeros de Cristo para dar la invitación evangélica al mundo. Se les envió la verdad a fin de que la impartieran. Cuando rechazaron el llamamiento, éste fue enviado a los pobres, los mancos, los cojos y los ciegos. Los publicanos y los pecadores recibieron la invitación. En la proclamación del Evangelio a los gentiles, existe el mismo plan de trabajo. El mensaje se da primero en "los caminos" [caminos reales], a los hombres que tienen una parte activa en la obra del mundo, a los maestros y dirigentes del pueblo. Recuerden esto los mensajeros del Señor. Los pastores del rebaño, los maestros colocados por Dios, deben tener muy en cuenta esta amonestación. Aquellos que pertenecen a las altas esferas de la sociedad han de ser buscados con tierno afecto y consideración fraternal. Los hombres de negocios, los que se hallan en elevados puestos de confianza, los que poseen grandes facultades inventivas y discernimiento científico, los hombres de genio, los maestros del Evangelio cuya atención no ha sido llamada a las verdades especiales para este tiempo: éstos deben ser los primeros en escuchar el llamamiento. A ellos se les debe dar la invitación.

Hay una obra que hacer en favor de los ricos. Ellos necesitan ser despertados a su responsabilidad como personas a quienes se han encomendado los dones del cielo. Necesitan que se les recuerde que han de dar cuenta ante Aquel que juzgará a los vivos y los muertos. El hombre rico necesita que se trabaje por él con el amor y el temor de Dios. Demasiado a menudo confía en sus riquezas y no siente su peligro. Los ojos de su mente necesitan ser atraídos a las cosas de valor perdurable. Debe reconocer la Autoridad llena de verdadera bondad, que dice: "Venid a mí todos

los que estáis trabajados y cargados, que yo os haré descansar. Llevad mi yugo sobre vosotros, y aprended de mí, que soy manso y humilde de corazón, y hallaréis descanso para vuestras almas. Porque mi yugo es fácil, y ligera mi carga". (Mateo 11:28-30.)

Rara vez se dirige alguien personalmente a los que son encumbrados en el mundo en virtud de su educación, su riqueza o vocación, para hablarles respecto a los intereses del alma. Muchos obreros cristianos vacilan en aproximarse a estas clases. Pero esto no debe ocurrir. Si un hombre se estuviera ahogando, no permaneceríamos sentados mirándolo perecer porque fuera un abogado, un comerciante o un juez. Si viésemos a algunas personas a punto de lanzarse a un precipicio, no vacilaríamos en instarlas a volver atrás, cualquiera fuera su posición u ocupación. Tampoco debemos vacilar en amonestar a los hombres con respecto al peligro del alma.

Nadie debe ser descuidado a causa de su aparente devoción a las cosas mundanas. Muchos de los que ocupan altos puestos sociales tienen el corazón apenado y enfermo de vanidad. Anhelan una paz que no tienen. En las esferas más elevadas de la sociedad hay quienes tienen hambre y sed de salvación. Muchos recibirían ayuda si los obreros del Señor se acercaran a ellos personalmente, con maneras amables y corazón enternecido por el amor de Cristo.

El éxito en la proclamación del mensaje evangélico no depende de sabios discursos, testimonios elocuentes o profundos argumentos. Depende de la sencillez del mensaje y de su adaptación a las almas que tienen hambre del pan de vida. "¿Qué haré para ser salvo?" Este es el anhelo del alma.

Millares de personas pueden ser alcanzadas en la forma más sencilla y humilde. Los más intelectuales, aquellos que son considerados como los hombres y las mujeres mejor dotados del mundo, son frecuentemente refrigerados por las palabras sencillas de alguien que ama a Dios, y que puede hablar de ese amor tan naturalmente como los mundanos hablan de las cosas que más profundamente les interesan. A menudo las palabras bien preparadas y estudiadas no tienen sino poca influencia. Pero las palabras llenas de verdad y sinceridad con que se expresa un hijo o una hija de Dios, habladas con sencillez natural, tienen poder para hacer abrir los corazones que por largo tiempo han estado cerrados para Cristo y su amor.

Recuerde el obrero de Cristo que no ha de trabajar con su propia fuerza. Eche mano del trono de Dios con fe en su poder para salvar. Luche con Dios en oración y trabaje entonces con todas las facilidades que Dios le ha dado. Se le provee el Espíritu Santo como su eficiencia. Los ángeles ministradores estarán a su lado para impresionar los corazones.

Si los dirigentes y maestros de Jerusalén hubieran recibido la verdad que Cristo les trajo, ¡qué centro misionero hubiera sido su ciudad! El apóstata Israel se hubiera convertido. Se habría reunido un gran ejército para el Señor. Y cuán rápidamente hubieran llevado ellos el Evangelio a todas partes del mundo. Así también ahora, si los hombres de influencia y gran capacidad para ser útiles fuesen gana-

dos para Cristo, qué obra podría hacerse entonces por su medio para elevar a los caídos, recoger a los perdidos y extender remota y ampliamente las nuevas de la salvación. Podría darse rápidamente la invitación, y reunirse los huéspedes a la mesa del Señor.

Pero no hemos de pensar solamente en los grandes y talentosos, para descuidar a las clases pobres. Cristo ordenó a sus mensajeros que fueran también a los que estaban en los caminos y vallados, a los pobres y humildes de la tierra. En las plazoletas y callejuelas de las grandes ciudades, en los solitarios caminos de la campiña, hay familias e individuos —quizá extranjeros en tierra extraña—, que no pertenecen a ninguna iglesia, y que, en su soledad, llegan a sentir que Dios se ha olvidado de ellos. No saben lo que deben hacer para salvarse. Muchos están sumidos en el pecado. Muchos están angustiados. Están oprimidos por el sufrimiento, la necesidad, la incredulidad y el desaliento. Se hallan afligidos por enfermedades de toda clase, tanto del cuerpo como del alma. Anhelan hallar solaz para sus penas, y Satanás los tienta a buscarlo en las concupiscencias y placeres que conducen a la ruina y la muerte. Les ofrece las manzanas de Sodoma, que se tornarán ceniza en sus labios. Están gastando su dinero en lo que no es pan, y su trabajo en lo que no satisface.

En estos dolientes hemos de ver a aquellos a quienes Cristo vino a salvar. Su invitación a ellos es: "A todos los sedientos: Venid a las aguas; y los que no tienen dinero, venid, comprad, y comed. Venid, comprad, sin dinero y sin precio, vino y leche...

Oídme atentamente y comed del bien, y deleitaráse vuestra alma con grosura. Inclinad vuestros oídos, y venid a mí; oíd, y vivirá vuestra alma". (Isaías 55:1-3.)

Dios nos ha dado la orden especial de considerar al extranjero, al perdido, y a las pobres almas débiles en poder moral. Muchos que parecen enteramente indiferentes a las cosas religiosas anhelan de corazón descanso y paz. Aunque hayan caído en las mismas profundidades del pecado, hay posibilidades de salvarlos.

Los siervos de Cristo han de seguir su ejemplo. Cuando él iba de lugar en lugar, confortaba a los dolientes y sanaba a los enfermos. Luego les exponía las grandes verdades referentes a su reino. Esta es la obra de sus seguidores. Mientras aliviéis los sufrimientos del cuerpo, hallaréis maneras de ministrar a las necesidades del alma. Podéis señalar al Salvador levantado en alto, y hablarles del amor del gran Médico, que es el único que tiene poder para restaurar.

Decid a los pobres desalentados que se han descarriado, que no necesitan desesperar. Aunque han errado, y no han edificado un carácter recto, Dios puede devolverles el gozo, aun el gozo de su salvación. Se deleita en tomar material aparentemente sin esperanza, aquellos por quienes Satanás ha obrado, y hacerlos objeto de su gracia. Se goza en librarlos de la ira que está por caer sobre los desobedientes. Decidles que hay sanidad, limpieza para cada alma. Hay lugar para ellos en la mesa del Señor. El está esperando extenderles la bienvenida.

i(233-235)

Los que vayan por los caminos y vallados encontrarán a otros de carácter muy distinto, que necesitan su ayuda. Hay quienes están viviendo a la altura de todo el conocimiento que tienen, y sirviendo a Dios lo mejor que saben. Pero comprenden que debe hacerse una gran obra en favor de ellos mismos y de los que los rodean. Anhelan mayor conocimiento de Dios, pero han comenzado a ver sólo la vislumbre de mayor luz. Están orando con lágrimas que Dios les envíe la bendición que por la fe disciernen a gran distancia. En medio de la maldad de las grandes ciudades puede hallarse a muchas de estas almas. Muchas de ellas están en circunstancias muy humildes, y por esto el mundo no las conoce. Hay muchos de quienes los ministros e iglesias nada saben. Pero en lugares humildes y miserables ellos son testigos del Señor. Pueden haber tenido poca luz, y pocas oportunidades para el desarrollo cristiano; pero en medio de la desnudez, el hambre y el frío están tratando de ayudar a otros. Busquen los mayordomos de la múltiple gracia de Dios a estas almas, visítenlas en sus hogares, y por el poder del Espíritu Santo atiendan sus necesidades. Estudien la Biblia con ellas y oren con ellas, con la sencillez que el Espíritu Santo les inspire. Cristo dará a sus siervos un mensaje que será como pan del cielo para el alma. Las preciosas bendiciones serán llevadas de corazón a corazón, de familia a familia.

La orden dada en la parábola: "Fuérzalos a entrar", ha sido a menudo mal interpretada. Se ha considerado que enseña que debemos forzar a los hombres a aceptar el

Evangelio. Pero denota más bien la urgencia de la invitación, la eficacia de los alicientes presentados. El Evangelio nunca emplea la fuerza para llevar los hombres a Cristo. Su mensaje es: "A todos los sedientos: Venid a las aguas". "Y el Espíritu y la Esposa dicen: Ven... Y el que quiere, tome del agua de la vida de balde". (Isaías 55:1; Apocalipsis 22:17.) El poder del amor y la gracia de Dios nos constriñen a venir.

El Salvador dice: "He aquí, yo estoy a la puerta y llamo: si alguno oyere mi voz y abriere la puerta, entraré a él, y cenaré con él y él conmigo". (Apocalipsis 3:20.) El no es ahuyentado por el desprecio o desviado por la amenaza, antes busca continuamente a los perdidos diciendo: "¿Cómo tengo de dejarte?" (Oseas 11:8.) Aunque su amor sea rechazado por el corazón obstinado, vuelve a suplicar con mayor fuerza: "He aquí, yo estoy a la puerta y llamo". El poder conquistador de su amor compele a las almas a acceder. Y ellas dicen a Cristo: "Tu benignidad me ha acrecentado". (Salmo 18:35.)

Cristo impartirá a sus mensajeros el mismo anhelante amor que tiene él para buscar a los perdidos. No hemos de decir meramente: "Ven". Hay quienes oyen el llamado, pero tienen oídos demasiado embotados para comprender su significado. Sus ojos están demasiado cegados para ver cualquier cosa buena provista para ellos. Muchos comprenden su gran degradación. Dicen: no soy digno de ser ayudado, dejadme solo. Pero los obreros no deben desistir. Sostened con ternura y piadoso amor a los desalentados e impotentes. Infundidles vuestro valor, vuestra esperanza,

vuestra fuerza. Compeledlos por la bondad a venir. "A los unos en piedad, discerniendo: mas haced salvos a los otros por temor, arrebatándolos del fuego". (Judas 22, 23.)

Si los siervos de Dios quieren caminar con él por la fe, él impartirá poder al mensaje que den. Serán así capacitados para presentar su amor y el peligro de rechazar la gracia de Dios, para que los hombres sean constreñidos a aceptar el Evangelio. Cristo realizará maravillosos milagros si tan sólo los hombres hicieran la parte que Dios les ha encomendado. En los corazones humanos puede obrarse hoy una transformación tan grande como la que se operó en las generaciones pasadas. Juan Bunyan fue redimido de la profanidad y las borracheras; Juan Newton de la trata de esclavos, para que proclamaran a un Salvador elevado en alto. Un Bunyan y un Newton pueden redimirse de entre los hombres hoy día. Mediante los agentes humanos que cooperen con los divinos serán reivindicados muchos pobres perdidos, quienes a su vez tratarán de restaurar la imagen de Dios en el hombre. Hay quienes han tenido muy escasas oportunidades, y han transitado por los caminos del error porque no conocían ningún camino mejor, a los cuales les llegarán los rayos de la luz. Como vinieron a Zaqueo las palabras de Cristo: "Hoy es necesario que pose en tu casa" (Lucas 19:5), así vendrá a ellos la palabra; y se descubrirá que aquellos a quienes se suponía pecadores endurecidos tienen un corazón tan tierno como el de un niño porque Cristo se ha dignado tenerlos en cuenta. Muchos se volverán de los más groseros errores y pecados, y tomarán el lugar de otros que han tenido oportunidades y privilegios pero que no los han apreciado. Serán considerados los elegidos de Dios, escogidos y preciosos; y cuando Cristo venga en su reino, estarán junto a su trono. Pero "mirad que no desechéis al que habla". (Hebreos 12:25.) Jesús dijo: "Ninguno de aquellos hombres que fueron llamados, gustará mi cena". Habían rechazado la invitación, y ninguno de ellos fue invitado de nuevo. Al rechazar a Cristo, los judíos estaban endureciendo sus corazones, y entregándose al poder de Satanás, hasta que les era imposible aceptar su gracia. Así es ahora. Si no se aprecia el amor de Dios, ni llega a ser un principio perdurable que ablande y subyugue el alma, estaremos completamente perdidos. El Señor no puede manifestar más amor que el que ha manifestado. Si el amor de Jesús no subyuga el corazón, no hay medios por los cuales podamos ser alcanzados.

Cada vez que rehusáis escuchar el mensaje de misericordia, os fortalecéis en la incredulidad. Cada vez que dejáis de abrir la puerta de vuestro corazón a Cristo, llegáis a estar menos y menos dispuestos a escuchar su voz que os habla. Disminuís vuestra oportunidad de responder al último llamamiento de la misericor-

dia. No se escriba de vosotros como del antiguo Israel: "Efraim es dado a los ídolos; déjalo". (Oseas 4:17.) No llore Cristo por vosotros como lloró por Jerusalén, diciendo: "¡Cuántas veces quise juntar tus hijos, como la gallina sus pollos debajo de sus alas, y no quisiste! He aquí, os es dejada vuestra casa desierta". (Lucas 13:34, 35.)

Estamos viviendo en un tiempo cuando el último mensaje de misericordia, la última invitación, está sonando para los hijos de los hombres. La orden: "Ve por los caminos y por los vallados", está alcanzando su cumplimiento final. La invitación de Cristo será dada a cada alma. Los mensajeros están diciendo: "Venid, que ya está todo aparejado". Los ángeles del cielo están cooperando aún con los agentes humanos. El Espíritu Santo está presentando todo incentivo posible para constreñiros a venir. Cristo está velando para ver alguna señal que indique que serán quitados los cerrojos y que la puerta de vuestro corazón será abierta para que entre. Los ángeles están aguardando para llevar al cielo las nuevas de que otro perdido pecador ha sido hallado. Las huestes del cielo están aguardando, listas para tocar sus arpas, y entonar un canto de regocijo porque otra alma ha aceptado la invitación al banquete evangélico.

Cómo se Alcanza el Perdón

Este capítulo está basado en Mateo 18:21-35.

PEDRO había venido a Cristo con la pregunta: "¿Cuántas veces perdonaré a mi hermano que pecare contra mí? ¿hasta siete?" Los rabinos limitaban a tres las ofensas perdonables. Pedro, creyendo cumplir la enseñanza de Cristo, pensó extenderlas a siete, el número que significa la perfección. Pero Cristo enseñó que nunca debemos cansarnos de perdonar. No "hasta siete —dijo él—, mas aun hasta setenta veces siete".

Luego mostró el verdadero fundamento sobre el cual debe concederse el perdón, y el peligro de albergar un espíritu no perdonador. En una parábola narró el trato de un rey con los funcionarios que administraban los asuntos de su gobierno. Algunos de ellos recibían grandes sumas de dinero que pertenecían al Estado. Cuando el rey investigó la forma en que habían administrado ese depósito, fue traído delante de él un hombre cuya cuenta mostraba que debía a su señor la inmensa suma de diez mil talentos. No tenía nada con qué pagar, y, de acuerdo con la costumbre, el rey ordenó que fuera vendido con todo lo que tenía para que se pudiera hacer el pago. Pero el hombre, aterrorizado, cayó a sus pies y le suplicó diciendo: "Señor, ten paciencia conmigo, y yo te lo pagaré todo".

"El señor, movido a misericordia de aquel siervo, lo soltó y le perdonó la deuda.

"Y saliendo aquel siervo, halló a uno de sus consiervos, que le debía cien denarios; y trabando de él, le ahogaba, diciendo: Págame lo que debes. Entonces su consiervo postrándose a sus pies, le rogaba, diciendo: Ten paciencia conmigo, y yo te lo pagaré todo. Mas él no quiso, sino fue, y le echó en la cárcel hasta que pagase la deuda. Y viendo sus consiervos lo que pasaba, se entristecieron mucho, y viniendo, declararon a su señor todo lo que había pasado. Entonces llamándole su señor, le dice: Siervo malvado, toda aquella deuda te perdoné, porque me rogaste: ¿No te convenía también a ti tener misericordia de tu consiervo, como también yo tuve misericordia de ti? Entonces su señor enojado, le entregó a los verdugos, hasta que pagase todo lo que debía".

Esta parábola presenta detalles que son necesarios para completar el cuadro, pero que no se aplican en su significado espiritual. No se debe desviar la atención hacia ellos. Se ilustran ciertas grandes verdades, y a ellas debemos dedicar nuestro pensamiento.

El perdón concedido por este rey representa un perdón divino de todo pecado. Cristo es representado por el rey que, movido a compasión, perdonó al siervo deudor. El hombre estaba bajo la condenación de la ley quebrantada. No podía salvarse a sí mismo, y por esta razón Cristo vino a este mundo, revistió su divinidad con la humanidad, y dio su vida, el justo por el injusto. Se dio a sí mismo por nuestros pecados, y ofrece gratuitamente a toda alma el perdón comprado con su sangre. "En Jehová hay misericordia. Y abundante redención con él". (Salmo 130:7.)

Esta es la base sobre la cual debemos tener compasión para con nuestros prójimos pecadores. "Si Dios así nos ha amado, debemos también nosotros amarnos unos a otros". "De gracia recibisteis —dice Cristo—, dad de gracia". (1 Juan 4:11; Mateo 10:8.)

En la parábola se revocó la sentencia cuando el deudor pidió una prórroga, con la promesa: "Ten paciencia conmigo, y yo te lo pagaré todo". Toda la deuda fue cancelada y pronto se le dio una oportunidad de seguir el ejemplo del Señor que le había perdonado. Al salir, se encontró con un consiervo que le debía una pequeña suma. Se le habían perdonado diez mil talentos, y el deudor le debía cien denarios. Pero el que había sido tratado tan misericordiosa-

mente, trató a su consiervo en una forma completamente distinta. Su deudor le hizo una súplica similar a la que él mismo había hecho al rey, pero sin un resultado semejante. El que tan recientemente había sido perdonado no fue compasivo ni misericordioso. Al tratar a su consiervo no ejerció la misericordia que le había sido mostrada. No hizo caso del pedido de que fuese paciente. El siervo ingrato no recordó sino la pequeña suma que se le debía. Demandó todo lo que pensaba que se le debía, y aplicó una sentencia similar a aquella que había sido revocada tan generosamente en su caso.

¡Cuántos hoy día manifiestan el mismo espíritu! Cuando el deudor suplicó misericordia a su señor, no comprendía verdaderamente la enormidad de su deuda. No se daba cuenta de su impotencia. Esperaba librarse. "Ten paciencia conmigo —dijo—, y yo te lo pagaré todo". Así también hay muchos que esperan merecer por sus propias obras el favor de Dios. No comprenden su impotencia. No aceptan la gracia de Dios como un don gratuito, sino que tratan de levantarse a sí mismos con su justicia propia. Su propio corazón no está quebrantado y humillado a causa del pecado, y son exigentes y no perdonan a otros. Sus propios pecados contra Dios, comparados con los pecados de sus hermanos contra ellos, son como diez mil talentos comparados con cien denarios, casi a razón de un millón por uno; sin embargo, se atreven a no perdonar.

En la parábola, el Señor hizo comparecer ante sí al despiadado deudor y le dijo: "Siervo malvado, todo aquella deuda te perdoné porque me rogaste: ¿No te convenía también a ti tener misericordia de tu consiervo, como también yo tuve misericordia de ti? Entonces su señor, enojado, le entregó a los verdugos, hasta que pagase todo lo que debía". "Así también —dijo Jesús— hará con vosotros mi Padre celestial, si no perdonareis de vuestros corazones cada uno a su hermano sus ofensas". El que rehúsa perdonar está desechando por este hecho su propia esperanza de perdón.

Pero no se deben aplicar mal las enseñanzas de esta parábola. El perdón de Dios hacia nosotros no disminuye en lo más mínimo nuestro deber de obedecerle. Así también el espíritu de perdón hacia nuestros prójimos no disminuye la demanda de las obligaciones justas. En la oración que Jesús enseñó a sus discípulos, dijo: "Perdónanos nuestras deudas, como también nosotros perdonamos a nuestros deudores". (Mateo 6:12.) Con esto no quiso decir que para que se nos perdonen nuestros pecados no debemos requerir las deudas justas de nuestros deudores. Si no pueden pagar, aunque sea por su administración imprudente, no han de ser echados en prisión, oprimidos, o tratados ásperamente; pero la parábola no nos enseña que fomentemos la indolencia. La Palabra de Dios declara que si un hombre no trabaja, que tampoco coma. (2 Tesalonicenses 3:10.) El Señor no exige que el trabajador sostenga a otros en la ociosidad. Hay muchos que llegan a la pobreza y a la necesidad porque malgastan el tiempo o no se esfuerzan. Si esas faltas no son corregidas por los que las abrigan, todo lo que se haga en su favor será como poner un tesoro en una bolsa agujereada. Sin embargo, hay cierta clase de pobreza que es inevitable, y hemos de manifestar ternura y compasión hacia los infortunados. Deberíamos tratar a otros así como a nosotros nos gustaría ser tratados en circunstancias semejantes.

El Espíritu Santo, mediante el apóstol Pablo, nos da la orden: "Si hay alguna consolación en Cristo; si algún refrigerio de amor; si alguna comunión del Espíritu; si algunas entrañas y misericordias, cumplid mi gozo; que sintáis lo mismo, teniendo el mismo amor, unánimes, sintiendo una misma cosa. Nada hagáis por contienda o por vanagloria; antes bien en humildad, estimándoos inferiores los unos a los otros. Haya, pues, en vosotros este sentir que hubo también en Cristo Jesús". (Filipenses 2:1-5.)

Pero el pecado no ha de ser considerado livianamente. El Señor nos ha ordenado que no toleremos las faltas de nuestro hermano. El dice: "Si pecare contra ti tu hermano, repréndele". (Lucas 17:3.) El pecado ha de ser llamado por su propio nombre, y ha de ser presentado claramente delante del que lo comete.

En sus instrucciones a Timoteo, Pablo, escribiendo por la inspiración del Espíritu Santo, dice: "Que instes a tiempo y fuera de tiempo; redarguye, reprende, exhorta con toda paciencia y doctrina". Y a Tito escribe: "Hay aún muchos contumaces, habladores de vanidades, y engañadores... Repréndelos duramente, para que sean sanos en la fe". (2 Timoteo 4:2; Tito 1:10-13.)

"Si tu hermano pecare contra ti —dijo Cristo—, ve, y redargúyele entre ti y él sólo; si te oyere, has ganado a tu hermano. Mas si no oyere, toma aún contigo uno o dos, para que en boca de dos o tres testigos conste toda palabra. Y si no oyere a ellos, dilo a la iglesia; y si no oyere a la iglesia, tenle por étnico y publicano". (Mateo 18:15-17.)

Nuestro Señor enseña que las dificultades entre los cristianos deben arreglarse dentro de la iglesia. No debieran presentarse delante de los que no temen a Dios. Si un cristiano es maltratado por su hermano, no recurra a los incrédulos en un tribunal de justicia. Siga las instrucciones que ha dado Cristo. En vez de tratar de vengarse, trate de salvar a su hermano. Dios guardará los intereses de los que le aman y temen, y con confianza podemos encomendar nuestro caso a Aquel que juzga rectamente.

Con demasiada frecuencia, cuando se cometen faltas en forma repetida y el que las comete las confiesa, el perjudicado se cansa, y piensa que ya ha perdonado lo suficiente. Pero el Salvador nos ha dicho claramente cómo debemos tratar al que yerra: "Si pecare contra ti tu hermano, repréndele; y si se arrepintiere, perdónale". (Lucas 17:3.) No lo apartes como indigno de tu confianza. Considérate "a ti mismo, porque tú no seas también tentado". (Gálatas 6:1.)

Si tus hermanos yerran debes perdonarlos. Cuando vienen a ti confesando sus faltas, no debes decir: No creo que sean lo suficientemente humildes. No creo que sientan su confesión. ¿Qué derecho tienes para juzgarlos, como si pudieras leer el corazón? La Palabra de Dios dice: "Si se arrepintiere, perdónale. Y si siete

veces al día pecare contra ti, y siete veces al día se volviere a ti, diciendo, pésame, perdónale". (Lucas 17:3, 4.) Y no sólo siete veces, sino setenta veces siete, tan frecuentemente como Dios te perdona.

Nosotros mismos debemos todo a la abundante gracia de Dios. La gracia en el pacto ordenó nuestra adopción. La gracia en el Salvador efectuó nuestra redención, nuestra regeneración y nuestra exaltación a ser coherederos con Cristo. Sea revelada esta gracia a otros.

No demos al que yerra ocasión de desanimarse. No permitamos que haya una dureza farisaica que haga daño a nuestro hermano. No se levante en la mente o el corazón un amargo desprecio. No se manifieste en la voz un dejo de escarnio. Si hablas una palabra tuya, si adoptas una actitud de indiferencia, o muestras sospecha o desconfianza, esto puede provocar la ruina de un alma. El que yerra necesita un hermano que posea el corazón del Hermano Mayor, lleno de simpatía para tocar su corazón humano. Sienta él el fuerte apretón de una mano de simpatía, y oiga el susurro: oremos. Dios les dará a ambos una rica experiencia. La oración nos une mutuamente y con Dios. La oración trae a Jesús a nuestro lado, y da al alma desfalleciente y perpleja nueva energía para vencer al mundo, a la carne y al demonio. La oración aparta los ataques de Satanás.

Cuando uno se aparta de las imperfecciones humanas para contemplar a Jesús, se realiza en el carácter una transformación divina. El Espíritu de Cristo, al trabajar en el corazón, lo conforma a su imagen.

Entonces sea vuestro esfuerzo ensalzar a Jesús. Diríjanse los ojos de la mente al "Cordero de Dios que quita el pecado del mundo". (Juan 1:29.) Y al ocuparos en esta obra, recordad que "el que hubiere hecho convertir al pecador del error de su camino, salvará un alma de la muerte, y cubrirá multitud de pecados". (Santiago 5:20.) "Mas si no perdonareis a los hombres sus ofensas, tampoco vuestro Padre os perdonará vuestras ofensas". (Mateo 6:15.) Nada puede justificar un espíritu no perdonador. El que no es misericordioso hacia otros, muestra que él mismo no es participante de la gracia perdonadora de Dios. En el perdón de Dios el corazón del que yerra se acerca al gran Corazón de amor infinito. La corriente de compasión divina fluye al alma del pecador, y de él hacia las almas de los demás. La ternura y la misericordia que Cristo ha revelado en su propia vida preciosa se verán en los que llegan a ser participantes de su gracia. Pero "si alguno no tiene el Espíritu de Cristo, el tal no es de él". (Romanos 8:9.) Está alejado de Dios, listo solamente para la separación eterna de él.

Es verdad que él puede haber recibido perdón una vez; pero su espíritu falto de misericordia muestra que ahora rechaza el amor perdonador de Dios. Se ha separado de Dios, y está en la misma condición en que se hallaba antes de ser perdonado. Ha negado su arrepentimiento, y sus pecados están sobre él como si no se hubiera arrepentido.

Pero la gran lección de la parábola se halla en el contraste entre la compasión de Dios y la dureza del corazón del hombre; en el hecho de que la misericordia perdonadora de Dios ha de ser la medida de la nuestra. "¿No te convenía también a ti tener misericordia de tu consiervo, como también yo tuve misericordia de ti?"

No somos perdonados *porque* perdonamos, sino *cómo* perdonamos. La base de todo el perdón se encuentra en el amor inmerecido de Dios; pero por nuestra actitud hacia otros mostramos si hemos hecho nuestro ese amor. Por lo tanto Cristo dice: "Con el juicio con que juzgáis, seréis juzgados; y con la medida con que medís, os volverán a medir". (Mateo 7:2.)

El Mayor Peligro del Hombre

Este capítulo está basado en Lucas 12:13-21.

CRISTO estaba enseñando, y, como de costumbre, otros, además de sus discípulos, se habían congregado a su alrededor. Había estado hablando a sus discípulos de las escenas en las cuales ellos habían de desempeñar pronto una parte. Debían proclamar las verdades que él les había confiado, y se verían en conflicto con los gobernantes de este mundo. Por causa de él habían de ser llevados ante tribunales, y ante magistrados y reyes. El les había asegurado que habían de recibir tal sabiduría que ninguno los podría contradecir. Sus propias palabras, que conmovían los corazones de la multitud y confundían a sus astutos adversarios, testificaban del poder de aquel Espíritu que él había prometido a sus seguidores.

Pero había muchos que deseaban la gracia del cielo únicamente para satisfacer sus propósitos egoístas. Reconocían el maravilloso poder de Cristo al exponer la verdad con una luz clara. Oyeron la promesa hecha a sus seguidores de que les sería dada sabiduría especial para hablar ante gobernantes y magistrados. ¿No les prestaría él su poder para su provecho mundanal?

"Y díjole uno de la compañía: Maestro, di a mi hermano que parta conmigo la herencia". Por medio de Moisés Dios había dado instrucciones en cuanto a la transmisión de la herencia. El hijo mayor recibía una doble porción de la propiedad del padre (Deuteronomio 21:17), mientras que los hermanos menores se debían repartir partes iguales. Este hombre cree que su hermano le ha usurpado la herencia. Sus propios esfuerzos por conseguir lo que considera como suyo han fracasado; pero si Cristo interviene obtendrá seguramente su propósito. Ha oído las conmovedoras súplicas de Cristo, y sus solemnes denuncias a los escribas y fariseos. Si fueran dirigidas a su hermano palabras tan autoritarias, no se atrevería a rehusarle su parte al agraviado.

En medio de la solemne instrucción que Cristo había dado, este hombre había revelado su disposición egoísta. Podía apreciar la capacidad del Señor, la cual iba a obrar en beneficio de sus asuntos temporales,

pero las verdades espirituales no habían penetrado en su mente y en su corazón. La obtención de la herencia constituía su tema absorbente. Jesús, el Rey de gloria, que era rico, y que no obstante, por nuestra causa se hizo pobre, estaba abriendo ante él los tesoros del amor divino. El Espíritu Santo estaba suplicándole que fuese un heredero de la herencia "incorruptible, y que no puede contaminarse, ni marchitarse". (1 Pedro 1:4.) El había visto la evidencia del poder de Cristo. Ahora se le presentaba la oportunidad de hablar al gran Maestro, de expresar el deseo más elevado de su corazón. Pero a semejanza del hombre del rastrillo que se presenta en la alegoría de Bunyan, sus ojos estaban fijos en la tierra. No veía la corona sobre su cabeza. Como Simón el mago, consideró el don de Dios como un medio de ganancia mundanal.

La misión del Salvador en la tierra se acercaba rápidamente a su fin. Le quedaban solamente pocos meses para completar lo que había venido a hacer para establecer el reino de su gracia. Sin embargo, la codicia humana quería apartarlo de su obra, para hacerle participar en la disputa por un pedazo de tierra. Pero Jesús no podía ser apartado de su misión. Su respuesta fue: "Hombre, ¿quién me puso por juez o partidor sobre vosotros?"

Jesús hubiera podido decirle a ese hombre lo que era justo. Sabía quién tenía el derecho en el caso, pero los hermanos discutían porque ambos eran codiciosos. Cristo dijo claramente que su ocupación no era arreglar disputas de esta clase. Su venida tenía otro fin: predicar el Evangelio y así despertar en los hombres el sentido de las realidades eternas.

La manera en que Cristo trató este caso encierra una lección para todos los que ministran en su nombre. Cuando él envió a los doce, les dijo: "Y yendo, predicad, diciendo: El reino de los cielos se ha acercado. Sanad enfermos, limpiad leprosos, resucitad muertos, echad fuera demonios: de gracia recibisteis, dad de gracia". (Mateo 10:7, 8.) Ellos no habían de arreglar los asuntos temporales de la gente. Su obra era persuadir a los hombres a reconciliarse con Dios. En esta obra estribaba su poder de bendecir a la humanidad. El único remedio para los pecados y dolores de los hombres es Cristo. Únicamente el Evangelio de su gracia puede curar los males que azotan a la sociedad. La injusticia del rico hacia el pobre, el odio del pobre hacia el rico, tienen igualmente su raíz en el egoísmo, el cual puede extirparse únicamente por la sumisión a Cristo. Solamente él da un nuevo corazón de amor en lugar del corazón egoísta de pecado. Prediquen los siervos de Cristo el Evangelio con el Espíritu enviado desde el cielo, y trabajen como él lo hizo por el beneficio de los hombres. Entonces se manifestarán, en la bendición y la elevación de la humanidad, resultados que sería totalmente imposible alcanzar por el poder humano.

Nuestro Señor atacó la raíz del asunto que perturbaba a este interrogador, y la raíz de todas las disputas similares, diciendo: "Mirad, y guardaos de toda avaricia, porque la vida del hombre no consiste en la abundancia de los bienes que posee.

"Y refirióles una parábola, diciendo: La heredad de un hombre

rico había llevado mucho, y él pensaba dentro de sí, diciendo: ¿Qué haré, porque no tengo dónde juntar mis frutos? Y dijo: Esto haré: derribaré mis alfolíes, y los edificaré mayores, y allí juntaré todos mis frutos y mis bienes; y diré a mi alma: Alma, muchos bienes tienes almacenados para muchos años; repósate, come, bebe, huélgate. Y díjole Dios: Necio, esta noche vuelven a pedir tu alma; y lo que has prevenido, ¿de quién será? Así es el que hace para sí tesoro, y no es rico en Dios".

Por medio de la parábola del hombre rico, Cristo demostró la necedad de aquellos que hacen del mundo toda su ambición. Este hombre lo había recibido todo de Dios. El sol había brillado sobre sus propiedades, porque sus rayos caen sobre el justo y el injusto. Las lluvias del cielo descienden sobre el malo y el bueno. El Señor había hecho prosperar la vegetación, y producir abundantemente los campos. El hombre rico estaba perplejo porque no sabía qué hacer con sus productos. Sus graneros estaban llenos hasta rebosar, y no tenía lugar en donde guardar el excedente de su cosecha. No pensó en Dios, de quien proceden todas las bondades. No se daba cuenta de que Dios lo había hecho administrador de sus bienes, para que ayudase a los necesitados. Se le ofrecía una bendita oportunidad de ser dispensador de Dios, pero sólo pensó en procurar su propia comodidad.

Este hombre rico podía ver la situación del pobre, del huérfano, de la viuda, del que sufría y del afligido; había muchos lugares donde podía emplear sus bienes. Hubiera podido librarse fácilmente de una parte de su abundancia y al mismo tiempo aliviar a muchos hogares de sus necesidades, alimentar a muchos hambrientos, vestir a los desnudos, alegrar a más de un corazón, ser el instrumento para responder a muchas oraciones por las cuales se pedía pan y abrigo, y una melodía de alabanza hubiera ascendido al cielo. El Señor había oído las oraciones de los necesitados, y en su bondad había hecho provisión para el pobre. (Salmo 68:10.) En las bendiciones conferidas al hombre rico, se había hecho amplia provisión para las necesidades de muchos. Pero él cerró su corazón al clamor del necesitado, y dijo a sus siervos: "Esto haré; derribaré mis alfolíes, y los edificaré mayores, y allí juntaré todos mis frutos y mis bienes; y diré a mi alma: Alma, muchos bienes tienes almacenados para muchos años; repósate, come, bebe, huélgate".

Los ideales de este hombre no eran más elevados que los de las bestias que perecen. Vivía como si no hubiese Dios, ni cielo, ni vida futura; como si todo lo que poseía fuese suyo propio, y no debiese nada a Dios ni al hombre. El salmista describió a este hombre rico cuando declaró: "Dijo el necio en su corazón: No hay Dios". (Salmo 14:1.)

Este hombre había vivido y hecho planes para sí mismo. El ve que posee provisión abundante para el futuro; ya no le queda nada que hacer, fuera de atesorar y gozar los frutos de sus labores. Se considera a sí mismo como más favorecido que los demás hombres, y se gloría de su sabia administración. Es honrado por sus conciudadanos como un hombre de buen juicio y un ciudadano próspero. Por-

que "serás loado cuando bien te tratares". (Salmo 49:18.)

Pero "la sabiduría de este mundo es necedad para con Dios". (1 Corintios 3:19.) Mientras el hombre rico espera disfrutar de años de placer en lo futuro, el Señor hace planes muy diferentes. A este mayordomo infiel le llega el mensaje: "Necio, esta noche vuelven a pedir tu alma". Esta era una demanda que el dinero no podía suplir. La riqueza que él había atesorado no podía comprar la suspensión de la sentencia. En un momento, aquello por lo cual se había afanado durante toda su vida, perdió su valor para él. Entonces, "lo que has prevenido, ¿de quién será?" Sus extensos campos y bien repletos graneros dejaron de estar bajo su dominio. "Allega riquezas, y no sabe quién las recogerá". (Salmo 39:6, VM.)

No se aseguró lo único que hubiera sido de valor para él. Al vivir para sí mismo había rechazado aquel amor divino que se hubiera derramado con misericordia hacia sus semejantes. De esa manera había rechazado la vida. Porque Dios es amor, y el amor es vida. Este hombre había escogido lo terrenal antes que lo espiritual, y con lo terrenal debía morir. "El hombre en honra que no entiende, semejante es a las bestias que perecen". (Salmo 49:20.)

"Así es el que hace para sí tesoro, y no es rico en Dios". Este cuadro se adapta a todos los tiempos. Podéis hacer planes para obtener meros goces egoístas, podéis allegaros tesoros, podéis edificaros grandes y altas mansiones, como los edificadores de la antigua Babilonia; pero no podéis edificar muros bastante altos ni puerta bastante fuerte para impedir el paso de los mensajeros de la muerte. El rey Belsasar "hizo un gran banquete" en su palacio, y alabaron a los dioses de oro y de plata, de metal, de hierro, de madera, y de piedra". Pero la mano del Invisible escribió en la pared las palabras de su condena, y se oyó a las puertas de su palacio el paso de los ejércitos hostiles. "La misma noche fue muerto Belsasar, rey de los caldeos" (Daniel 5:4, 30), y un monarca extranjero se sentó en el trono.

Vivir para sí es perecer. La codicia, el deseo de beneficiarse a sí mismo, separa al alma de la vida. El espíritu de Satanás es conseguir, atraer hacia sí. El espíritu de Cristo es dar, sacrificarse para bien de los demás. "Y éste es el testimonio: Que Dios nos ha dado vida eterna; y esta vida está en su Hijo. El que tiene al Hijo, tiene la vida: el que no tiene al Hijo de Dios, no tiene la vida". (1 Juan 5:11,12.)

Por lo tanto, nos dice: "Mirad, y guardaos de toda avaricia; porque la vida del hombre no consiste en la abundancia de los bienes que posee".

Cómo se Decide Nuestro Destino

Este capítulo está basado en Lucas 16:19-31.

ción de las dos clases. Los que son pobres en los bienes de esta tierra, pero que confían en Dios y son pacientes en su sufrimiento, algún día serán exaltados por encima de los que ahora ocupan los puestos más elevados que puede dar el mundo, pero que no han rendido su vida a Dios. "Había

EN LA pará-bola del hombre rico y Lázaro, Cristo muestra que los hombres deciden su destino eterno en esta vida. La gracia de Dios se ofrece a cada alma durante este tiempo de prueba. Pero si los hombres malgastan sus oportunidades en la compla-cencia propia, pierden la vida eterna. No se les concederá nin-gún tiempo de gracia complementa-rio. Por su propia elección han hecho un abismo insalvable entre ellos y su Dios.

Esta parábola presenta un con-traste entre el rico que no ha hecho de Dios su sostén y el pobre que lo ha hecho. Cristo muestra que viene el tiempo en que será invertida la posi-

un hombre rico —dijo Cristo—, que se vestía de púrpura y de lino fino, y hacía cada día banquete con esplendidez. Había también un men-digo llamado Lázaro, el cual estaba echado a la puerta de él, lleno de llagas, y deseando hartarse de las migajas que caían de la mesa del rico".

El rico no pertenecía a la clase representada por el juez inicuo, que abiertamente declaraba que no hacía caso de Dios ni de los hombres. El rico pretendía ser hijo de Abrahán. No trataba con violencia al mendigo, ni lo echaba porque le era desagradable su aspecto. Si el pobre y repugnante individuo podía consolarse contemplándolo cuando entraba por su puerta, el rico estaba de acuerdo con que permaneciera allí. Pero revelaba una egoísta indiferencia a las necesidades de su hermano doliente.

No había entonces hospitales en los cuales se cuidara a los enfermos. Para que éstos y los necesitados recibieran socorro y simpatía, sus casos se presentaban a quienes el Señor había confiado sus riquezas. Este era el caso del mendigo y el rico. Lázaro necesitaba grandemente socorro; porque no tenía amigos, hogar, dinero ni alimento. Sin embargo, mientras el rico noble podía suplir todas sus necesidades, lo dejaba en esa condición día tras día. El que podía aliviar grandemente los sufrimientos de su prójimo, vivía para sí, como muchos lo hacen hoy día.

En la actualidad hay muchos, muy cerca de nosotros, que están hambrientos, desnudos y sin hogar. El descuido manifestado por nosotros al no dar de nuestros medios a esos necesitados y dolientes, nos carga con una culpabilidad que algún día temeremos afrontar. Toda avaricia es condenada como idolatría. Toda complacencia egoísta es una ofensa a la vista de Dios.

Dios había hecho del rico un mayordomo de sus medios, y su deber era atender casos tales como el del mendigo. Se había dado el mandamiento: "Amarás a Jehová tu Dios de todo tu corazón, y de toda tu alma, y con todo tu poder", y "amarás a tu prójimo como a ti mismo". (Deuteronomio 6:5; Levítico 19:18.) El rico era judío, y conocía este mandato de Dios. Pero se olvidó de que era responsable por el uso de esos medios y capacidades que se le habían confiado. Las bendiciones del Señor descansaban abundantemente sobre él, pero las empleaba egoístamente, para honrarse a sí mismo y no a su Hacedor. Su obligación de usar esos dones para la elevación de la humanidad, era proporcional a esa abundancia. Tal era la orden divina, pero el rico no pensó en su obligación para con Dios. Prestaba dinero, y cobraba interés por lo que había prestado; pero no pagaba interés por lo que Dios le había prestado. Tenía conocimiento y talentos, pero no los utilizaba. Olvidado de su responsabilidad ante Dios, dedicaba al placer todas sus facultades. Todo lo que lo rodeaba, su círculo de diversiones, la alabanza y la lisonja de sus amigos, ministraba a su gozo egoísta. Tan absorto estaba en la sociedad de sus amigos que perdió todo sentido de su responsabilidad de cooperar con Dios en su servicio de misericordia. Tuvo oportunidad de entender la Palabra de Dios y practicar sus enseñanzas; pero la sociedad amadora del placer que él escogió ocupaba de tal manera su tiempo que se olvidó del Dios de la eternidad.

Vino el tiempo en que se realizó un cambio en la condición de los dos hombres. El pobre había sufrido todos los días, pero había sido paciente y soportado en silencio. Con el transcurso del tiempo murió y fue enterrado. No hubo lamentaciones por él; pero mediante su paciencia en los sufrimientos había testificado por Cristo, había soportado la prueba de su fe, y a su muerte se lo representa llevado por los ángeles al seno de Abrahán.

Lázaro representa a los pobres dolientes que creen en Cristo. Cuando suene la trompeta, y todos los que están en la tumba oigan la voz de Cristo y salgan, recibirán su recompensa; pues su fe en Dios no fue una mera teoría, sino una realidad.

"Murió también el rico, y fue sepultado. Y en el infierno alzó sus ojos, estando en los tormentos, y vio a Abrahán de lejos, y a Lázaro en su seno. Entonces él, dando voces, dijo: Padre Abrahán, ten misericordia de mí, y envía a Lázaro que moje la punta de su dedo en agua, y refresque mi lengua; porque soy atormentado en esta llama".

En la parábola Cristo estaba haciendo frente al público en su propio terreno. La doctrina de un estado de existencia consciente entre la muerte y la resurrección era sostenida por muchos de aquellos que estaban escuchando las palabras de Cristo. El Salvador conocía esas ideas, y estructuró su parábola de manera tal que inculcara importantes verdades por medio de esas opiniones preconcebidas. Colocó ante sus oyentes un espejo en el cual se habían de ver a sí mismos en su verdadera relación con Dios. Empleó la opinión prevaleciente para presentar la idea que deseaba destacar en forma especial, es a saber, que ningún hombre es estimado por sus posesiones; pues todo lo que tiene le pertenece en calidad de un préstamo que el Señor le ha hecho. Y un uso incorrecto de estos dones lo colocará por debajo del hombre más pobre y más afligido que ama a Dios y confía en él.

Cristo desea que sus oyentes comprendan que es imposible que el hombre obtenga la salvación del alma después de la muerte. "Hijo —se le hace responder a Abrahán—, acuérdate que recibiste tus bienes en tu vida, y Lázaro también males, mas ahora éste es consolado aquí, y tú atormentado. Y además de esto, una grande sima está constituida entre nosotros y vosotros, que los que quisieren pasar de aquí a vosotros no pueden, ni de allá pasar acá". Así Cristo presentó lo irremediable y desesperado que es buscar un segundo tiempo de gracia. Esta vida es el único tiempo que se le ha concedido al hombre para que en él se prepare para la eternidad.

El hombre rico no había abandonado la idea de que él era un hijo de Abrahán, y en su aflicción se lo representa llamándolo para pedirle ayuda. "Padre Abrahán —clamó—, ten misericordia de mí". No oró a Dios, sino a Abrahán. Así demostró que colocaba a Abrahán por encima de Dios, y que confiaba en su relación con Abrahán para obtener la salvación. El ladrón que se hallaba en la cruz dirigió su oración a Cristo.

"Acuérdate de mí cuando vinieres en tu reino" (Lucas 23:42), dijo. Y al momento vino la respuesta: De cierto te digo hoy —mientras cuelgo de la cruz con humillación y sufrimiento—: tú estarás conmigo en el paraíso. Pero el hombre rico oró a Abrahán, y su petición no fue concedida. Sólo Cristo es exaltado por "Príncipe y Salvador, para dar a Israel arrepentimiento y remisión de pecados". "Y en ningún otro hay salud". (Hechos 5:31; 4:12.)

El hombre rico había pasado su vida en la complacencia propia, y se dio cuenta demasiado tarde de que no había hecho provisión para la eternidad. Comprendió su insensatez, y pensó en sus hermanos, los que seguirían el mismo camino que él, viviendo para agradarse a sí mismos. Entonces hizo esta petición: "Ruégote pues, padre, que le envíes [a Lázaro] a la casa de mi padre; porque tengo cinco hermanos; para que les testifique, porque no vengan ellos también a este lugar de tormento". Pero Abrahán le dijo: "A Moisés y a los profetas tienen: óiganlos. El entonces dijo: No, padre Abrahán: mas si alguno fuere a ellos de los muertos, se arrepentirán. Mas Abrahán le dijo: Si no oyen a Moisés y a los profetas, tampoco se persuadirán, si alguno se levantare de los muertos".

Cuando el hombre rico solicitó evidencia adicional para sus hermanos, se le dijo sencillamente que si no se les concediera tal evidencia no se convencerían. Su pedido implica un reproche a Dios. Era como si el rico hubiera dicho: "Si me hubieses amonestado cabalmente, no estaría hoy aquí". Se lo

representa a Abrahán respondiendo a este pedido de la siguiente forma: Tus hermanos han sido suficientemente amonestados. Se les ha concedido luz, pero ellos no quisieron ver; se les ha presentado la verdad, pero no la quisieron oír.

"Si no oyen a Moisés y a los profetas, tampoco se persuadirán, si alguno se levantare de los muertos". Estas palabras demostraron ser ciertas en la historia de la nación judía. El último y culminante milagro de Cristo fue la resurrección de Lázaro de Betania, después que había estado muerto durante cuatro días. Se les concedió a los judíos esta maravillosa evidencia de la divinidad del Salvador, pero la rechazaron. Lázaro se levantó de los muertos, y presentó ante ellos su testimonio, pero endurecieron su corazón, contra toda evidencia, y hasta trataron de quitarle la vida. (Juan 12:9-11.)

La ley y los profetas son los agentes señalados por Dios para la salvación de los hombres. Cristo dijo: Presten ellos oído a estas evidencias. Si no escuchan la voz de Dios en su Palabra, el testimonio de un ser levantado de los muertos no sería escuchado.

Aquellos que prestan oído a Moisés y a los profetas no necesitarán más luz o conocimiento de los que Dios les ha dado; pero si los hombres rechazan la luz, y dejan de apreciar las oportunidades que les fueron otorgadas, no oirían si uno de los muertos fuera a ellos con un mensaje. No se convencerían ni aun por esta evidencia; porque aquellos que rechazan la ley y los profetas endurecen de tal suerte su corazón que rechazarían toda luz.

La conversación sostenida entre Abrahán y el hombre que una vez fuera rico es figurada. La lección que hemos de sacar de ella es que a todo hombre se le ha concedido el conocimiento suficiente para la realización de los deberes que de él se exigen. Las responsabilidades del hombre son proporcionales a sus oportunidades y privilegios. Dios concede a cada uno la luz y la gracia suficientes para que efectúe la obra que le ha dado. Si el hombre deja de hacer lo que una pequeña luz le muestra que es su deber, una mayor cantidad de luz revelará únicamente infidelidad y negligencia en aprovechar las bendiciones concedidas. "El que es fiel en lo muy poco, también en lo más es fiel; y el que en lo muy poco es injusto, también en lo más es injusto". (Lucas 16:10.) Aquellos que rehúsan ser iluminados por Moisés y los profetas, y piden que se realice algún maravilloso milagro, no se convencerían tampoco si su deseo se realizara.

La parábola del hombre rico y Lázaro muestra cómo son apreciadas en el mundo invisible las dos clases que se representan. No hay ningún pecado en ser rico, si las riquezas no se adquieren injustamente. Un hombre rico no es condenado por tener riquezas; pero la condenación descansa sobre él si los medios que se le han confiado son gastados egoístamente. Mucho mejor sería que colocara su dinero ante el trono de Dios, usándolo para lo bueno. La muerte no puede convertir en pobre a un hombre que de esta manera se dedica a buscar las riquezas eternas. Pero el hombre que amontona para sí su tesoro, no puede llevar nada de él al cielo. Ha demostrado ser un mayor-

domo infiel. Durante toda su vida tuvo sus buenas cosas, pero se olvidó de su obligación para con Dios. Dejó de obtener el tesoro celestial.

El hombre rico que tenía tantos privilegios nos es presentado como uno que debió haber cultivado sus dones, de manera que sus obras transcendiesen hasta el gran más allá, llevando consigo ventajas espirituales aprovechadas. Es el propósito de la redención, no solamente borrar el pecado, sino devolver al hombre los dones espirituales perdidos a causa del poder empequeñecedor del pecado. El dinero no puede ser llevado a la vida futura; no se necesita allí; pero las buenas acciones efectuadas en la salvación de las almas para Cristo son llevadas a los atrios del cielo. Mas aquellos que emplean egoístamente los dones del Señor para sí mismos, dejando sin ayuda a sus semejantes necesitados, y no haciendo nada porque prospere la obra de Dios en el mundo, deshonran a su Hacedor. Frente a sus nombres en los libros del cielo está escrito: "Robó a Dios".

El hombre rico tenía todo lo que el dinero puede procurar, pero no poseía las riquezas que habrían conservado bien su cuenta con Dios. Vivió como si todo lo que poseía fuera suyo. Había descuidado el llamamiento de Dios y los clamores de los pobres que sufrían. Pero al fin viene un llamado que él no puede eludir. Por un poder al cual no le es posible objetar ni resistir, se le ordena que renuncie a las posesiones de las cuales él ya no es mayordomo. El hombre que una vez fuera rico es reducido a una desesperada pobreza. El manto de la justicia de Cristo, tejido en el telar del cielo, nunca podrá cubrirlo. El que una vez usara la púrpura más rica, el lino más fino, es reducido a la desnudez. Su tiempo de gracia ha terminado. Nada trajo al mundo, y nada puede llevar de él. Cristo levantó el velo, y presentó el cuadro ante los sacerdotes y los gobernantes, los escribas y los fariseos. Contempladlo vosotros, los que sois ricos en bienes de este mundo, y no sois ricos en lo que a Dios respecta. ¿No contemplaréis esta escena? Aquello que es altamente estimado entre los hombres es aborrecible a la vista de Dios. Cristo pregunta: "¿Qué aprovechará al hombre, si granjeare todo el mundo, y pierde su alma? ¿O qué recompensa dará el hombre por su alma?" (Marcos 8:36, 37.)

La aplicación a la nación judía

Cuando Cristo presentó la parábola del hombre rico y Lázaro, había muchos hombres, en la nación judía, que se hallaban en la miserable condición del hombre rico, que usaban los bienes del Señor para su complacencia egoísta, preparándose para oír la sentencia: "Pesado has sido en balanza, y fuiste hallado falto". (Daniel 5:27.) El hombre rico fue favorecido con toda bendición temporal y espiritual, pero rehusó cooperar con Dios en el empleo de esas bendiciones. Así ocurrió con la nación judía. El Señor había hecho de los judíos los depositarios de la verdad sagrada. Los había convertido en mayordomos de su gracia. Les había dado toda ventaja espiritual y temporal y los llamó para que impartieran

esas bendiciones. Se les había impartido instrucción especial con respecto a la forma de tratar a sus hermanos que habían caído en la pobreza, al extranjero que estuviese dentro de sus puertas y al pobre que se encontraba entre ellos. No habían de tratar de buscar todas las cosas para su propia ventaja, sino que habían de recordar a aquellos que se hallaban en necesidad, para compartir con ellos sus bienes. Y Dios prometió bendecirlos de acuerdo con sus hechos de amor y misericordia. Pero a semejanza del hombre rico, ellos no habían cooperado para aliviar las necesidades materiales y espirituales de la doliente humanidad. Llenos de orgullo, se consideraban como el pueblo escogido y favorecido por Dios; sin embargo no servían ni adoraban a Dios. Colocaban su esperanza en el hecho de que eran hijos de Abrahán: "Simiente de Abrahán somos" (Juan 8:33), decían con orgullo. Cuando vino la crisis, se reveló que se habían divorciado de Dios, y habían colocado su esperanza en Abrahán, como si él fuera Dios.

Cristo anhelaba hacer brillar la luz dentro de las mentes entenebrecidas del pueblo judío. Les dijo: "Si fuerais hijos de Abrahán, las obras de Abrahán haríais. Empero ahora procuráis matarme, hombre que os he hablado la verdad, la cual he oído de Dios: no hizo esto Abrahán". (Juan 8:39, 40.)

Cristo no reconoció ninguna virtud en el linaje. Él enseñó que la relación espiritual sobrepuja toda relación natural. Los judíos pretendían haber descendido de Abrahán; mas al dejar de hacer las obras de Abrahán demostraron no ser verdaderos hijos. Tan sólo aquellos que demuestran estar espiritualmente en armonía con Abrahán, al obedecer la voz de Dios, son considerados como sus verdaderos descendientes. Aunque el mendigo perteneciera a la clase que los hombres consideraban inferior, Cristo lo reconoció como a uno con quien Abrahán hubiera tenido la más íntima amistad.

El hombre rico, aunque rodeado de todos los lujos de la vida, era tan ignorante que colocó a Abrahán en el lugar donde debía haber estado Dios. Si hubiera apreciado sus exaltados privilegios, y hubiera permitido que el Espíritu de Dios modelara su mente y su corazón, habría tenido una posición completamente distinta. Esto ocurría también con la nación a la cual representaba. Si hubieran respondido al llamamiento divino, su futuro habría sido completamente distinto. Habrían demostrado verdadero discernimiento espiritual. Tenían medios que Dios habría multiplicado, haciendo que fueran suficientes para bendecir e iluminar a todo el mundo. Pero se habían separado tanto de las disposiciones de Dios que su vida entera fue pervertida. No usaron sus dones como mayordomos de Dios, de acuerdo con la verdad y la justicia. La eternidad no figuraba en sus cálculos, y el resultado de su infidelidad fue la ruina de toda la nación.

Cristo sabía que en ocasión de la destrucción de Jerusalén los judíos recordarían su amonestación. Y así fue. Cuando la calamidad vino sobre Jerusalén, cuando el hambre y sufrimientos de todo género azotaron al pueblo, los judíos recordaron esas palabras de Cristo, y comprendieron su parábola. Ellos se habían acarre-

ado el sufrimiento por no dejar que la luz que Dios les concediera brillara hacia el mundo.

En los últimos días

Las escenas finales de la historia de esta tierra se hallan presentadas en la parte final de la historia del hombre rico. Este pretendía ser hijo de Abrahán, pero se hallaba separado de él por un abismo insalvable, esto es, un carácter equivocadamente desarrollado. Abrahán sirvió a Dios, siguiendo su palabra con fe y obediencia. Pero el hombre rico no se preocupaba de Dios ni de las necesidades de la doliente humanidad. El gran abismo que existía entre él y Abrahán era el abismo de la desobediencia. Hay muchos hoy día que están siguiendo la misma conducta. Aunque son miembros de la iglesia, no están convertidos. Puede ser que tomen parte en el culto, puede ser que canten el salmo: "Como el ciervo brama por las corrientes de las aguas, así clama por ti, oh Dios, el alma mía" (Salmo 42:1), pero dan testimonio de una falsedad. No son más justos a la vista de Dios que los más señalados pecadores. El alma que suspira por la excitación de los placeres mundanos, la mente que ama la ostentación, no puede servir a Dios. Como el rico de la parábola, una persona tal no siente inclinación a luchar contra los deseos de la carne. Se deleita en la complacencia del apetito. Escoge la atmósfera del pecado. Es de repente arrebatado por la muerte, y desciende al sepulcro con el carácter que ha formado durante su vida de compañerismo con los agentes satánicos. En el sepulcro no tiene poder de escoger nada, sea bueno o malo; porque el día que el hombre muere, perecen sus pensamientos. (Salmo 146:4; Eclesiastés 9:5, 6.) Cuando la voz de Dios despierte a los muertos, él saldrá del sepulcro con los mismos apetitos y pasiones, los mismos gustos y aversiones que poseía en vida. Dios no obra ningún milagro para regenerar al hombre que no quiso ser regenerado cuando se le concedió toda oportunidad y se le proveyó toda facilidad para ello. Mientras vivía no halló deleite en Dios, ni halló placer en su servicio. Su carácter no se halla en armonía con Dios y no podría ser feliz en la familia celestial.

Hoy día existe una clase de personas en nuestro mundo que tienen la justicia propia. No son comilones, no son borrachos, no son incrédulos; pero quieren vivir para sí mismos, no para Dios. El no se halla en sus pensamientos; por consiguiente se los clasifica con los incrédulos. Si les fuera posible entrar por las puertas de la ciudad de Dios, no podrían tener derecho al árbol de la vida; porque cuando los mandamientos de Dios fueron presentados ante ellos con todos sus requerimientos dijeron: No. No han servido a Dios aquí; por consiguiente no lo servirían en lo futuro. No podrían vivir en su presencia, y no se sentirían a gusto en ningún lugar del cielo.

Aprender de Cristo significa recibir su gracia, la cual es su carácter. Pero aquellos que no aprecian ni aprovechan las preciosas oportunidades y las sagradas influencias que les son concedidas en la tierra, no están capacitados para tomar parte en la devoción pura del cielo. Su carácter no está modelado de acuerdo con la similitud divina. Por su propia negligencia han formado un abismo que nada puede salvar. Entre ellos y la justicia se ha formado una gran sima.

Hechos, no Palabras

Este capítulo está basado en Mateo 21:23-32.

voluntad de su padre? Dicen ellos: El primero".

En el Sermón del Monte, Cristo dijo: "No todo el que me dice: Señor, Señor, entrará en el reino de los cielos; mas el que hiciere la voluntad de mi Padre que está en los cielos". (Mateo 7:21.)

La prueba de la sinceridad no reside en las palabras, sino en los hechos. Cristo no pregunta a ningún hombre: ¿Qué dices más que otros?, sino: ¿Qué haces? (Mateo 5:47.) Llenas de significado son sus palabras: "Si sabéis estas cosas, bienaventurados seréis, si las hiciereis". (Juan 13:17.) Las palabras no son de ningún valor a menos que vayan acompañadas por los hechos correspondientes. Esta es la lección enseñada en la parábola de los dos hijos.

Esta parábola fue pronunciada en ocasión de la última visita de Cristo a Jerusalén antes de su muerte. El había echado del templo a los que compraban y vendían. Su voz había hablado al corazón de ellos con el poder de Dios. Asombrados y aterrorizados, habían obedecido su mandato sin excusa o resistencia.

Cuando desapareció su terror, los sacerdotes y ancianos, al volver al

UN HOMBRE tenía dos hijos, y llegando al primero le dijo: Hijo, ve hoy a trabajar en mi viña. Y respondiendo él, dijo: No quiero; mas después, arrepentido, fue. Y llegando al otro, le dijo de la misma manera; y respondiendo él, dijo: Yo, señor, voy. Y no fue. ¿Cuál de los dos hizo la templo, habían encontrado a Cristo sanando a los enfermos y los moribundos. Habían oído la voz del regocijo y el cántico de alabanza. En el templo mismo, los niños que habían sido sanados, hacían ondear ramas de palmas y cantaban hosannas al Hijo de David. Voces infantiles balbuceaban las alabanzas del poderoso Sanador. Sin embargo, para los sacerdotes y ancianos todo esto no fué suficiente para vencer su prejuicio y su celo.

Al día siguiente, cuando Cristo estaba enseñando en el templo, los príncipes de los sacerdotes y los ancianos del pueblo vinieron a él y le dijeron: "¿Con qué autoridad haces esto? ¿Y quién te dio esta autoridad?"

Los sacerdotes y ancianos habían tenido una evidencia inequívoca del poder de Cristo. Al limpiar Jesús el templo, habían visto la autoridad del cielo que irradiaba de su rostro. No pudieron resistir el poder con el cual hablaba. Otra vez, con sus maravillosas curaciones había contestado su pregunta. Había dado una evidencia de su autoridad que no podía ser controvertida. Pero no era evidencia lo que se necesitaba. Los sacerdotes y ancianos estaban ansiosos de que Jesús se proclamara el Mesías, para que ellos pudieran hacer una mala aplicación de sus palabras e incitar al pueblo contra él. Querían destruir su influencia y darle muerte.

Jesús sabía que si ellos no podían reconocer a Dios en él, o ver en sus obras la evidencia de su carácter divino, no creerían tampoco su testimonio de que él era el Cristo. En su respuesta, él evade la cuestión que querían suscitar. Y vuelve la condenación sobre ellos.

"Yo también os preguntaré una palabra —dijo él—, la cual si me dijereis, también yo os diré con qué autoridad hago esto. ¿El bautismo de Juan, de dónde era? ¿Del cielo o de los hombres?"

Los sacerdotes y gobernantes estaban perplejos. "Pensaron entre sí, diciendo: Si dijéremos, del cielo, nos dirá: ¿Por qué pues no le creísteis? Y si dijéremos de los hombres, tememos al pueblo; porque todos tienen a Juan por profeta. Y respondiendo a Jesús, dijeron: No sabemos. Y él también les dijo: Ni yo os digo con qué autoridad hago esto".

"No sabemos". Esta respuesta era falsa. Pero los sacerdotes vieron la posición en que estaban, y adoptaron una actitud falsa para evadirse. Juan el Bautista había venido dando testimonio de Aquel cuya autoridad ellos estaban ahora poniendo en duda. Lo había señalado, diciendo: "He aquí el Cordero de Dios, que quita el pecado del mundo". (Juan 1:29.) Lo había bautizado, y después del bautismo, mientras Cristo oraba, se abrieron los cielos, y el Espíritu de Dios, en forma de paloma, descansó sobre él mientras se oyó una voz del cielo que decía: "Este es mi Hijo amado, en el cual tengo contentamiento". (Mateo 3:17.)

Recordando cómo Juan había repetido las profecías concernientes al Mesías, recordando la escena del bautismo de Jesús, los sacerdotes y gobernantes no se atrevieron a decir que el bautismo de Juan procedía del cielo. Si ellos hubiesen reconocido que Juan era profeta, como creían que lo era, ¿cómo hubieran podido negar su testimonio de que Jesús de Nazaret era el Hijo de Dios? Y no podían decir que el bautismo de Juan era de los hombres, debido al pueblo que creía que Juan era profeta. Por lo tanto, dijeron: "No sabemos". Entonces Cristo presentó la parábola del padre y los dos hijos. Cuando el padre fue al primer hijo diciéndole: "Hijo, ve hoy a trabajar en mi viña", el hijo le respondió prontamente: "No quiero". Rehusó obedecer, y se entregó a malos caminos y malas compañías. Pero después se arrepintió y obedeció la orden.

El padre fue al segundo hijo con la misma orden: "Hijo, ve hoy a trabajar en mi viña". La respuesta de este hijo fue: "Yo, señor, voy", pero no fue.

En esta parábola el padre representa a Dios, la viña a la iglesia. Los dos hijos representan dos clases de personas. El hijo que rehusó obedecer la orden diciendo: "No quiero", representaba a los que estaban viviendo en abierta transgresión, que no hacían profesión de piedad, que abiertamente rehusaban ponerse bajo el yugo de la restricción y la obediencia que impone la ley de Dios. Pero muchos de ellos después se arrepintieron y obedecieron al llamamiento de Dios. Cuando llegó a ellos el Evangelio en el mensaje de Juan el Bautista: "Arrepentíos, que el reino de los cielos se ha acercado" (Mateo 3:2), se arrepintieron, y confesaron sus pecados.

El carácter de los fariseos quedó revelado en el hijo que replicó: "Yo, señor, voy", y no fue. Como este hijo, los dirigentes judíos eran impenitentes y tenían suficiencia propia. La vida religiosa de la nación judía se había convertido en una simulación. Cuando la voz de Dios proclamó la ley desde el Sinaí, todo el pueblo

prometió obedecer. Dijeron: "Yo, Señor, voy", pero no fueron. Cuando Cristo vino en persona para presentar delante de ellos los principios de la ley, lo rechazaron. Cristo había dado a los dirigentes judíos de su tiempo evidencia abundante de su autoridad y poder divinos, pero aunque estaban convencidos, no aceptaron la evidencia. Cristo les había mostrado que continuaban sin creer porque no tenían el espíritu que induce a la obediencia. Les había declarado: "Habéis invalidado el mandamiento de Dios por vuestra tradición... En vano me honran, enseñando doctrinas y mandamientos de hombres". (Mateo 15:6, 9.)

En el grupo que estaba delante de Jesús había escribas y fariseos, sacerdotes y gobernantes, y después de presentar la parábola de los dos hijos, Cristo dirigió a sus oyentes la pregunta: "¿Cuál de los dos hizo la voluntad de su padre?" Olvidándose de sí mismos, los fariseos contestaron: "El primero". Esto lo dijeron sin comprender que estaban pronunciando sentencia contra ellos mismos. Entonces salió de los labios de Cristo la denuncia: "De cierto os digo, que los publicanos y las rameras os van delante al reino de Dios. Porque vino a vosotros Juan en camino de justicia, y no le creísteis; y los publicanos y las rameras le creyeron; y vosotros, viendo esto, no os arrepentisteis después para creerle".

Juan el Bautista vino predicando la verdad, y mediante su predicación los pecadores quedaban convictos y convertidos. Estos habían de entrar en el reino de los cielos antes que aquellos que en su justicia propia resistían la solemne amonestación.

Los publicanos y rameras eran ignorantes, pero estos hombres instruidos conocían el camino de la verdad. Sin embargo, rehusaban caminar en la senda que va al Paraíso de Dios. La verdad que debiera haber sido para ellos un sabor de vida para vida, se convirtió en un sabor de muerte para muerte. Los pecadores manifiestos que se menospreciaban a sí mismos, habían recibido el bautismo de las manos de Juan; pero estos maestros eran hipócritas. Su corazón obstinado era el obstáculo para que recibieran la verdad. Resistían la convicción del Espíritu de Dios. Rehusaban obedecer los mandamientos de Dios.

Cristo no les dijo: No podéis entrar en el reino de los cielos; sino que les mostró que el obstáculo que les impedía entrar era creado por ellos mismos. La puerta estaba todavía abierta para esos dirigentes judíos. Se les extendía todavía la invitación. Cristo anhelaba verlos convictos y convertidos.

Los sacerdotes y ancianos de Israel pasaban su vida en ceremonias religiosas, a las cuales consideraban demasiado sagradas para asociarlas con los negocios seculares. Por consiguiente se esperaba que sus vidas fueran enteramente religiosas. Pero realizaban sus ceremonias para ser vistos de los hombres, para que el mundo los considerara piadosos y devotos. Mientras pretendían obedecer, rehusaban prestar obediencia a Dios. No eran hacedores de la verdad que profesaban enseñar.

Cristo declaró que Juan el Bautista era uno de los mayores profetas, y mostró a sus oyentes que habían tenido suficiente evidencia de que

Juan era un mensajero de Dios. Las palabras del predicador del desierto poseían poder. El presentó su mensaje resueltamente, reprendiendo los pecados de los sacerdotes y gobernantes, instándolos a hacer las obras del reino de los cielos. Les señaló su pecaminosa falta de consideración hacia la autoridad de su Padre, al rehusar hacer la obra que les había sido asignada. No transigió con el pecado, y muchos abandonaron su impiedad.

Si lo que profesaban creer los dirigentes judíos hubiera sido genuino, habrían recibido el testimonio de Juan y aceptado a Jesús como el Mesías. Pero ellos no mostraron los frutos del arrepentimiento y la justicia. Los mismos a quienes despreciaban iban antes que ellos al reino de Dios.

En la parábola, el hijo que afirmó: "Yo, señor, voy", se presentó a sí mismo como fiel y obediente; pero el tiempo comprobó que su profesión no era sincera. El no tenía verdadero amor por su padre. Así los fariseos se jactaban de su santidad, pero cuando fueron probados, se los halló faltos. Cuando les interesaba hacerlo, presentaban los requerimientos de la ley como muy exigentes; pero cuando a ellos mismos se les exigía la obediencia, mediante arteras sofisterías despojaban de su fuerza los preceptos de Dios. Respecto a ellos Cristo declaró: "No hagáis conforme a sus obras: porque dicen, y no hacen". (Mateo 23:3.) Ellos no tenían verdadero amor por Dios o el hombre. Dios los llamó a ser colaboradores suyos en la obra de bendecir al mundo, pero aunque profesaban aceptar el llamamiento, en la práctica rehusaban obedecerlo. Confiaban en sí mismos, y se jactaban de su piedad; pero desafiaban los mandatos de Dios. Rehusaban hacer la obra que Dios les había señalado, y debido a sus transgresiones el Señor estaba por divorciarse de la nación desobediente.

La justicia propia no es verdadera justicia, y los que se adhieran a ella tendrán que sufrir las consecuencias de haberse atenido a un fatal engaño. Muchos pretenden hoy día obedecer los mandamientos de Dios, pero no tienen en sus corazones el amor de Dios que fluye hacia otros. Cristo los llama a unirse con él en su obra por la salvación del mundo, pero ellos se contentan diciendo: "Yo, señor, voy". Pero no van. No cooperan con los que están realizando el servicio de Dios. Son perezosos. Como el hijo infiel, hacen a Dios promesas falsas. Al encargarse del solemne pacto de la iglesia se han comprometido a recibir y obedecer la Palabra de Dios, a entregarse al servicio de Dios; pero no lo hacen. Profesan ser hijos de Dios, pero en su vida y carácter niegan su relación con él. No se rinden a la voluntad de Dios. Están viviendo una mentira.

Aparentan cumplir la promesa de obedecer cuando ello no implica sacrificio; pero cuando se requieren sacrificio y abnegación, cuando ven que han de alzar la cruz se echan atrás. Así la convicción del deber se esfuma, y la transgresión de los mandamientos de Dios llega a ser un hábito. El oído puede oír la voz de Dios, pero las facultades espirituales perceptivas han desaparecido. El corazón está endurecido, la conciencia cauterizada.

No penséis que porque no manifestéis una decidida hostilidad hacia Cristo le estáis sirviendo. De esa manera engañamos nuestras almas. Al retener lo que Dios nos ha dado para usarlo en su servicio, ya sea tiempo o medios, o cualquier otro de los dones que nos confirió, trabajamos contra él.

Satanás usa la descuidada y soñolienta indiferencia de los profesos cristianos para robustecer sus fuerzas y ganar almas para su bando. Muchos de los que piensan estar del lado de Cristo aunque no hacen una obra real por él, están sin embargo, habilitando al enemigo para ganar terreno y obtener ventajas. Al dejar de ser obreros diligentes para el Maestro, al dejar de cumplir sus deberes y no pronunciar las palabras que deben, han permitido que Satanás domine las almas que podrían haber sido ganadas para Cristo.

Nunca podremos ser salvados en la indolencia y la inactividad. Una persona verdaderamente convertida no puede vivir una vida inútil y estéril. No es posible que vayamos a la deriva y lleguemos al cielo. Ningún holgazán puede entrar allí. Si no nos esforzamos para obtener la entrada en el reino, si no procuramos fervientemente aprender lo que constituyen las leyes de ese reino, no estamos preparados para tener una parte en él. Los que rehúsan cooperar con Dios en la tierra, no cooperarían con él en el cielo. No sería seguro llevarlos al cielo.

Hay más esperanza para los publicanos y pecadores, que para los que conocen la Palabra de Dios pero rehúsan obedecerla. El que se ve a sí mismo como pecador, sin ningún manto que cubra su pecado, que sabe que está corrompiendo su alma, su cuerpo y su espíritu ante Dios, se alarma para no quedar eternamente separado del reino de los cielos. Comprende su condición enfermiza, y busca salud del gran Médico que dijo: "Al que a mí viene, no le echo fuera". (Juan 6:37.) A esas almas las puede usar el Señor como obreros en su viña. El hijo que durante un tiempo rehusó obedecer la orden de su padre no fue condenado por Cristo, ni tampoco alabado. Las personas representadas por el primer hijo, que rehusó obedecer, no merecen alabanza por tal actitud. Su franqueza no debe ser considerada como una virtud. Santificada por la verdad y la santidad, ella los haría intrépidos testigos de Cristo; pero usada como lo es por el pecador es insultante y desafiante, y se aproxima a la blasfemia. El hecho de que un hombre no sea hipócrita no lo hace en lo más mínimo menos pecador. Cuando las exhortaciones del Espíritu Santo llegan al corazón, nuestra única seguridad reside en responder a ellas sin demora. Cuando llega el llamamiento: "Ve hoy a trabajar en mi viña", no rechacéis la invitación. "Si oyereis su voz hoy, no endurezcáis vuestros corazones". (Hebreos 4:7.) Es peligroso demorar la obediencia. Quizá no oigamos otra vez la invitación.

Y nadie se lisonjee pensando que los pecados acariciados por un tiempo pueden ser fácilmente abandonados en alguna ocasión futura. Esto no es así. Cada pecado acariciado debilita el carácter y fortalece el hábito; y el resultado es una deprava-

ción física, mental y moral. Podéis arrepentiros del mal que habéis hecho, y encaminar vuestros pies por senderos rectos; pero el amoldamiento de vuestra mente y vuestra familiaridad con el mal, os harán difícil distinguir entre lo correcto y lo erróneo. Mediante los malos hábitos que hayáis formado, Satanás os asaltará repetidas veces.

En la orden: "Ve a trabajar en mi viña", se presenta a cada alma una prueba de sinceridad. ¿Habrá hechos tanto como palabras? ¿Usará el que es llamado todo el conocimiento que tiene, trabajando fiel y desinteresadamente para el Dueño de la viña?

El apóstol Pedro nos instruye sobre el plan según el cual debemos trabajar. "Gracia y paz os sea multiplicada —dice él—, en el conocimiento de Dios y de nuestro Señor Jesús. Como todas las cosas que pertenecen a la vida y a la piedad nos sean dadas de su divina potencia, por el conocimiento de Aquel que nos ha llamado por su gloria y virtud: por las cuales nos son dadas preciosas y grandísimas promesas, para que por ellas fueseis hechos participantes de la naturaleza divina, habiendo huido de la corrupción que está en el mundo por concupiscencia. Vosotros también, poniendo toda diligencia por esto mismo, mostrad en vuestra fe virtud, y en la virtud ciencia; y en la ciencia templanza, y en la templanza paciencia, y en la paciencia temor de Dios; y en el temor de Dios, amor fraternal; y en el amor fraternal caridad". (2 Pedro 1:2-7.)

Si cultivas fielmente la viña de tu alma, Dios te está haciendo obrero juntamente con él. Y tendrás una obra que hacer no sólo por ti mismo, sino por otros. Al representar a la iglesia por una viña, Cristo no enseña que hemos de limitar nuestras simpatías y trabajos a los nuestros. La viña del Señor ha de ser agrandada. El desea que sea extendida a todas partes de la tierra. Cuando recibimos la instrucción y la gracia de Dios, debemos impartir a otros un conocimiento referente a la forma de cuidar de las preciosas plantas. Así podemos extender la viña del Señor. Dios está aguardando evidencias de nuestra fe, amor y paciencia. El mira para ver si estamos usando cada ventaja espiritual con el objeto de llegar a ser obreros hábiles en su viña sobre la tierra, para que podamos entrar en el paraíso de Dios, aquel hogar edénico del cual fueron excluidos Adán y Eva por la transgresión.

Dios mantiene hacia su pueblo la relación de un padre, y nos pide, como Padre, nuestro servicio fiel. Consideremos la vida de Cristo. Como cabeza de la humanidad, sirviendo a su Padre, es un ejemplo de lo que cada hijo debe y puede ser. La obediencia que Cristo rindió es la que Dios requiere de los seres humanos hoy día. El sirvió a su Padre con amor, con buena voluntad y libertad. "Me complazco en hacer tu voluntad, oh Dios mío —declara él—; y tu ley está en medio de mi corazón". (Salmo 40:8, VM.) Cristo no consideró demasiado grande ningún sacrificio ni demasiado dura ninguna labor, a fin de realizar la obra que él vino a hacer. A la edad de doce años afirmó: "¿No sabíais que en los negocios de mi Padre me conviene estar?" (Lucas 2:49.) Había oído el llamamiento y había emprendido la obra. Dijo él: "Mi comida es que haga la voluntad

del que me envió, y que acabe su obra". (Juan 4:34.)

Así hemos de servir a Dios. Solamente le sirve el que actúa de acuerdo con la más elevada norma de obediencia. Todos los que quieran ser hijos e hijas de Dios, deben de mostrar que son colaboradores de Dios, de Cristo y de los ángeles celestiales. Esta es la prueba para cada alma. El Señor dice de los que le sirven fielmente: "Serán para mí especial tesoro..., en el día que yo tengo de hacer: y perdonarélos como el hombre que perdona a su hijo que le sirve". (Malaquías 3:17.)

El gran propósito de Dios al llevar a cabo sus providencias, es probar a los hombres, darles la oportunidad de desarrollar el carácter. Así él prueba si son obedientes o desobedientes a sus mandamientos. Las buenas obras no compran el amor de Dios, pero revelan que poseemos ese amor. Si rendimos a Dios nuestra voluntad, no trabajaremos a fin de ganar el amor de Dios. Su amor, como un don gratuito, será recibido en el alma, y por amor a él nos deleitaremos en obedecer sus mandamientos.

Hay dos clases de personas en el mundo hoy día, y tan sólo dos clases serán reconocidas en el juicio: la que viola la ley de Dios y la que la obedece. Cristo da la prueba mediante la cual se ha de comprobar nuestra lealtad o deslealtad. "Si me amáis —dice él—, guardad mis mandamientos... El que tiene mis mandamientos, y los guarda, aquel es el que me ama; y el que me ama, será amado de mi Padre, y yo le amaré y me manifestaré a él... El que no me ama, no guarda mis palabras: y la palabra que habéis oído, no es mía sino del Padre que me envió". "Si guardareis mis mandamientos, estaréis en mi amor; como yo también he guardado los mandamientos de mi Padre, y estoy en su amor" (Juan 14:15-24; 15:10.)

Un Mensaje a la Iglesia Moderna

Este capítulo está basado en Mateo 21:33-44.

LA PARABOLA de los dos hijos fue seguida por la parábola de la viña. En la primera, Cristo había presentado delante de los maestros judíos la importancia de la obediencia. En la otra, señaló las ricas bendiciones conferidas a Israel, y por medio de éstas mostró el derecho que Dios tenía a su obediencia. Presentó delante de ellos la gloria del propósito de Dios, que podrían haber cumplido mediante la obediencia. Apartando el velo del futuro, mostró cómo, al dejar de cumplir su propósito, toda la nación estaba renunciando a su bendición y trayendo sobre sí la ruina.

"Fue un hombre, padre de familia —dijo Cristo—, el cual plantó una viña; y la cercó de vallado, y cavó en ella un lagar, y edificó una torre, y la dio a renta a labradores, y se partió lejos".

La nación judía

El profeta Isaías describe esta viña: "Ahora cantaré por mi amado el cantar de mi amado a su viña. Tenía mi amado una viña en un recuesto, lugar fértil. Habíala cercado, y despedregádola y plantádola de vides escogidas: había edificado en medio de ella una torre, y también asentado un lagar en ella; y esperaba que llevase uvas". (Isaías 5:1, 2.) El labrador escoge una parcela de terreno en el desierto; la cerca, la limpia, la trabaja, la planta con vides escogidas, esperando una rica cosecha. Espera que este terreno, en su superioridad con respecto al desierto inculto, le honre mostrando los resultados de su cuidado y los afanes con que lo cultivó. Así Dios había escogido a un pueblo de entre el mundo para que fuera preparado y educado por Cristo. El profeta dice: "La viña de Jehová de los ejércitos es la casa de Israel, y los hombres de Judá planta suya deleitosa". (Isaías 5:7.) Sobre ese pueblo Dios había prodigado grandes privilegios, bendiciéndolo ricamente con su abundante bondad. Esperaba que lo honraran llevando fruto. Habían de revelar los principios de su reino. En medio de un mundo caído e impío habían de representar el carácter de Dios.

Al igual que la viña del Señor, habían de producir un fruto completamente diferente del de las naciones paganas. Esos pueblos idólatras se habían entregado a la iniquidad. Sin ninguna restricción se ejercían la violencia, el crimen, la gula, la opresión y las prácticas más corruptas. La iniquidad, la degradación y la miseria eran el fruto del árbol corrupto. Muy

diferente había de ser el fruto dado por la viña plantada por Dios.

El privilegio de la nación judía era el de representar el carácter de Dios tal como había sido revelado a Moisés. En respuesta a la oración de Moisés: "Ruégote que me muestres tu gloria", el Señor le prometió: "Yo haré pasar todo mi bien delante de tu rostro". "Y pasando Jehová por delante de él, proclamó: Jehová, Jehová, fuerte, misericordioso y piadoso; tardo para la ira, y grande en benignidad y verdad; que guarda la misericordia en millares, que perdona la iniquidad, la rebelión y el pecado". (Exodo 33:18,19; 34:6,7.) Este era el fruto que Dios deseaba de su pueblo. En la pureza de sus caracteres, en la santidad de sus vidas, en su misericordia, en su amante bondad y compasión, habían de mostrar que "la ley de Jehová es perfecta, que vuelve el alma". (Salmo 19:7.)

El propósito de Dios era impartir ricas bendiciones a todo el mundo mediante la nación judía. Por medio de Israel había de prepararse el camino para la difusión de su luz a todo el mundo. Las naciones de la tierra, al seguir prácticas corruptas, habían perdido el conocimiento de Dios. Sin embargo, en su misericordia, Dios no las rayó de la existencia. Se propuso darles la oportunidad de llegar a conocerlo mediante su iglesia. Quería que los principios revelados por medio de su pueblo fueran los medios de restaurar la imagen moral de Dios en el hombre.

Para cumplir este propósito, Dios llamó a Abrahán a salir de su parentela idólatra, y le indicó que morara en la tierra de Canaán. "Haré de ti una nación grande, y bendecirte he, y engrandeceré tu nombre, y serás bendición" (Génesis 12:2), le dijo.

Los descendientes de Abrahán, Jacob y su posteridad, fueron llevados a Egipto, para que en medio de aquella grande e impía nación pudieran revelar los principios del reino de Dios. La integridad de José y su maravillosa obra al preservar la vida de toda la nación egipcia, fue una representación de la vida de Cristo. Moisés y muchos otros fueron testigos de Dios.

Al sacar a Israel de Egipto, Dios manifestó nuevamente su poder y misericordia. Las obras maravillosas realizadas al librarlos del cautiverio y la forma en que los trató en su viaje por el desierto, no fueron únicamente para el beneficio de Israel. Habían de ser una lección objetiva para las naciones circunvecinas. El Señor se reveló a sí mismo como un Dios que estaba por encima de toda autoridad y grandeza humanas. Las señales y maravillas que realizó en favor de su pueblo mostraban su poder sobre la naturaleza y sobre los más encumbrados adoradores de ella. Dios pasó por la orgullosa tierra de Egipto así como pasará por la tierra en los últimos días. Con fuego y tempestad, terremoto y muerte, el gran YO SOY redimió a su pueblo. Lo sacó de la tierra de esclavitud. Lo guió a través de "un desierto grande y espantoso, de serpientes ardientes, y de escorpiones, y de sed". Les sacó agua de "la roca del pedernal" y los alimentó con "trigo de los cielos". (Deuteronomio 8:15; Salmo 78:24.) "Porque —como le dijo a Moisés— la parte de Jehová es su pueblo; Jacob la cuerda de su heredad. Hallólo en tierra de desierto, y en desierto horrible y

yermo; trájolo alrededor, instruyólo, guardólo como la niña de su ojo. Como el águila despierta su nidada, revolotea sobre sus pollos, extiende sus alas, los toma, los lleva sobre sus plumas: Jehová solo le guió, que no hubo con él dios ajeno". (Deuteronomio 32:9-12.) Así los sacó para él, para que pudieran morar bajo la sombra del Altísimo.

Cristo era el dirigente de los hijos de Israel en sus peregrinaciones por el desierto. El los dirigió y guió rodeados por la columna de nubes de día y la columna de fuego de noche. Los preservó de los peligros del desierto, los llevó a la tierra prometida, y a la vista de todas las naciones que no reconocían a Dios, estableció a Israel como su posesión escogida, la viña del Señor.

A este pueblo le fueron confiados los oráculos de Dios. Se lo rodeó con el vallado de los preceptos de su ley, los principios eternos de verdad, justicia y pureza. La obediencia a esos principios había de ser su protección, pues los salvaría de la destrucción propia por las prácticas pecaminosas. Y, como la torre en la viña, Dios colocó en medio de la tierra su santo templo.

Cristo era su instructor. Así como había estado con ellos en el desierto, había de continuar siendo su maestro y guía. En el tabernáculo y en el templo su gloria moraba en la santa *shekinah* encima del propiciatorio. En favor de ellos, manifestó constantemente las riquezas de su amor y paciencia.

Dios quería hacer de su pueblo Israel una alabanza y una gloria. Se dio a ellos toda ventaja espiritual. Dios no les negó nada favorable a la formación del carácter que había de hacerlos sus representantes.

Su obediencia a la ley de Dios había de hacerlos maravillas de prosperidad delante de las naciones del mundo. El que podía darles sabiduría y habilidad en todo artificio, continuaría siendo su maestro, y los ennoblecería y elevaría mediante la obediencia a sus leyes. Si eran obedientes, habían de ser preservados de las enfermedades que afligían a otras naciones, y habían de ser bendecidos con vigor intelectual. La gloria de Dios, su majestad y poder, habían de revelarse en toda su prosperidad. Habían de ser un reino de sacerdotes y príncipes. Dios les proveyó toda clase de facilidades para que llegaran a ser la más grande nación de la tierra.

En una forma muy definida Cristo, mediante Moisés, les había presentado el propósito de Dios, y había aclarado las condiciones de su prosperidad: "Tú eres pueblo santo a Jehová tu Dios —dijo él—: Jehová tu Dios te ha escogido para serle un pueblo especial, más que todos los pueblos que están sobre la haz de toda la tierra... Conoce, pues, que Jehová tu Dios es Dios, Dios fiel, que guarda el pacto y la misericordia a los que le aman y guardan sus mandamientos, hasta las mil generaciones... Guarda por tanto los mandamientos, y estatutos, y derechos que yo te mando hoy que cumplas. Y será que, por haber oído estos derechos, y guardado y puéstolos por obra, Jehová tu Dios guardará contigo el pacto y la misericordia que juró a tus padres; y te amará, y te bendecirá, y te multiplicará, y bendecirá el fruto de tu vientre, y el fruto de tu tierra, y tu

grano, y tu mosto, y tu aceite, la cría de tus vacas, y los rebaños de tus ovejas, en la tierra que juró a tus padres que te daría. Bendito serás más que todos los pueblos... Y quitará Jehová de ti toda enfermedad; y todas las malas plagas de Egipto, que tú sabes, no las pondrá sobre ti". (Deuteronomio 7:6, 9, 11-15.)

Si ellos guardaban sus mandamientos, Dios prometía darles el mejor trigo, y sacarles miel de la roca. Habría de satisfacerlos con una larga vida, y mostrarles su salvación.

Por su desobediencia a Dios, Adán y Eva habían perdido el Edén, y debido a su pecado toda la tierra quedó maldita. Pero si el pueblo de Dios seguía su instrucción, su tierra había de ser restaurada a la fertilidad y la belleza. Dios mismo les dio instrucciones en cuanto a la forma de cultivar el suelo, y ellos habían de cooperar con él en su restauración. De modo que toda la tierra, bajo el dominio de Dios, llegaría a ser una lección objetiva de verdad espiritual. Así como en obediencia a las leyes naturales de Dios la tierra había de producir sus tesoros, así en obediencia a sus leyes morales el corazón de la gente había de reflejar los atributos del carácter de Dios. Aun los paganos reconocerían la superioridad de los que servían y adoraban al Dios viviente.

"Mirad —dijo Moisés—, yo os he enseñado estatutos y derechos, como Jehová mi Dios me mandó, para que hagáis así en medio de la tierra en la cual entráis para poseerla. Guardadlos, pues, y ponedlos por obra: porque ésta es vuestra sabiduría y vuestra inteligencia en ojos de los pueblos, los cuales oirán todos estos estatutos, y dirán: Ciertamente pueblo sabio y entendido, gente grande es ésta. Porque ¿qué gente grande hay que tenga los dioses cercanos a sí, como lo está Jehová nuestro Dios en todo cuanto le pedimos? Y ¿qué gente grande hay que tenga estatutos y derechos justos, como es toda esta ley que yo pongo hoy delante de vosotros?" (Deuteronomio 4:5-8.)

Los hijos de Israel habían de ocupar todo el territorio que Dios les había señalado. Habían de ser desposeídas las naciones que rechazaran el culto y el servicio al verdadero Dios. Pero el propósito de Dios era que por la revelación de su carácter mediante Israel, los hombres fueran atraídos a él. A todo el mundo se le dio la invitación del Evangelio. Por medio de la enseñanza del sistema de sacrificios, Cristo había de ser levantado delante de las naciones, y habían de vivir todos los que lo miraran. Todos los que, como Rahab la cananea, y Rut la moabita, se volvieran de la idolatría al culto del verdadero Dios, habían de unirse con el pueblo escogido. A medida que aumentara el número de los Israelitas, éstos habían de ensanchar sus fronteras, hasta que su reino abarcara el mundo.

Dios deseaba colocar todas las naciones bajo su gobierno misericordioso. Deseaba que la tierra se llenara de gozo y paz. Creó al hombre para la felicidad, y anhela llenar el corazón humano con la paz del cielo. Desea que las familias terrenales sean un símbolo de la gran familia celestial.

Pero Israel no cumplió el propósito de Dios. El Señor declaró: "Yo te planté de buen vidueño, simiente verdadera toda ella: ¿cómo pues te me has tornado sarmiento de vid extraña?" "Es Israel una frondosa viña, haciendo frutos para sí". (Jeremías 2:21; Oseas 10:1.) "Ahora pues, vecinos de Jerusalén y varones de Judá, juzgad ahora entre mí y mi viña. ¿Qué más se había de hacer a mi viña, que yo no haya hecho en ella? ¿Cómo, esperando yo que llevase uvas ha llevado uvas silvestres? Os mostraré pues ahora lo que haré yo a mi viña: Quitaréle su vallado, y será para ser consumida; aportillaré su cerca, y será para ser hollada; haré que quede desierta; no será podada ni cavada, y crecerá el cardo y las espinas: y aun a las nubes mandaré que no derramen lluvia sobre ella. Ciertamente... esperaba juicio, y he aquí vileza; justicia, y he aquí clamor". (Isaías 5:3-7.)

Mediante Moisés, el Señor había presentado delante de su pueblo el resultado de la infidelidad. Al rehusar guardar su pacto, se habían de apartar de la vida de Dios, y su bendición no podía venir sobre ellos. "Guárdate —dijo Moisés—, que no te olvides de Jehová tu Dios, para no observar sus mandamientos, y sus derechos, y sus estatutos, que yo te ordeno hoy: que quizás no comas y te hartes, y edifiques buenas casas en que mores, y tus vacas y tus ovejas se aumenten, y la plata y el oro se te multipliquen, y todo lo que tuvieres se te aumente, y se eleve luego tu corazón, y te olvides de Jehová tu Dios... Y digas en tu corazón: Mi poder y la fortaleza de mi mano me han traído esta riqueza... Mas será, si llegares a olvidarte de Jehová tu Dios, y anduvieres en pos de dioses ajenos, y les sirvieres, y a ellos te encorvares, protéstolo hoy contra vosotros, que de cierto pereceréis. Como las gentes que Jehová destruirá delante de vosotros, así pereceréis; por cuanto no habréis atendido a la voz de Jehová vuestro Dios". (Deuteronomio 8:11-14, 17, 19, 20.) La advertencia no fue tenida en cuenta por el pueblo judío. Se olvidaron de Dios, y perdieron de vista su elevado privilegio como representantes suyos. Las bendiciones que habían recibido no proporcionaron ninguna bendición al mundo. Todas sus ventajas fueron empleadas para su propia glorificación. Privaron a Dios del servicio que él requería de ellos, y robaron a sus prójimos la dirección religiosa y el ejemplo santo. A semejanza de los habitantes del mundo antediluviano, siguieron todos los pensamientos de su mal corazón. Así ellos hicieron aparecer como una farsa las cosas sagradas, diciendo: "Templo de Jehová, templo de Jehová es éste" (Jeremías 7:4), mientras que al mismo tiempo representaban indebidamente el carácter de Dios, deshonrando su nombre y profanando su santuario.

Los labradores que habían sido encargados de la viña del Señor, fueron infieles a la confianza depositada en ellos. Los sacerdotes y los maestros no fueron fieles instructores del pueblo. No mantuvieron delante de él la bondad y la misericordia de Dios y su derecho a su amor y servicio. Estos labradores buscaron su propia gloria. Deseaban apropiarse de los frutos de la viña. Tenían el propósito de atraer la atención y el homenaje hacia sí.

El pecado de estos dirigentes de Israel, no era como el pecado de un transgresor vulgar. Ellos estaban colocados bajo la más solemne obligación hacia Dios. Se habían comprometido

a enseñar un "así dice Jehová", y a manifestar estricta obediencia en su vida práctica. En vez de hacer esto, pervertían las Escrituras. Colocaban pesadas cargas sobre los hombres, estableciendo ceremonias forzosas en todos los asuntos de la vida. El pueblo vivía en una inquietud continua; pues no podía cumplir con los requisitos impuestos por los rabinos. Cuando vieron la imposibilidad de guardar los mandamientos hechos por los hombres, se tornaron descuidados respecto a los mandamientos de Dios.

El Señor le había enseñado a su pueblo que él era el propietario de la viña, y que todas sus posesiones les habían sido confiadas a fin de que fuesen usadas para él. Pero los sacerdotes y los maestros no realizaban su sagrado oficio como si hubiesen estado manejando la propiedad de Dios. Le robaban sistemáticamente los medios y las facilidades confiados a ellos para el adelanto de su obra. Su avaricia y ambición hacían que fuesen despreciados aun por los paganos. Así se le dio ocasión al mundo gentil de interpretar mal el carácter de Dios y las leyes de su reino.

Dios soportó a su pueblo con corazón paternal. Lo constriñó con misericordias dadas y misericordias retiradas. Pacientemente le presentó sus pecados, y con tolerancia esperó su reconocimiento. Fueron enviados profetas y mensajeros para que insistiesen ante los labradores en las demandas de Dios; pero en vez de ser bienvenidos, fueron tratados como enemigos. Los labradores los persiguieron y los mataron. Dios todavía envió otros mensajeros, pero ellos recibieron el mismo trato que los primeros, sólo que los labradores mostraron aún un odio más resuelto. Como un último recurso, Dios envió a su Hijo diciendo: "Tendrán respeto a mi hijo". Pero su resistencia los había vuelto vengativos, y dijeron entre sí: "Este es el heredero; venid, matémosle y tomemos su heredad". Entonces se nos dejará gozar de la viña y hacer lo que nos plazca con el fruto.

Los gobernantes judíos no amaban a Dios; por lo que se apartaron de él, y rechazaron todos sus ofrecimientos de hacer un justo arreglo. Cristo, el Amado de Dios, vino para presentar las demandas del Dueño de la viña, pero los labradores lo trataron con marcado desprecio, diciendo: Este hombre no nos gobernará. Tenían envidia de la belleza de carácter de Cristo. La forma de enseñar que Cristo tenía era muy superior a la de ellos, y temían su éxito. El los reconvino, desenmascarando su hipocresía y mostrándoles los resultados seguros de su proceder. Esto los irritó hasta la locura. Se sentían requemados bajo los reproches que no podían acallar. Aborrecían la elevada norma de justicia que Cristo presentaba continuamente. Veían que sus enseñanzas los estaban colocando en el lugar en donde su egoísmo iba a quedar al descubierto, y determinaron matarlo. Aborrecían su ejemplo de veracidad y piedad, y la elevada espiritualidad revelada en todo lo que hacía. Su vida entera era un reproche para el egoísmo de ellos, y cuando se presentó la prueba final, la prueba que significaba obediencia para vida eterna o desobediencia para muerte eterna, rechazaron al Santo de Israel. Cuando se les pidió que escogieran entre Cristo y Barrabás, clamaron: "Suéltanos a Barrabás". Y cuando Pilato preguntó: "¿Qué pues haré de Jesús?", gritaron ferozmente: "Crucifícale". "¿A vuestro rey he de crucificar?", preguntó Pilato, y de los sacerdotes y magistrados se elevó la respuesta: "No tenemos rey sino a César". Cuando Pilato se lavó las manos diciendo: "Inocente soy yo de la sangre de este justo", los sacerdotes se unieron con la turba ignorante en su exclamación apasionada: "Su sangre sea sobre nosotros, y sobre nuestros hijos". (Lucas 23:18; Mateo 27:22; Juan 19:15; Mateo 27:24, 25.)

Así hicieron su elección los dirigentes judíos. Su decisión fue registrada en el libro que Juan vio en la mano de Aquel que se sienta en el trono, el libro que ningún hombre podía abrir. Con todo su carácter vindicativo aparecerá esta decisión delante de ellos el día en que este libro sea abierto por el León de la tribu de Judá.

Los judíos abrigaban la idea de que eran los favoritos del cielo, y que siempre habían de ser exaltados como iglesia de Dios. Eran los hijos de Abrahán, declaraban, y tan firme les parecía el fundamento de su prosperidad, que desafiaban al cielo y a la tierra a que los desposeyeran de sus derechos. Sin embargo, mediante sus vidas de infidelidad, se estaban preparando para la condenación del cielo y su separación de Dios.

En la parábola de la viña, después que Cristo hubo descrito delante de los sacerdotes su acto culminante de impiedad, les hizo la pregunta: "Cuando viniere el señor de la viña, ¿qué hará a aquellos labradores?" Los sacerdotes habían seguido la narración con profundo interés, y sin considerar la relación que el tema tenía con ellos, se unieron con el pueblo en la respuesta: "A los malos destruirá miserablemente, y su viña dará a renta a otros labradores, que le paguen el fruto a sus tiempos".

Sin advertirlo, habían pronunciado su propia sentencia. Jesús los contempló, y bajo su escudriñadora mirada ellos supieron que leía los secretos de su corazón. Su divinidad irradió delante de ellos con poder inconfundible. Vieron en los labradores el propio retrato de sí mismos, e involuntariamente exclamaron: "¡Dios nos libre!"

Solemne y sentidamente Cristo les preguntó: "¿Nunca leísteis en las Escrituras: la piedra que desecharon los que edificaban, ésta fue hecha por cabeza de esquina; por el Señor es hecho esto, y es cosa maravillosa en nuestros ojos? Por tanto os digo, que el reino de Dios será quitado de vosotros, y será dado a gente que haga los frutos de él. Y el que cayere sobre esta piedra será quebrantado; y sobre quien ella cayere, le desmenuzará".

Cristo podría haber impedido la condenación de la nación judía si el pueblo lo hubiera recibido. Pero la envidia y los celos hicieron implacables a los hijos de Israel. Determinaron no recibir a Jesús de Nazaret como el Mesías. Rechazaron la luz del mundo, y de allí en adelante sus vidas estuvieron rodeadas de tinieblas, como las tinieblas de medianoche. La condena predicha cayó sobre la nación judía. Sus propias pasiones feroces e indómitas produjeron su ruina. En su ira ciega se destruyeron mutuamente. Su terco orgullo rebelde trajo sobre ellos la ira de sus

conquistadores romanos. Jerusalén fue destruida, el templo dejado en ruinas y el terreno arado como un campo. Los hijos de Judá perecieron en las más horribles formas de muerte. Millones fueron vendidos para servir como esclavos en tierras paganas.

Como pueblo, los judíos habían dejado de cumplir el propósito de Dios, y la viña les fue quitada. Los privilegios de que habían abusado, la obra que habían menospreciado, fueron confiados a otros.

La iglesia de hoy día

La parábola de la viña se aplica no sólo a la nación judía. Tiene una lección para nosotros. La iglesia en esta generación ha sido dotada por Dios de grandes privilegios y bendiciones, y él espera los resultados correspondientes.

Hemos sido redimidos mediante un rescate costoso. Sólo por la grandeza de este rescate podemos concebir sus resultados. En esta tierra, la tierra cuyo suelo ha sido humedecido por las lágrimas y la sangre del Hijo de Dios, se han de producir preciosos frutos del paraíso. En la vida de los hijos de Dios, las verdades de su Palabra han de revelar su gloria y excelencia. Mediante su pueblo, Cristo ha de manifestar su carácter y los principios de su reino.

Satanás trata de obstruir la obra de Dios, e insta constantemente a los hombres a aceptar sus principios. Presenta al pueblo escogido de Dios como a gente engañada. Es un acusador de los hermanos, y su poder de acusar lo emplea contra los que obran justicia. El Señor desea, mediante su pueblo, contestar las acusaciones de Satanás mostrando los resultados de la obediencia a los principios rectos.

Esos principios se han de manifestar en el cristiano individualmente, en la familia, en la iglesia, y en ·cada institución establecida para el servicio de Dios. Todos éstos han de ser símbolos de lo que se puede hacer para el mundo. Han de ser representaciones del poder salvador de las verdades del Evangelio. Todos son agentes en el cumplimiento del gran propósito de Dios para la especie humana.

Los dirigentes judíos consideraban con orgullo su magnífico templo y los imponentes ritos de sus servicios religiosos; pero les faltaba la justicia, la misericordia y el amor de Dios. La gloria del templo, el esplendor de sus servicios, no podían recomendarlos a Dios; pues no le ofrecían lo único que es de valor a su vista. No le presentaban el sacrificio de un espíritu humilde y contrito. Cuando los principios vitales del reino de Dios se pierden, las ceremonias se aumentan y se hacen extravagantes. Cuando se descuida la edificación del carácter, cuando faltan los adornos del alma, cuando se pierde de vista la sencillez de la piedad, entonces el orgullo y el amor a la ostentación demandan magníficos templos, espléndidos adornos, y ceremonias imponentes. En todo esto no se honra a Dios. Una religión a la moda que consiste en ceremonias, exterioridades y ostentación, no es aceptable ante él. Los servicios de tal religión no obtienen respuesta de los mensajeros celestiales.

La iglesia es muy preciosa a la vista de Dios. El la valora, no por sus ventajas externas, sino por la sincera piedad que la distingue del mundo. La estima de acuerdo con el crecimiento de los miembros en el conocimiento de Cristo, de acuerdo con su progreso en la vida espiritual.

Cristo anhela recibir de su viña el fruto de santidad y abnegación. Busca los principios de amor y bondad. Toda belleza del arte no puede compararse con la belleza del temperamento y del carácter que se han de revelar en los que son representantes de Cristo. La atmósfera de la gracia que rodea el alma del creyente, el Espíritu Santo que trabaja en la mente y el corazón, son los que hacen de él un sabor de vida para vida, y permiten que Dios bendiga su obra.

Una congregación puede ser la más pobre de la tierra. Puede carecer del atractivo de la apariencia exterior, pero si los miembros poseen los principios del carácter de Cristo tendrán el gozo de él en sus almas. Los ángeles se unirán con ellos en su culto. La alabanza y acción de gracias de los corazones agradecidos, ascenderán al Salvador como una dulce ofrenda.

El Señor desea que mencionemos su bondad y hablemos de su poder. Se le honra mediante la expresión de alabanza y agradecimiento. El dice: "El que sacrifica alabanza me honrará". (Salmo 50:23.) Cuando los hijos de Israel viajaban por el desierto, alababan a Dios con himnos sagrados. Los mandamientos y las promesas de Dios fueron provistos de música y a lo largo de todo el sendero fueron cantados por los peregrinos. Y en Canaán, al participar de las fiestas sagradas, las maravillosas obras de Dios habían de ser repasadas, y se había de ofrecer el agradecimiento debido a su nombre. Dios deseaba que toda la vida de su pueblo fuera una vida de alabanza. En esa forma los caminos de Dios habían de ser conocidos "en la tierra", y su salud "en todas las gentes". (Salmo 67:2.) Así debería ser también hoy. Los habitantes del mundo adoran dioses falsos. Han de ser apartados de su falso culto, no porque oigan acusaciones contra sus ídolos, sino porque se les presente algo mejor. Han de ser pregonadas las bondades de Dios. "Sois mis testigos, dice Jehová, que yo soy Dios". (Isaías 43:12.)

El Señor desea que apreciemos el gran plan de la redención, que comprendamos nuestro elevado privilegio como hijos de Dios, y que caminemos delante de él en obediencia y agradecimiento. Desea que le sirvamos en novedad de vida, con alegría cada día. Anhela que la gratitud brote de nuestro corazón porque nuestro nombre está escrito en el libro de la vida del Cordero, porque podemos poner todos nuestros cuidados sobre Aquel que cuida de nosotros. El nos ordena que nos regocijemos porque somos la herencia del Señor, porque la justicia de Cristo es el manto blanco de sus santos, porque tenemos la bendita esperanza de la pronta venida de nuestro Salvador.

El alabar a Dios de todo corazón y con sinceridad, es un deber igual al de la oración. Hemos de mostrar al mundo y a los seres celestiales que apreciamos el maravilloso amor de Dios hacia la humanidad caída, y que esperamos bendiciones cada vez mayores de su infinita plenitud. Mucho más de lo que hacemos, debemos hablar de los preciosos capítulos de nuestra vida cristiana. Después de un derramamiento especial del Espíritu Santo,

aumentarían grandemente nuestro gozo en el Señor y nuestra eficiencia en su servicio, al repasar sus bondades y sus maravillosas obras en favor de sus hijos.

Estas prácticas rechazan el poder de Satanás. Excluyen el espíritu de murmuración y queja, y el tentador pierde terreno. Fomentan aquellos atributos del carácter que habilitarán a los habitantes de la tierra para las mansiones celestiales.

Un testimonio tal tendrá influencia sobre otros. No se puede emplear un medio más eficaz para ganar almas para Cristo.

Hemos de alabar a Dios mediante un servicio tangible, haciendo todo lo que podamos para aumentar la gloria de su nombre. Dios nos imparte sus dones para que podamos también dar, y hacer así que el mundo conozca su carácter. En el sistema judío, las ofrendas formaban una parte esencial del culto de Dios. Se enseñaba a los israelitas a destinar una décima parte de todas sus entradas al servicio del santuario. Además de esto habían de traer ofrendas por el pecado, ofrendas voluntarias, y ofrendas de gratitud. Estos eran los medios para sostener el ministerio del Evangelio en aquel tiempo. Dios no espera menos de nosotros de lo que esperaba de su pueblo antiguamente. Debe llevarse adelante la gran obra de la salvación de las almas. El ha hecho provisión para esa obra por medio del diezmo y las ofrendas. El espera que así se sostenga el ministerio del Evangelio. Reclama el diezmo como suyo, y siempre debería ser considerado como una reserva sagrada, a fin de ser colocado en su tesorería para beneficio de la causa de Dios. El nos pide también ofrendas voluntarias y ofrendas de gratitud. Todo esto ha de ser dedicado para la propagación del Evangelio hasta los confines de la tierra.

El servicio que se hace para Dios incluye el ministerio personal. Mediante el esfuerzo individual, hemos de cooperar con él en la salvación del mundo. La orden de Cristo: "Id por todo el mundo; predicad el evangelio a toda criatura" (Marcos 16:15), se dirige a cada uno de sus seguidores. Todos los que sean investidos para una vida semejante a la de Cristo, han de trabajar por la salvación de sus prójimos. Su corazón latirá al unísono con el corazón de Cristo. Se manifestará en ellos el mismo anhelo por las almas que él sentía. No todos pueden ocupar el mismo lugar en la obra, pero hay un lugar y una obra para cada uno.

En la antigüedad, Abrahán, Isaac, Jacob y Moisés, con su humildad y sabiduría, y Josué con sus diversos dones, fueron todos empleados en el servicio de Dios. La música de María, el valor y la piedad de Débora, el afecto filial de Rut, la obediencia y fidelidad de Samuel, la firme fidelidad de Elías, la suavizadora y subyugadora influencia de Eliseo, todas estas cualidades se necesitaron. Así también ahora, todos aquellos a quienes Dios ha prodigado sus bendiciones, han de responder con un servicio verdadero; ha de emplearse cada don para el adelanto de su reino y la gloria de su nombre.

Todos los que reciben a Cristo como un Salvador personal, han de manifestar la verdad del Evangelio y su poder salvador en la vida. Dios no pide nada sin hacer provisión para su cumplimiento. Por medio de la gracia de Cristo podemos realizar todo lo que Dios requiere. Todas las riquezas del cielo, han de ser reveladas mediante el pueblo de Dios. Dijo Cristo: "En esto es glorificado mi Padre, en que llevéis mucho fruto, y seáis así mis discípulos". (Juan 15:8.)

Dios reclama toda la tierra como su viña. Aunque ahora esté en manos del usurpador, pertenece a Dios. Es suya tanto por la redención como por la creación. Cristo hizo su sacrificio por el mundo. "De tal manera amó Dios al mundo, que ha dado a su Hijo unigénito". (Juan 3:16.) Mediante este don único, todos los demás se imparten a los hombres. Diariamente todo el mundo recibe las bendiciones de Dios. Cada gota de lluvia, cada rayo de luz prodigados sobre la humanidad ingrata, cada hoja, flor y fruto, testifican de la tolerancia de Dios y de su gran amor.

¿Y qué se da en cambio al gran Dador? ¿Cómo consideran los hombres las demandas de Dios? ¿A quién rinden el servicio de su vida las multitudes? Sirven a Mammón. La riqueza, la posición, los placeres del mundo son su blanco. La riqueza se obtiene robando no sólo a los hombres, sino a Dios. Los hombres usan los dones divinos para complacer su egoísmo. Todo lo que pueden tomar lo usan para satisfacer su amor egoísta de placer.

El pecado del mundo de hoy día es el mismo que acarreó la destrucción de Israel. La ingratitud a Dios, el descuido de las oportunidades y bendiciones, el aprovechamiento egoísta de los dones de Dios: todo esto estaba comprendido en el pecado que hizo caer la ira sobre Israel. Estos males están trayendo la ruina al mundo actual.

Las lágrimas que Cristo derramó sobre el Monte de las Olivas al contemplar la ciudad escogida, no las derramó solamente por Jerusalén. En la suerte de esta ciudad, él contempló la destrucción del mundo.

"¡Si también tú conocieses, a lo menos en éste tu día lo que toca a tu paz! Mas ahora está encubierto a tus ojos". (Lucas 19:42.) "En éste tu día". El día está llegando a su fin. Casi ha terminado el tiempo de misericordia y privilegios. Se están reuniendo las nubes de venganza. Los que han rechazado la gracia de Dios, están por ser envueltos en una ruina súbita e irreparable.

Sin embargo, el mundo duerme. Sus habitantes no conocen el tiempo de su visitación.

¿Dónde se ha de encontrar la iglesia en esta crisis? ¿Están cumpliendo sus miembros con las demandas de Dios? ¿Están cumpliendo la comisión divina y presentando el carácter de Dios al mundo? ¿Están llamando con insistencia la atención de sus prójimos al último misericordioso mensaje de amonestación?

Los hombres están en peligro. Las multitudes perecen. ¡Pero cuán pocos de los profesos seguidores de Cristo sienten anhelo por esas almas! El destino de un mundo se halla en juego en la balanza; pero esto apenas si conmueve a los que pretenden creer las verdades más abarcantes que jamás hayan sido dadas a los mortales. Hay falta de aquel amor que indujo a Cristo a abandonar su hogar celestial y tomar la naturaleza humana a fin de que la humanidad pudiera tocar a la humanidad, y lle-

i(302-303)

varla a la divinidad. Hay un estupor, una parálisis sobre el pueblo de Dios, que le impide entender el deber de la hora.

Cuando los israelitas entraron en Canaán, no cumplieron el propósito de Dios de poseer toda la tierra. Después de hacer una conquista parcial, se establecieron para disfrutar de los resultados de sus victorias. En su incredulidad y amor a la comodidad, se congregaron en las porciones ya conquistadas en vez de proseguir y ocupar nuevos territorios. Así comenzaron a apartarse de Dios. Al no cumplir el propósito divino, hicieron imposible que Dios cumpliera su promesa de bendecirlos. ¿No está haciendo lo mismo la iglesia de hoy? Teniendo ante ellos a todo el mundo necesitado del Evangelio, los profesos cristianos se congregan donde puedan gozar de los privilegios evangélicos. No sienten la necesidad de ocupar nuevos territorios, llevando el mensaje de salvación a las regiones remotas. Rehúsan cumplir el mandato de Cristo: "Id por todo el mundo; predicad el evangelio a toda criatura". (Marcos 16:15.) ¿Son menos culpables de lo que fue la iglesia judía?

Los profesos seguidores de Cristo están siendo probados ante el universo celestial; pero la frialdad de su celo y la debilidad de sus esfuerzos en el servicio de Dios los señalan como infieles. Si lo que están haciendo fuera lo máximo que pueden hacer, no caería la condenación sobre ellos; pero si su corazón estuviera ocupado en la obra, podrían hacer mucho más. Ellos saben, y el mundo también lo sabe, que han perdido en gran medida el espíritu de abnegación y sacrificio. Hay muchos frente a cuyos nombres se encontrará escrito en los libros del cielo lo siguiente: No son productores, sino consumidores. Muchos de los que llevan el nombre de Cristo, oscurecen su gloria, velan su belleza, lo privan de su honor.

Hay muchos cuyos nombres están en los libros de la iglesia, pero que no están bajo el dominio de Cristo. No hacen caso de sus instrucciones ni cumplen con su obra. De aquí que están bajo el dominio del enemigo. No están haciendo un bien positivo; por lo tanto, están realizando un daño incalculable. Debido a que su influencia no es un sabor de vida para vida, es un sabor de muerte para muerte.

El Señor dice: "¿No había de hacer visitación sobre esto?" (Jeremías 5:9.) Por cuanto los hijos de Israel no cumplieron con el propósito de Dios, fueron puestos a un lado, y el Señor extiende su invitación a otros. Si éstos también son infieles, ¿no serán rechazados de la misma forma?

En la parábola de la viña, Cristo declaró culpables a los labradores. Ellos fueron los que habían rehusado dar a su señor el fruto de su terreno. Los sacerdotes y magistrados de la nación judía fueron los que, al descarriar al pueblo, le habían robado a Dios el servicio que él reclamaba. Fueron ellos los que apartaron de Cristo a la nación.

La ley de Dios, exenta de tradiciones humanas, fue presentada por Cristo como la gran norma de obediencia. Esto despertó la enemistad de los rabinos. Ellos habían puesto las enseñanzas humanas por encima de la Palabra de Dios, y habían apartado al pueblo de sus preceptos. No estaban dispuestos a renunciar a sus mandamientos hechos por hombres, a fin de obedecer los requerimientos de la Palabra de Dios. No querían sacrificar, por causa de la verdad, el orgullo de la razón y la alabanza de los hombres. Cuando Cristo vino, presentando a la nación las demandas de Dios, los sacerdotes y ancianos le negaron su derecho de interponerse entre ellos y el pueblo. No estaban dispuestos a aceptar sus reproches y amonestaciones, y se propusieron malquistar a la gente con Jesús y así destruirlo.

Ellos fueron responsables del rechazamiento de Cristo, con los resultados que le siguieron. El pecado de una nación y su ruina se debieron a los dirigentes religiosos.

¿No obran acaso las mismas influencias en nuestros días? ¿No están muchos siguiendo los pasos de los dirigentes judíos a semejanza de los labradores de la viña del señor? ¿Acaso los dirigentes religiosos no están apartando a los hombres de los claros requisitos de la Palabra de Dios? ¿No están educándolos en la transgresión en vez de la obediencia de la ley de Dios? Desde muchos púlpitos de las iglesias se enseña a la gente que no es obligatoria la ley de Dios. Se exaltan las tradiciones, ordenanzas y costumbres humanas. Los dones de Dios se emplean para fomentar el orgullo y la complacencia propia, al paso que se olvidan las demandas de Dios.

Al poner a un lado la ley de Dios, los hombres no saben lo que están haciendo. La ley de Dios es la transcripción de su carácter. Abarca los principios de su reino. El que rehúsa aceptar esos principios, se está colocando fuera del canal por donde fluyen las bendiciones de Dios.

Las gloriosas posibilidades presentadas ante Israel se podían realizar únicamente mediante la obediencia a los mandamientos de Dios. La misma elevación de carácter, la misma plenitud de bendición —bendición de la mente, el alma y el cuerpo, bendición del hogar y del campo, bendición para esta vida y la venidera—, podemos obtenerlas únicamente por medio de la obediencia.

Tanto en el mundo espiritual como en el natural, la obediencia a las leyes de Dios es la condición para llevar fruto. Y cuando los hombres enseñan a la gente a desobedecer los mandamientos de Dios, están impidiendo que den fruto para su gloria. Son culpables de retener del Señor los frutos de su viña.

Los mensajeros de Dios mandados por el Maestro vienen a nosotros. Vienen, como Cristo, demandando obediencia a la Palabra de Dios. Piden los frutos de la viña, los frutos del amor, la humildad y el servicio abnegado. ¿Acaso no hay muchos labradores que, a semejanza de los dirigentes judíos, se mueven a ira? Cuando se presentan delante del pueblo las demandas de la ley de Dios, ¿no usan su influencia esos maestros para inducir a los hombres a rechazarlas? A tales maestros Dios llama siervos infieles.

Las palabras que Dios dirigió al antiguo Israel encierran una solemne amonestación para la iglesia actual y sus dirigentes. De Israel dijo el Señor: "Escribíle las grandezas de mi ley, y fueron tenidas por cosas ajenas". (Oseas 8:12.) Y él declaró de los sacerdotes y maestros: "Mi pueblo fue talado porque le faltó sabiduría. Porque tú desechaste la sabiduría, yo te echaré... pues que olvidaste la ley de tu Dios, también yo me olvidaré de tus hijos". (Oseas 4:6.)

¿No se hará caso de las reprensiones de Dios? ¿No se aprovecharán las oportunidades de servir? ¿Impedirán la mofa del mundo, el orgullo de la razón, la conformidad a las costumbres y tradiciones humanas, que los profesos seguidores de Cristo le sirvan? ¿Rechazarán la Palabra de Dios como los dirigentes judíos rechazaron a Cristo? Delante de nosotros está el resultado del pecado de Israel. ¿Aceptará la amonestación la iglesia de Dios hoy día?

"Si algunas de las ramas fueron quebradas, y tú siendo acebuche, has sido ingerido en lugar de ellas, y has sido hecho partícipe de la raíz y de la grosura de la oliva; no te jactes... Por su incredulidad fueron quebradas, mas tú por la fe estás en pie. No te ensoberbezcas, antes teme, que si Dios no perdonó a las ramas naturales, a ti tampoco no perdone". (Romanos 11:17-21.)

Ante el Tribunal Supremo

Este capítulo está basado en Mateo 22:1-14.

LA PARABOLA del vestido de bodas representa una lección del más alto significado. El casamiento representa la unión de la humanidad con la divinidad; el vestido de bodas representa el carácter que todos deben poseer para ser tenidos por dignos convidados a las bodas.

En esta parábola como en la de la gran cena, se ilustran la invitación del Evangelio, su rechazamiento por el pueblo judío, y el llamamiento de misericordia dirigido a los gentiles. Pero de parte de los que rechazan la invitación, esta parábola presenta un insulto mayor y un castigo más terrible. El llamamiento a la fiesta es una invitación del rey. Procede de aquel que está investido de poder para ordenar. Confiere gran honor. Sin embargo, el honor no es apreciado. La autoridad del rey es menospreciada. Mientras la invitación del padre de familia fue recibida con indi-ferencia, la del rey es recibida con insultos y homicidio. Trataron a sus siervos con desprecio, afrentándo-los y matándolos.

El padre de familia, al ver despreciada su invitación, declaró que ninguno de los convidados probaría su cena. Pero en cuanto a los que habían despreciado al rey, se decreta algo más que la exclusión de su presencia y de su mesa, pues "enviando sus ejércitos, destruyó a aquellos homicidas, y puso fuego a su ciudad".

En ambas parábolas, la fiesta queda provista de convidados, pero la segunda demuestra que todos los que asisten a la fiesta han de hacer cierta preparación. Los que descuidan esta preparación son echados fuera. "Y entró el rey para ver a los convidados, y vio allí un hombre no vestido de boda. Y le dijo: Amigo, ¿cómo entraste aquí no teniendo vestido de boda? Mas él cerró la boca. Entonces el rey dijo a los que servían: Atado de pies y de manos tomadle, y echadle en las tinieblas de afuera: Allí será el lloro y el crujir de dientes".

La invitación a la fiesta había sido dada por los discípulos de Cristo. Nuestro Señor había mandado a los doce y después a los setenta, para que proclamaran que el reino de Dios estaba cerca, e invitasen a los hombres a arrepentirse y creer en el Evangelio. Pero la invitación no fue escuchada. Los que habían sido invitados a la fiesta no vinieron. Los siervos fueron enviados más tarde para decirles: "He aquí, mi comida he aparejado; mis toros y animales engordados son muertos, y todo está prevenido: venid a las bodas". Tal fue el mensaje dado a la nación judía después de la crucifixión de Cristo, pero la nación que aseveraba ser el pueblo peculiar de Dios rechazó el Evangelio que se le traía con el poder del Espíritu Santo. Muchos hicieron esto de la manera más despectiva. Otros se exasperaron tanto por el ofrecimiento de la salvación, por la oferta de perdón, por haber rechazado al Señor de gloria, que se volvieron contra los portadores del mensaje. Hubo "una grande persecución". (Hechos 8:1.) Muchos hombres y mujeres fueron echados en la cárcel, y fueron muertos algunos de los mensajeros del Señor, como Esteban y Santiago.

Así selló el pueblo judío su rechazamiento de la misericordia de Dios. El resultado fue predicho por Cristo en la parábola. El rey, "enviando sus ejércitos, destruyó a aquellos homicidas, y puso fuego a su ciudad". El juicio pronunciado vino sobre los judíos en la destrucción de Jerusalén y la dispersión de la nación.

La tercera invitación a la fiesta representa la proclamación del Evangelio a los gentiles. El rey dijo: "Las bodas a la verdad están aparejadas; mas los que eran llamados no eran dignos. Id pues a las salidas de los caminos y llamad a las bodas a cuantos hallareis".

Los siervos del rey que salieron por los caminos "juntaron a todos los que hallaron; juntamente malos y buenos". Era una compañía heterogénea. Algunos no tenían mayor respeto, por quien daba la fiesta, que aquellos que habían rechazado la invitación. Los que fueron primeramente invitados no podían consentir, pensaban ellos, en sacrificar ninguna ventaja mundanal para asistir al banquete

del rey. Y entre los que aceptaron la invitación, había algunos que sólo pensaban en su propio beneficio. Vinieron para disfrutar del banquete, pero no por el deseo de honrar al rey.

Cuando el rey vino a ver a los convidados, se reveló el verdadero carácter de todos. Para cada uno de los convidados a la fiesta se había provisto un vestido de boda. Este vestido era un regalo del rey. Al usarlo, los convidados mostraban su respeto por el dador de la fiesta. Pero un hombre estaba aún vestido con sus ropas comunes. Había rehusado hacer la preparación requerida por el rey. Desdeñó usar el manto provisto para él a gran costo. De esta manera insultó a su señor. A la pregunta del rey: "¿Cómo entraste aquí no teniendo vestido de boda?", no pudo contestar nada. Se condenó a sí mismo. Entonces el rey dijo: "Atado de pies y de manos tomadle, y echadle en las tinieblas de afuera".

El examen que de los convidados a la fiesta hace el rey, representa una obra de juicio. Los convidados a la fiesta del Evangelio son aquellos que profesan servir a Dios, aquellos cuyos nombres están escritos en el libro de la vida. Pero no todos los que profesan ser cristianos son verdaderos discípulos. Antes que se dé la recompensa final, debe decidirse quiénes son idóneos para compartir la herencia de los justos. Esta decisión debe hacerse antes de la segunda venida de Cristo en las nubes del cielo; porque cuando él venga, traerá su galardón consigo, "para recompensar a cada uno según fuere su obra". (Apocalipsis 22:12.) Antes de su venida, pues, habrá sido determinado el carácter de la obra de todo hombre, y a cada uno de los seguidores de Cristo le habrá sido fijada su recompensa de acuerdo con sus obras.

Mientras los hombres moran todavía en la tierra se verifica la obra del juicio investigador en los atrios del cielo. Delante de Dios pasa el registro de la vida de todos sus profesos seguidores. Todos son examinados según lo registrado en los libros del cielo, y según sus hechos queda para siempre fijado el destino de cada uno.

El vestido de boda de la parábola representa el carácter puro y sin mancha que poseerán los verdaderos seguidores de Cristo. A la iglesia "le fue dado que se vista de lino fino, limpio y brillante", "que no tuviese mancha, ni arruga, ni cosa semejante". El lino fino, dice la Escritura, "son las justificaciones de los santos". (Apocalipsis 19:8; Efesios 5:27.) Es la justicia de Cristo, su propio carácter sin mancha, que por la fe se imparte a todos los que lo reciben como Salvador personal.

La ropa blanca de la inocencia era llevada por nuestros primeros padres cuando fueron colocados por Dios en el santo Edén. Ellos vivían en perfecta conformidad con la voluntad de Dios. Toda la fuerza de sus afectos era dada a su Padre celestial. Una hermosa y suave luz, la luz de Dios, envolvía a la santa pareja. Este manto de luz era un símbolo de sus vestiduras espirituales de celestial inocencia. Si hubieran permanecido fieles a Dios, habría continuado envolviéndolos. Pero cuando entró el pecado, rompieron su relación con Dios, y la luz que los había circuido se apartó. Desnudos y avergonzados, procuraron suplir la falta de los mantos celestiales cosiendo hojas de higuera para cubrirse.

Esto es lo que los transgresores de la ley de Dios han hecho desde el día en que Adán y Eva desobedecieron. Han cosido hojas de higuera para cubrir la desnudez causada por la transgresión. Han usado los mantos de su propia invención; mediante sus propias obras han tratado de cubrir sus pecados y hacerse aceptables a Dios.

Pero esto no pueden lograrlo jamás. El hombre no puede idear nada que ocupe el lugar de su perdido manto de inocencia. Ningún manto hecho de hojas de higuera, ningún vestido común a la usanza mundana, podrán emplear aquellos que se sienten con Cristo y los ángeles en la cena de las bodas del Cordero.

Unicamente el manto que Cristo mismo ha provisto puede hacernos dignos de aparecer ante la presencia de Dios. Cristo colocará este manto, esta ropa de su propia justicia sobre cada alma arrepentida y creyente. "Yo te amonesto —dice él— que de mí compres... vestiduras blancas, para que no se descubra la vergüenza de tu desnudez". (Apocalipsis 3:18.)

Este manto, tejido en el telar del cielo, no tiene un solo hilo de invención humana. Cristo, en su humanidad, desarrolló un carácter perfecto, y ofrece impartirnos a nosotros este carácter. "Como trapos asquerosos son todas nuestras justicias". (Isaías 64:6, VM.) Todo cuanto podamos hacer por nosotros mismos está manchado por el pecado. Pero el Hijo de Dios "apareció para quitar nuestros pecados, y no hay pecado en él". Se define el pecado como la "transgresión de la ley". (1 Juan 3:5, 4.) Pero

Cristo fue obediente a todo requerimiento de la ley. El dijo de sí mismo: "Me complazco en hacer tu voluntad, oh Dios mío, y tu ley está en medio de mi corazón". (Salmo 40:8, VM.) Cuando estaba en la tierra dijo a sus discípulos: "He guardado los mandamientos de mi Padre". (Juan 15:10.) Por su perfecta obediencia ha hecho posible que cada ser humano obedezca los mandamientos de Dios. Cuando nos sometemos a Cristo, el corazón se une con su corazón, la voluntad se fusiona con su voluntad, la mente llega a ser una con su mente, los pensamientos se sujetan a él; vivimos su vida. Esto es lo que significa estar vestidos con el manto de su justicia. Entonces, cuando el Señor nos contempla, él ve no el vestido de hojas de higuera, no la desnudez y deformidad del pecado, sino su propia ropa de justicia, que es la perfecta obediencia a la ley de Jehová.

Los convidados a la fiesta de bodas fueron inspeccionados por el rey, y se aceptó solamente a aquellos que habían obedecido sus requerimientos y se habían puesto el vestido de bodas. Así ocurre con los convidados a la fiesta del Evangelio. Todos deben ser sometidos al escrutinio del gran Rey, y son recibidos solamente aquellos que se han puesto el manto de la justicia de Cristo.

La justicia es la práctica del bien, y es por sus hechos por lo que todos han de ser juzgados. Nuestros caracteres se revelan por lo que hacemos. Las obras muestran si la fe es genuina o no.

No es suficiente que creamos que Jesús no es un impostor, y que la religión de la Biblia no consiste en fábulas arteramente compuestas.

Podemos creer que el nombre de Jesús es el único nombre debajo del cielo por el cual el hombre puede ser salvo, y sin embargo, no hacer de él, por la fe, nuestro Salvador personal. No es suficiente creer la teoría de la verdad. No es suficiente profesar fe en Cristo y tener nuestros nombres registrados en el libro de la iglesia. "El que guarda sus mandamientos, está en él, y él en él. Y en esto sabemos que él permanece en nosotros, por el Espíritu que nos ha dado". "Y en esto sabemos que nosotros le hemos conocido, si guardamos sus mandamientos". (1 Juan 3:24; 2:3.) Esta es la verdadera evidencia de la conversión. No importa cuál sea nuestra profesión de fe, no nos vale de nada a menos que Cristo se revele en obras de justicia.

La verdad ha de implantarse en el corazón. Ha de dominar la mente y los afectos. Todo el carácter debe ser amoldado por las declaraciones divinas. Cada jota y tilde de la Palabra de Dios deben ponerse en práctica en la vida diaria.

El que llegue a ser participante de la naturaleza divina estará en armonía con la gran norma de justicia de Dios, su santa ley. Esta es la regla por la cual Dios mide las acciones de los hombres. Esta será la prueba del carácter en el juicio.

Hay muchos que aseveran que por la muerte de Cristo fue abrogada la ley; pero en esto contradicen las propias palabras de Cristo: "No penséis que he venido para abrogar la ley o los profetas... Hasta que perezca el cielo y la tierra, ni una jota ni una tilde perecerá de la ley". (Mateo 5:17,18.) Cristo depuso su vida para expiar la transgresión que el hombre hiciera de la ley. Si la ley pudiera haber sido cambiada o puesta a un lado, entonces Cristo no habría necesitado ser muerto. Por su vida sobre la tierra, él honró la ley de Dios. Por su muerte, la estableció. El dio su vida como sacrificio, no para destruir la ley de Dios, no para crear una norma inferior, sino para que la justicia pudiera ser mantenida, para demostrar la inmutabilidad de la ley, para que permaneciera para siempre.

Satanás había aseverado que era imposible para el hombre obedecer los mandamientos de Dios; y es cierto que con nuestra propia fuerza no podemos obedecerlos. Pero Cristo vino en forma humana, y por su perfecta obediencia probó que la humanidad y la divinidad combinadas pueden obedecer cada uno de los preceptos de Dios.

"A todos los que le recibieron, dioles potestad de ser hechos hijos de Dios, a los que creen en su nombre". (Juan 1:12.) Este poder no se halla en el agente humano. Es el poder de Dios. Cuando un alma recibe a Cristo, recibe poder para vivir la vida de Cristo.

Dios exige que sus hijos sean perfectos. Su ley es una copia de su propio carácter, y es la norma de todo carácter. Esta norma infinita es presentada a todos a fin de que no haya equivocación respecto a la clase de personas con las cuales Dios ha de formar su reino. La vida de Cristo sobre la tierra fue una perfecta expresión de la ley de Dios, y cuando los que pretenden ser hijos de Dios llegan a ser semejantes a Cristo en carácter, serán obedientes a los mandamientos de Dios. Entonces el Señor puede con confianza contarlos entre el número

que compondrá la familia del cielo. Vestidos con el glorioso manto de la justicia de Cristo, poseen un lugar en el banquete del Rey. Tienen derecho a unirse a la multitud que ha sido lavada con sangre.

El hombre que vino a la fiesta sin vestido de bodas representa la condición de muchos de los habitantes de nuestro mundo actual. Profesan ser cristianos, y reclaman las bendiciones y privilegios del Evangelio; no obstante no sienten la necesidad de una transformación del carácter. Jamás han sentido verdadero arrepentimiento por el pecado. No se dan cuenta de su necesidad de Cristo y de ejercer fe en él. No han vencido sus tendencias heredadas o sus malos hábitos cultivados. Piensan, sin embargo, que son bastante buenos por sí mismos, y confían en sus propios méritos en lugar de esperar en Cristo. Habiendo oído la palabra, vinieron al banquete, pero sin haberse puesto el manto de la justicia de Cristo.

Muchos de los que se llaman cristianos, son meros moralistas humanos. Han rechazado el don que podía haberlos capacitado para honrar a Cristo representándolo ante el mundo. La obra del Espíritu Santo es para ellos una obra extraña. No son hacedores de la Palabra. Los principios celestiales que distinguen a los que son uno con Cristo de los que son uno con el mundo, ya casi no se pueden distinguir. Los profesos seguidores de Cristo no son más un pueblo separado y peculiar. La línea de demarcación es borrosa. El pueblo se está subordinando al mundo, a sus prácticas, a sus costumbres, a su egoísmo. La iglesia ha vuelto al mundo en la transgresión de la ley, cuando el mundo debiera haber vuelto a la iglesia por la obediencia al Decálogo. Diariamente, la iglesia se está convirtiendo al mundo.

Todos éstos esperan ser salvos por la muerte de Cristo, mientras rehúsan vivir una vida de sacrificio propio. Ensalzan las riquezas de la abundante gracia, y pretenden cubrirse con una apariencia de justicia, esperando ocultar sus defectos de carácter; pero sus esfuerzos serán vanos en el gran día de Dios. La justicia de Cristo no cubrirá ningún pecado acariciado. Puede ser que un hombre sea transgresor de la ley en su corazón; no obstante, si no comete un acto exterior de transgresión, puede ser considerado por el mundo como un hombre de gran integridad. Pero la ley de Dios mira los secretos del corazón. Cada acción es juzgada por los motivos que la impulsaron. Unicamente lo que está de acuerdo con los principios de la ley de Dios soportará la prueba del juicio.

Dios es amor. El mostró ese amor en el don de Cristo. Cuando él dio "a su Hijo unigénito, para que todo aquel que en él cree, no se pierda, mas tenga vida eterna" (Juan 3:16), no le negó nada a su posesión adquirida. Dio todo el cielo, del cual podemos obtener fuerza y eficiencia, para que no seamos rechazados o vencidos por nuestro gran adversario. Pero el amor de Dios no lo induce a disculpar el pecado. No lo disculpó en Satanás; no lo disculpó en Adán o en Caín; ni lo disculpará en ningún otro de los hijos de los hombres. El no tolerará nuestros pecados ni pasará por alto nuestros defectos de carác-

ter. Espera que los venzamos en su nombre.

Los que rechazan el don de la justicia de Cristo están rechazando los atributos de carácter que harían de ellos hijos e hijas de Dios. Están rechazando lo único que podría capacitarlos para ocupar un lugar en la fiesta de bodas.

En la parábola, cuando el rey preguntó: "¿Cómo entraste aquí no teniendo vestido de boda?", el hombre quedó mudo. Así ocurrirá en el gran día del juicio. Los hombres pueden disculpar ahora sus defectos de carácter, pero en aquel día no tendrán excusas que presentar.

Las iglesias profesas de Cristo de esta generación disfrutan de los más altos privilegios. El Señor nos ha sido revelado con una luz cada vez mayor. Nuestros privilegios son mucho más grandes que los del antiguo pueblo de Dios. No sólo poseemos la gran luz confiada a Israel, sino que tenemos la creciente evidencia de la gran salvación que nos ha sido traída por Jesucristo. Aquello que era tipo y símbolo para los judíos es una realidad para nosotros. Ellos tenían la historia del Antiguo Testamento; nosotros tenemos eso y también el Nuevo Testamento. Tenemos la seguridad de un Salvador que ha venido, que ha sido crucificado, que ha resucitado y que junto al sepulcro de José proclamó: "Yo soy la resurrección y la vida". En virtud del conocimiento que poseemos de Cristo y su amor, el reino de Dios es puesto en medio de nosotros. Cristo nos es revelado en sermones y nos es cantado en himnos. El banquete espiritual nos es presentado con rica abundancia. El vestido de bodas, provisto a un precio infinito,

i(316-317)

es ofrecido gratuitamente a cada alma. Mediante los mensajeros de Dios nos son presentadas la justicia de Cristo, la justificación por la fe, y las preciosas y grandísimas promesas de la Palabra de Dios, el libre acceso al Padre por medio de Cristo, la consolación del Espíritu y la bien fundada seguridad de la vida eterna en el reino de Dios. ¿Qué otra cosa podía hacer Dios que no haya hecho al proveer la gran cena, el banquete celestial?

Los ángeles ministradores del cielo dicen: La obra que se nos comisionó realizar ya ha sido cumplida. Hemos hecho retroceder el ejército de los ángeles malos. Hemos enviado claridad y luz a las almas de los hombres, despertando el recuerdo del amor de Dios expresado en Jesús. Hemos atraído sus miradas a la cruz de Cristo. Sus corazones fueron profundamente conmovidos por una conciencia del pecado que crucificó al Hijo de Dios. Fueron convencidos de pecado. Comprendieron los pasos que han de tomarse en la conversión; sintieron el poder del Evangelio; sus corazones fueron enternecidos al considerar la dulzura del amor de Dios. Contemplaron la hermosura del carácter de Cristo. Pero para la mayoría todo esto fue en vano. No quisieron abandonar sus propios hábitos y su carácter. No se quitaron los vestidos terrenales a fin de ser cubiertos con el manto celestial. Sus corazones fueron dados a la codicia. Amaron la asociación del mundo más que a su Dios.

Solemne será el día de la decisión final. En visión profética, el apóstol Juan lo describe así: "Vi un gran trono blanco y al que estaba sentado sobre él, de delante del cual huyó la tierra y el cielo; y no fue hallado el lugar de ellos. Y vi los muertos, grandes y pequeños, que estaban delante de Dios; y los libros fueron abiertos: y otro libro fue abierto, el cual es de la vida: y fueron juzgados los muertos por las cosas que estaban escritas en los libros según sus obras". (Apocalipsis 20:11, 12.)

Triste será la visión retrospectiva en aquel día cuando los hombres se hallen cara a cara con la eternidad. La vida entera se presentará tal cual ha sido. Los placeres mundanos, las riquezas y los honores no parecerán entonces tan importantes. Los hombres verán que únicamente la justicia que despreciaron es de valor. Verán que han modelado su carácter bajo las seducciones engañosas de Satanás. Las ropas que han escogido son la insignia de su alianza con el primer gran apóstata. Entonces verán los resultados de su elección. Conocerán lo que significa violar los mandamientos de Dios.

No habrá un tiempo de gracia futuro en el cual prepararse para la eternidad. En esta vida hemos de vestirnos con el manto de la justicia de Cristo. Esta es nuestra única oportunidad de formar caracteres para el hogar que Cristo ha preparado para los que obedecen sus mandamientos.

Los días de gracia que tenemos están terminando rápidamente. El fin está cerca. A nosotros se nos hace la advertencia: "Mirad por vosotros, que vuestros corazones no sean cargados de glotonería y embriaguez, y de los cuidados de esta vida, y venga de repente sobre vosotros aquel día". (Lucas 21:34.) Estad alerta, no sea que no os halle preparados. Estad apercibidos, no sea que el banquete del Rey os sorprenda sin vestido de bodas.

"Porque el Hijo del hombre ha de venir a la hora que no pensáis".

"Bienaventurado el que vela, y guarda sus vestiduras, para que no ande desnudo, y vean su vergüenza". (Mateo 24:44; Apocalipsis 16:15.)

Cómo Enriquecer la Personalidad

Este capítulo está basado en Mateo 25:13-30.

EN EL Monte de las Olivas, Cristo había hablado a sus discípulos de su segunda venida al mundo. Había especificado ciertas señales de la proximidad de su advenimiento y les había dicho a sus discípulos que velasen y se preparasen. Otra vez les repitió la advertencia: "Velad, pues, porque no sabéis el día ni la hora en que el Hijo del hombre ha de venir". Entonces les hizo ver en qué consistía velar por su venida. No se debe pasar el tiempo en ociosa espera, sino en diligente actividad. Tal es la lección que él enseñó en la parábola de los talentos.

"El reino de los cielos —dijo él— es como un hombre que partiéndose lejos llamó a sus siervos, y les entregó sus bienes. Y a éste dio cinco talentos, y al otro dos, y al otro uno: a cada uno conforme a su facultad; y luego se partió lejos".

El hombre que va a un país lejano representa a Cristo, quien, cuando dijo esta parábola estaba por partir de esta tierra para ir al cielo. Los "siervos" o esclavos de la parábola representan a los seguidores de Cristo. No somos nuestros. Hemos sido "comprados... por precio", "no con cosas corruptibles, como oro o plata; sino con la sangre preciosa de Cristo"; "para que los que viven, ya no vivan para sí, mas para aquel que murió y resucitó por ellos". (1 Corintios 6:20; 1 Pedro 1:18, 19; 2 Corintios 5:15.)

Todos los hombres han sido comprados por este precio infinito. Al derramar todos los tesoros del cielo en este mundo, al darnos en Cristo todo el cielo, Dios ha comprado la voluntad, los afectos, la mente, el alma de cada ser humano. Todos los hombres pertenecen a Dios, ya sean creyentes o incrédulos. Todos son llamados a servirle, y en el día del juicio se requerirá de todos que rindan cuenta de la forma en que hayan respondido a esa demanda.

Sin embargo, no todos reconocen los derechos de Dios. En la parábola se presenta como sus siervos a los que profesan haber aceptado el servicio de Cristo. Los seguidores de Cristo han sido redimidos para servir. Nuestro Señor enseña que el verdadero objeto de la vida es el ministerio. Cristo mismo fue obrero, y a todos sus seguidores les presenta la ley del servicio, el servicio a Dios y a sus semejantes. Aquí Cristo presenta al mundo un concepto más elevado acerca de la vida de lo que jamás ellos habían conocido. Mediante una vida de servicio en favor de otros, el hombre se pone en íntima relación con Cristo. La ley del servicio viene a ser el eslabón que nos une a Dios y a nuestros semejantes.

Cristo confía "sus bienes" a sus siervos: algo que puedan usar para él. Da "a cada uno su obra". Cada uno tiene su lugar en el plan eterno del cielo. Cada uno ha de trabajar en cooperación con Cristo para la salvación de las almas. Tan ciertamente como hay un lugar preparado para nosotros en las mansiones celestiales, hay un lugar designado en la tierra donde hemos de trabajar para Dios.

Los dones del Espíritu Santo

Los talentos que Cristo confía a su iglesia representan especialmente las bendiciones y los dones impartidos por el Espíritu Santo. "A éste es dada por el Espíritu palabra de sabiduría; a otro palabra de ciencia según el mismo Espíritu, a otro, fe por el mismo Espíritu, y a otro, dones de sanidades por el mismo Espíritu; a otro, operaciones de milagros, y a otro, profecía, y a otro, discreción de espíritus; y a otro, género de lenguas; y a otro, interpretación de lenguas. Mas todas estas cosas obra uno y el mismo Espíritu, repartiendo particularmente a cada uno como quiere". (1 Corintios 12:8-11.) Todos los hombres no reciben los mismos dones, pero se promete algún don del Espíritu a cada siervo del Maestro.

Antes de dejar a sus discípulos, Cristo "sopló, y díjoles: Tomad el Espíritu Santo". Otra vez dijo: "He aquí, yo enviaré la promesa de mi Padre sobre vosotros". (Juan 20:22; Lucas 24:49.) Sin embargo, este don no fue recibido en su plenitud hasta después de la ascensión. No fue recibido el derramamiento del Espíritu hasta que, mediante la fe y la oración, los discípulos se consagraron plenamente para efectuar la obra de Cristo. Entonces, en un sentido especial, los bienes del cielo fueron entregados a los seguidores de Cristo. "Subiendo a lo alto, llevó cautiva la cautividad, y dio dones a los hombres". "A cada uno de nosotros es dada la gracia conforme a la medida del don de Cristo", y el Espíritu reparte "particularmente a cada uno como quiere". (Efesios 4:8, 7; 1 Corintios 12:11.) Los dones ya son nuestros en Cristo, pero su posesión verdadera depende de nuestra recepción del Espíritu de Dios.

La promesa del Espíritu no se aprecia como se debiera. Su cumplimiento no se comprende como se podría. La ausencia del Espíritu es lo que hace tan impotente el ministerio evangélico. Se puede poseer sabiduría, talentos, elocuencia, todo don natural o adquirido; pero sin la presencia del Espíritu de Dios no se conmoverá a ningún corazón ni ningún pecador será ganado para Cristo. Por el otro lado, si están relacionados con Cristo, si los dones del Espíritu son suyos, los más pobres y los más ignorantes de sus discípulos tendrán un poder que hablará a los corazones. Dios los convierte en los instrumentos que ejercen la más elevada influencia en el universo.

Otros talentos

Los dones especiales del Espíritu no son los únicos talentos representados en la parábola. Ella incluye todos los dones y talentos, ya sean originales o adquiridos, naturales o espirituales. Todos han de ser empleados en el servicio de Cristo. Al convertirnos en sus discípulos, nos entregamos a él con todo lo que somos y tenemos. El nos devuelve esos dones purificados y ennoblecidos, a fin de que los empleemos para su gloria bendiciendo a nuestros prójimos.

A cada hombre Dios lo ha dotado "conforme a su facultad". Los talentos no se distribuyen caprichosamente; el que tiene capacidad para usar cinco talentos, recibe cinco; el que no puede aprovechar sino dos, recibe dos; el que puede sabiamente usar sólo uno, recibe uno. Nadie necesita lamentarse por no haber recibido dones mayores; pues Aquel que los ha distribuido a todo hombre es honrado igualmente por el aprovechamiento de cada depósito, ora sea grande o pequeño. Aquel a quien se le han entregado cinco talentos, ha de rendir cuenta por el aprovechamiento de cinco; el que no tiene sino uno, por el de uno. Dios espera resultados por lo que el hombre "tiene, no

por lo que no tiene". (2 Corintios 8:12.)

El uso de los talentos

En la parábola, el que había "recibido cinco talentos, se fue, y granjeó con ellos, e hizo otros cinco talentos. Asimismo el que había recibido dos, ganó también él otros dos".

Los talentos, aunque sean pocos, han de ser usados. La pregunta que más nos interesa no es: ¿Cuánto he recibido? sino, ¿Qué estoy haciendo con lo que tengo? El desarrollo de todas nuestras facultades es el primer deber que tenemos para con Dios y nuestros prójimos. Nadie que no crezca diariamente en capacidad y utilidad, está cumpliendo el propósito de la vida. Al hacer una profesión de fe en Cristo, nos comprometemos a desarrollarnos, en la medida plena de nuestra capacidad, como obreros para el Maestro, y debiéramos cultivar toda facultad hasta el más elevado grado de perfección, a fin de que podamos realizar el mayor bien de que seamos capaces.

El Señor tiene una gran obra que ha de ser hecha, y él recompensará en mayor escala, en la vida futura, a los que presten un servicio más fiel y voluntario en la vida presente. El Señor escoge sus propios agentes, y cada día, bajo diferentes circunstancias, los prueba en su plan de acción. En cada esfuerzo hecho de todo corazón para realizar su plan, él escoge a sus agentes, no porque sean perfectos, sino porque, mediante la relación con él, pueden alcanzar la perfección. Dios aceptará únicamente a los que están determinados a ponerse un blanco elevado. Coloca a cada agente humano bajo la obligación de hacer lo mejor que puede. De todos exige perfección moral. Nunca debiéramos rebajar la norma de justicia a fin de contemporizar con malas tendencias heredadas o cultivadas. Necesitamos comprender que es pecado la imperfección de carácter. En Dios se hallan todos los atributos justos del carácter como un todo perfecto y armonioso, y cada uno de los que recibe a Cristo como su Salvador personal, tiene el privilegio de poseer esos atributos.

Y todos los que quieran ser obreros juntamente con Dios, deben esforzarse por alcanzar la perfección de cada órgano del cuerpo y cada cualidad de la mente. La verdadera educación es la preparación de las facultades físicas, mentales y morales para la ejecución de todo deber; es el adiestramiento del cuerpo, la mente y el alma para el servicio divino. Esta es la educación que perdurará en la vida eterna.

El Señor requiere que cada cristiano crezca en eficiencia y capacidad en todo sentido. Cristo nos ha pagado nuestro salario, su propia sangre y sufrimiento, para obtener nuestro servicio voluntario. Vino a nuestro mundo para darnos un ejemplo de cómo debemos trabajar, y qué espíritu debiéramos manifestar en nuestra labor. Desea que estudiemos la mejor forma de hacer adelantar su obra y glorificar su nombre en el mundo, coronando de honor y del más grande amor y devoción al Padre, que "de tal manera amó... al mundo, que ha dado a su Hijo unigénito, para que todo aquel que en él cree, no se pierda, mas tenga vida eterna". (Juan 3:16.)

Sin embargo, Cristo no nos ha dado la seguridad de que sea asunto fácil lograr la perfección del carácter. Un carácter noble, cabal, no se hereda. No lo recibimos accidentalmente. Un carácter noble se obtiene mediante esfuerzos individuales, realizados por los méritos y la gracia de Cristo. Dios da los talentos, las facultades mentales; nosotros formamos el carácter. Lo desarrollamos sosteniendo rudas y severas batallas contra el yo. Hay que sostener conflicto tras conflicto contra las tendencias hereditarias. Tendremos que criticarnos a nosotros mismos severamente y no permitir que quede sin corregir un solo rasgo desfavorable.

Nadie diga: No puedo remediar mis defectos de carácter. Si llegáis a esta conclusión, dejaréis ciertamente de obtener la vida eterna. La imposibilidad reside en vuestra propia voluntad. Si no queréis, no podéis vencer. La verdadera dificultad proviene de la corrupción de un corazón no santificado y de la falta de voluntad para someterse al gobierno de Dios.

Muchos a quienes Dios ha calificado para hacer un excelente trabajo, realizan muy poco, porque intentan poco. Miles pasan por la vida como si no tuvieran objeto definido por el cual vivir, ni norma que alcanzar. Los tales recibirán una recompensa proporcionada a sus obras.

Recordad que nunca alcanzaréis una norma más elevada que la que vosotros mismos os fijéis. Proponeos, pues, un blanco alto, y ascended todo el largo de la escalera del progreso paso a paso, aunque represente penoso esfuerzo, abnegación y sacrificio. Que nada os estorbe. El destino no ha tejido sus redes alrededor de ningún ser humano tan firmemente que éste tenga que permanecer impotente y en la incertidumbre. Las circunstancias adversas deberían crear una firme determinación de vencerlas. El quebrantar una barrera dará mayor habilidad y valor para seguir adelante. Avanzad con determinación en la debida dirección, y las circunstancias serán vuestros ayudadores, no vuestros obstáculos. Para gloria del Maestro, ambicionad cultivar todas las gracias del carácter. Debéis agradar a Dios en todos los aspectos de la formación de vuestro carácter. Podéis hacerlo, pues Enoc agradó al Señor aunque vivía en una época degenerada. Y en nuestros días también hay Enocs.

Permaneced firmes como Daniel, el fiel hombre de Estado a quien ninguna tentación pudo corromper. No chasqueéis a Aquel que os amó de tal manera que dio su propia vida para expiar vuestros pecados. "Sin mí nada podéis hacer" (Juan 15:5), dice. Recordad esto. Si habéis cometido errores, ganáis ciertamente una victoria si los veis y los consideráis señales de advertencia. De ese modo transformáis la derrota en victoria, chasqueando al enemigo y honrando a vuestro Redentor.

Un carácter formado a la semejanza divina es el único tesoro que podemos llevar de este mundo al venidero. Los que en este mundo andan de acuerdo con las instrucciones de Cristo, llevarán consigo a las mansiones celestiales toda adquisición divina. Y en el cielo mejoraremos continuamente. Cuán importante es, pues, el desarrollo del carácter en esta vida.

Los seres celestiales obrarán con el agente humano que con determinada fe busque esa perfección de carácter que alcanzará la perfección en la acción. Cristo dice a cada uno de los que se ocupan en su obra: Estoy a tu mano derecha para ayudarte.

Cuando la voluntad del hombre coopera con la voluntad de Dios, llega a ser omnipotente. Cualquier cosa que debe hacerse por orden suya, puede llevarse a cabo con su fuerza. Todos sus mandatos son habilitaciones.

Las facultades mentales

Dios requiere el adiestramiento de las facultades mentales. El se propone que sus siervos posean más inteligencia y más claro discernimiento que los mundanos, y le desagradan aquellos que son demasiado descuidados o indolentes para llegar a ser obreros eficientes, bien informados. El Señor nos manda que lo amemos con todo el corazón, y con toda el alma, y con toda la fuerza, y con toda la mente. Esto nos impone la obligación de desarrollar el intelecto hasta su máxima capacidad, para que podamos conocer y amar a nuestro Creador con todo el entendimiento.

Si el intelecto es colocado bajo el dominio del Espíritu de Dios, cuanto más se lo cultiva, más eficazmente puede ser usado en el servicio de Dios. El hombre sin instrucción, que es consagrado a Dios y anhela beneficiar a otros, puede ser usado por el Señor en su servicio, y lo es. Pero los que con el mismo espíritu de consagración, han tenido el beneficio de una educación cabal, pueden realizar una obra mucho más extensa para

Cristo. Se hallan colocados en una posición ventajosa.

El Señor desea que obtengamos toda la educación posible, con el objeto de impartir nuestro conocimiento a otros. Nadie puede saber dónde o cómo ha de ser llamado a trabajar o hablar en favor de Dios. Sólo nuestro Padre celestial ve lo que puede hacer de los hombres. Hay ante nosotros posibilidades que nuestra débil fe no discierne. Nuestra mente debiera ser enseñada en forma tal que, si fuere necesario, podamos presentar las verdades de la Palabra de Dios ante las más altas autoridades terrenales y de un modo que glorifique su nombre. No deberíamos descuidar ni una sola oportunidad de prepararnos intelectualmente para trabajar por Dios.

Pónganse a trabajar los jóvenes que necesitan una educación, con la determinación de lograrla. No esperéis una oportunidad; hacedla. Aprovechad cualquier pequeña ocasión que se os presente. Practicad la economía. No gastéis vuestros medios en la satisfacción de vuestro apetito o en la búsqueda de los placeres. Decidíos a ser tan útiles y eficientes como Dios os pide que seáis. Sed cabales y fieles en todo lo que emprendáis. Aprovechad todas las ventajas que haya a vuestro alcance para fortalecer el intelecto. Combinad el estudio de los libros con el trabajo manual útil, y mediante el esfuerzo fiel, la vigilancia y la oración, obtened la sabiduría de origen celestial. Esto os dará una educación equilibrada. Así podréis elevaros en carácter, y adquirir una influencia sobre otras mentes, que os capacitará para dirigirlas por el sendero de la justicia y la santidad.

i(333-335)

Si comprendiéramos plenamente nuestras oportunidades y privilegios, se podría llevar a cabo mucho más en la obra de la autoeducación. La verdadera educación significa más que lo que los colegios pueden dar. Aunque no se debe descuidar el estudio de las ciencias, existe una preparación más elevada que ha de obtenerse mediante una relación vital con Dios. Tome cada estudiante su Biblia y póngase en comunión con el gran Maestro. Edúquese y disciplínese la mente para luchar con problemas arduos en la búsqueda de la verdad divina.

Los que desean ardientemente obtener conocimiento para ser una bendición a sus semejantes, recibirán ellos mismos la bendición de Dios. Mediante el estudio de su Palabra sus facultades mentales serán despertadas a una actividad fervorosa. Se producirá una expansión y un desarrollo de las facultades, y la mente adquirirá poder y eficiencia.

Todo el que quiere ser un obrero para Dios tiene que practicar la disciplina propia. Esto logrará más que la elocuencia o los talentos más destacados. Una mente común, bien disciplinada, efectuará una obra mayor y más elevada que la mente mejor educada y los mayores talentos sin el dominio propio.

El habla

La facultad del habla es un talento que debiera ser diligentemente cultivado. De todos los dones que hemos recibido de Dios, ninguno puede ser una bendición mayor que éste. Con la voz convencemos y persuadimos; con ella oramos y alabamos a Dios, y con ella hablamos a otros del amor del Redentor. Cuán importante es, entonces, que se eduque de tal manera que sea lo más eficaz posible para bien.

La cultura y el uso debido de la voz son grandemente descuidados, aun por personas de inteligencia y actividad cristiana. Hay muchos que leen o hablan en voz tan baja o de un modo tan rápido que no puede entendérseles fácilmente. Algunos tienen una pronunciación apagada e indistinta, otros hablan en tonos agudos y penetrantes, que resultan penosos para los que oyen. Los textos, los himnos, los informes y otras cosas presentadas ante asambleas públicas, son a veces leídos de tal manera que no se entienden, y amenudo su fuerza y poder impresionante quedan destruidos.

Este es un mal que puede y debe corregirse. Sobre este punto nos instruye la Biblia. Se nos dice de los levitas, que leían las Escrituras al pueblo en los días de Esdras: "Y leían en el libro de la ley de Dios claramente, y ponían el sentido, de modo que entendiesen la lectura". (Nehemías 8:8.)

Mediante un esfuerzo diligente todos pueden adquirir la habilidad de leer inteligiblemente y hablar en un tono de voz fuerte, claro, sonoro, de un modo distinto e impresionante. Haciendo esto podemos aumentar grandemente nuestra eficiencia como obreros de Cristo.

Todo cristiano está llamado a dar a conocer a otros las inescrutables riquezas de Cristo; por lo tanto debiera procurar la perfección en el habla. Debiera presentar la Palabra de Dios de un modo que la recomendara a sus oyentes. Dios no desea que sus intermediarios sean incultos. No

es su voluntad que el hombre rebaje o degrade la corriente celestial que fluye por medio de él al mundo.

Debiéramos mirar a Jesús, el modelo perfecto; debiéramos orar por la ayuda del Espíritu Santo, y con su fuerza tratar de educar todo órgano para hacer una obra perfecta.

Esto es especialmente cierto con respecto a aquellos que son llamados al ministerio público. Todo ministro y todo maestro debe recordar que está dando a la gente un mensaje que encierra intereses eternos. La verdad que prediquen los juzgará en el gran día del ajuste final de cuentas. Y en el caso de algunas almas, el modo en que se presente el mensaje, determinará su recepción o rechazamiento. Entonces, háblese la palabra de tal manera que despierte el entendimiento e impresione el corazón. Lenta, distinta y solemnemente debiera hablarse la palabra, y con todo el fervor que su importancia requiere.

La debida cultura y el uso de la facultad del habla es parte de todo ramo de servicio cristiano; entra en la vida familiar y en toda nuestra relación mutua. Hemos de acostumbrarnos a hablar en tonos agradables, a usar un lenguaje puro y correcto, y palabras bondadosas y corteses. Las palabras dulces, amables, son como el rocío y la suave lluvia para el alma. La Escritura dice de Cristo que la gracia fue derramada en sus labios, para que pudiera "hablar en sazón palabra al cansado". (Salmo 45:2; Isaías 50:4.) Y el Señor nos insta: "Sea vuestra palabra siempre con gracia", "para que dé gracia a los oyentes". (Colosenses 4:6; Efesios 4:29.)

Al tratar de corregir o reformar a otros, debiéramos cuidar nuestras palabras. Ellas serán un sabor de vida para vida o de muerte para muerte. Al dar represiones o consejos, muchos se permiten un lenguaje mordaz y severo, palabras no apropiadas para sanar el alma herida. Por estas expresiones imprudentes se crea un espíritu receloso, y a menudo los que yerran son incitados a la rebelión. Todos los que defienden los principios de verdad necesitan recibir el celestial aceite del amor. En toda circunstancia la reprensión debe ser hecha con amor. Entonces nuestras palabras reformarán, sin exasperar. Cristo proporcionará por medio de su Espíritu Santo la fuerza y el poder. Esta es su obra.

No debiera pronunciarse imprudentemente ninguna palabra. Ninguna conversación maliciosa, ninguna charla frívola, ninguna expresión de descontento o insinuación impura escapará de los labios del que sigue a Cristo. El apóstol Pablo, al escribir inspirado por el Espíritu Santo, dice: "Ninguna palabra torpe salga de vuestra boca". (Efesios 4:29.) Esto quiere significar no sólo palabras viles, sino cualquier expresión contraria a los santos principios y a la pura e inmaculada religión. Incluye las sugestiones impuras y las ocultas insinuaciones al mal. A menos que éstas sean resistidas inmediatamente, conducirán a pecados mayores.

Sobre cada familia, sobre cada cristiano individual, descansa el deber de cerrar el camino a las conversaciones impuras. Cuando estamos en compañía de aquellos que se permiten una conversación frívola, es nuestro deber cambiar, si es posible, el tema. Con la ayuda de la gracia de Dios debiéramos tranquilamente dejar caer una palabra o introducir un tema que cambie el giro de la conversación hacia un cauce provechoso.

Es obra de los padres inculcar en sus hijos la costumbre de hablar correctamente. La mejor escuela para obtener esta cultura es el hogar. Desde sus tempranos años se debiera enseñar a los niños a hablar respetuosa y amablemente con sus padres y unos con otros. Debe enseñárseles que solamente palabras amables, veraces y puras debieran traspasar sus labios. Sean los padres mismos alumnos diarios en la escuela de Cristo. Entonces, por precepto y ejemplo, pueden enseñar a sus hijos el uso de toda "palabra sana e irreprensible". (Tito 2:8.) Este es uno de sus deberes mayores y que implica más responsabilidad.

Como seguidores de Cristo hemos de hacer que nuestras palabras sean motivo de ayuda y ánimo mutuos en la vida cristiana. Necesitamos hablar mucho más de lo que solemos los capítulos preciosos de nuestra experiencia. Debiéramos hablar de la misericordia y la amante bondad de Dios, de la incomparable profundidad del amor del Salvador. Nuestras palabras debieran ser palabras de alabanza y agradecimiento. Si la mente y el corazón están llenos del amor de Dios, éste se revelará en la conversación. No será un asunto difícil impartir aquello que forma parte de nuestra vida espiritual. Los grandes pensamientos, las nobles aspiraciones, las claras percepciones de la verdad, los propósitos altruistas, los anhelos de piedad y santidad, llevarán fruto en palabras que revelarán el carácter del tesoro del corazón. Cuando Cristo sea así revelado por nuestras palabras, éstas poseerán poder para ganar almas para él. Hemos de hablar de Cristo a aquellos que no lo conocen. Hemos de obrar como lo hizo Cristo. Doquiera él estuviera: en la sinagoga, junto al camino, en un bote algo alejado de tierra, en el banquete del fariseo o en la mesa del publicano, hablaba a las gentes de las cosas concernientes a la vida superior. Relacionaba la naturaleza y los acontecimientos de la vida diaria con las palabras de verdad. Los corazones de sus oyentes eran atraídos hacia él; porque él había sanado a sus enfermos, había consolado a los afligidos, y tomando a sus niños en sus brazos, los había bendecido. Cuando él abría los labios para hablar, la atención se concentraba en él, y cada palabra era para algún alma sabor de vida para vida.

Así debe ser con nosotros. Doquiera estemos, hemos de procurar aprovechar las oportunidades que se nos presenten para hablar a otros del Salvador. Si seguimos el ejemplo de Cristo en hacer bien, los corazones se nos abrirán como se le abrían a él. No bruscamente, sino con tacto impulsado por el amor divino, podremos hablarles de Aquel que es "señalado entre diez mil", y "todo él codiciable". (Cantares 5:10,16.) Esta es la obra suprema en la cual podemos emplear el talento del habla. Dicho talento nos ha sido dado para que podamos presentar a Cristo como el Salvador que perdona el pecado.

La influencia

La vida de Cristo era de una influencia siempre creciente, sin límites; una influencia que lo ligaba a Dios y a toda la familia humana. Por medio de Cristo, Dios ha investido al hombre de una influencia que le hace imposible vivir para sí. Estamos individualmente vinculados con nuestros semejantes, somos una parte del gran todo de Dios, y nos hallamos bajo obligaciones mutuas. Ningún hombre puede ser independiente de sus prójimos, pues el bienestar de cada uno afecta a los demás. Es el propósito de Dios que cada uno se sienta necesario para el bienestar de los otros y trate de promover su felicidad.

Cada alma está rodeada de una atmósfera propia, de una atmósfera que puede estar cargada del poder vivificante de la fe, el valor y la esperanza, y endulzada por la fragancia del amor. O puede ser pesada y fría por la bruma del descontento y el egoísmo, o estar envenenada por la contaminación fatal de un pecado acariciado. Toda persona con la cual nos relacionamos queda, consciente o inconscientemente, afectada por la atmósfera que nos rodea.

Es ésta una responsabilidad de la que no nos podemos librar. Nuestras palabras, nuestros actos, nuestro vestido, nuestra conducta, hasta la expresión de nuestro rostro, tienen influencia. De la impresión así hecha dependen resultados para bien o para mal, que ningún hombre puede medir. Cada impulso impartido de ese modo es una semilla sembrada que producirá su cosecha. Es un eslabón de la larga cadena de los acontecimientos humanos, que se extiende hasta no sabemos dónde. Si por nuestro ejemplo ayudamos a otros a desarrollar buenos principios, les damos poder para hacer el bien. Ellos a su vez ejercen la misma influencia sobre otros, y éstos sobre otros más. De este modo, miles pueden ser bendecidos por nuestra influencia inconsciente.

Arrojad una piedrecita al lago, y se formará una onda, y otra y otra, y a medida que crecen éstas, el círculo se agranda hasta que llega a la costa misma. Lo mismo ocurre con nuestra influencia. Más allá del alcance de nuestro conocimiento o dominio, obra en otros como una bendición o una maldición.

El carácter es poder. El testimonio silencioso de una vida sincera, abnegada y piadosa, tiene una influencia casi irresistible. Al revelar en nuestra propia vida el carácter de Cristo, cooperamos con él en la obra de salvar almas. Solamente revelando en nuestra vida su carácter, podemos cooperar con él.

Y cuanto más amplia es la esfera de nuestra influencia, mayor bien podemos hacer. Cuando los que profesan servir a Dios sigan el ejemplo de Cristo practicando los principios de la ley en su vida diaria; cuando cada acto dé testimonio de que aman a Dios más que todas las cosas y a su prójimo como a sí mismos, entonces la iglesia tendrá poder para conmover al mundo.

Pero nunca ha de olvidarse que la influencia no ejerce menos poder para el mal. Perder la propia alma es algo terrible, pero ser la causa de la pérdida de otras almas es más terrible aún. Resulta terrible pensar que nuestra influencia pueda ser un sabor de

muerte para muerte; no obstante es posible. Muchos de los que profesan recoger con Cristo están alejando a otros de él. Por esto la iglesia es tan débil. Muchos se permiten criticar y acusar a otros libremente. Al dar expresión a las suspicacias, los celos y el descontento, se convierten en instrumentos de Satanás. Antes de que se den cuenta de lo que están haciendo, el adversario ha logrado por medio de ellos su propósito. La impresión del mal ha sido hecha, la sombra ha sido arrojada, las flechas de Satanás han dado en el blanco. La desconfianza, la incredulidad y un escepticismo absoluto han hecho presa de aquellos que de otra manera hubieran aceptado a Cristo. Entre tanto, los siervos de Satanás miran complacidos a aquellos a quienes han conducido al escepticismo, y que están hoy endurecidos contra la represión y la súplica. Se jactan de que en comparación con esas almas ellos son virtuosos y justos. No se dan cuenta de que estos pobres náufragos del carácter son la obra de sus propias lenguas irrefrenadas y de sus rebeldes corazones. Mediante su propia influencia esas almas tentadas han caído.

Así la frivolidad, la complacencia propia y la descuidada indiferencia de los profesos cristianos están apartando a muchas almas del camino de la vida. Son muchos los que temerán encontrarse ante el tribunal de Dios con los resultados de su influencia.

Solamente por la gracia de Dios podemos emplear debidamente este don. No hay nada en nosotros mismos por lo cual podamos ejercer sobre otros influencia para bien. Al comprender nuestra impotencia y nuestra necesidad del poder divino, no confiaremos en nosotros mismos.

No sabemos qué resultados traerá un día, una hora o un momento, y nunca debiéramos comenzar el día sin encomendar nuestros caminos a nuestro Padre celestial. Sus ángeles están comisionados para velar por nosotros, y si nos sometemos a su custodia, entonces en cada ocasión de peligro estarán a nuestra diestra. Cuando inconscientemente estamos en peligro de ejercer una mala influencia, los ángeles estarán a nuestro lado, induciéndonos a un mejor proceder, escogiendo las palabras por nosotros, e influyendo en nuestras acciones. En esta forma, nuestra influencia puede llegar a ser un gran poder, aunque silencioso e inconsciente, para llevar a otros a Cristo y al mundo celestial.

El tiempo

Nuestro tiempo pertenece a Dios. Cada momento es suyo, y nos hallamos bajo la más solemne obligación de aprovecharlo para su gloria. De ningún otro talento que él nos haya dado requerirá más estricta cuenta que de nuestro tiempo.

El valor del tiempo sobrepuja todo cómputo. Cristo consideraba precioso todo momento, y así es como hemos de considerarlo nosotros. La vida es demasiado corta para que se la disipe. No tenemos sino unos pocos días de gracia en los cuales prepararnos para la eternidad. No tenemos tiempo para perder, ni tiempo para dedicar a los placeres egoístas, ni tiempo para entregarnos al pecado. Es ahora cuando hemos de formar caracteres para la vida futura

e inmortal. Es ahora cuando hemos de prepararnos para el juicio investigador.

Apenas los miembros de la familia humana han empezado a vivir, cuando comienzan a morir, y la labor incesante del mundo termina en la nada a menos que se obtenga un verdadero conocimiento respecto a la vida eterna. El hombre que aprecia el tiempo como su día de trabajo, se preparará para una mansión y una vida inmortales. Vale la pena que él haya nacido.

Se nos amonesta a redimir el tiempo. Pero el tiempo desperdiciado no puede recuperarse jamás. No podemos hacer retroceder ni un solo momento. La única manera en la cual podemos redimir nuestro tiempo es aprovechando lo más posible el que nos queda, colaborando con Dios en su gran plan de redención.

En aquel que hace esto se efectúa una transformación del carácter. Llega a ser hijo de Dios, miembro de la familia real, hijo del Rey celestial. Está capacitado para ser compañero de los ángeles.

Ahora es nuestro tiempo de trabajar por la salvación de nuestros semejantes. Hay algunos que piensan que si dan dinero a la causa de Cristo, eso es todo lo que se requiere de ellos; el tiempo precioso en el cual pudieran hacer obra personal para Cristo, pasa sin ser aprovechado. Pero es privilegio y deber de todos los que tienen salud y fuerza prestar a Dios un servicio activo. Todos han de trabajar en ganar almas para Cristo. Los donativos de dinero no pueden ocupar el lugar de esto.

Cada momento está cargado de consecuencias eternas. Hemos de ser soldados de emergencia, listos para entrar en acción al instante de recibir el aviso. La oportunidad que se nos ofrece hoy de hablar a algún alma necesitada de la Palabra de vida, puede no volver jamás. Puede ser que Dios diga a esa persona: "Esta noche vuelven a pedir tu alma" (Lucas 12:20), y a causa de nuestra negligencia no se halle lista. En el gran día del juicio, ¿cómo rendiremos cuenta de ello a Dios?

La vida es demasiado solemne para que sea absorbida en asuntos temporales o terrenos, en un tráfago de cuidados y ansiedades por las cosas que no son sino un átomo en comparación con las de interés eterno. Sin embargo, Dios nos ha llamado a servirle en los asuntos temporales de la vida. La diligencia en esta obra es una parte de la verdadera religión tanto como lo es la devoción. La Biblia no sanciona la ociosidad. Esta es la mayor maldición que aflige a nuestro mundo. Cada hombre y mujer verdaderamente convertido será un obrero diligente.

Del debido aprovechamiento de nuestro tiempo depende nuestro éxito en la adquisición de conocimiento y cultura mental. El cultivo del intelecto no ha de ser impedido por la pobreza, el origen humilde o las condiciones desfavorables. Pero atesórense los momentos. Unos pocos momentos aquí y unos pocos allí, que podrían desperdiciarse en charlas sin objeto; las horas de la mañana tan a menudo desperdiciadas en la cama; el tiempo que pasamos viajando en los tranvías o el tren, o esperando en la estación; los momentos que pasamos en espera de la comida, o de aquellos que llegan tarde a una cita;

si se tuviera un libro en la mano y se aprovecharan estos fragmentos de tiempo en estudiar, leer o en pensar cuidadosamente, ¡cuánto podría realizarse! Un propósito resuelto, un trabajo persistente y la cuidadosa economía del tiempo capacitarán a los hombres para adquirir los conocimientos y la disciplina mental que los calificarán para casi cualquier posición de influencia y utilidad.

Es deber de todo cristiano adquirir hábitos de orden, minuciosidad y prontitud. No hay excusa para hacer lenta y chapuceramente el trabajo, cualquiera sea su clase. Cuando uno está siempre en el trabajo, y el trabajo nunca está hecho, es porque no se ponen en él la mente y el corazón. La persona lenta y que trabaja con desventajas, debiera darse cuenta de que ésas son faltas que deben corregirse. Necesita ejercitar su mente haciendo planes referentes a cómo usar el tiempo para alcanzar los mejores resultados. Con tacto y método, algunos realizarán tanto trabajo en cinco horas como otros en diez. Algunos que se ocupan en las tareas domésticas están siempre trabajando, no porque tengan tanto que hacer, sino porque no hacen planes para ahorrar tiempo. Por su manera de trabajar lenta y llena de dilaciones, se dan mucho trabajo por cosas muy pequeñas. Pero todos los que deseen pueden vencer esos hábitos de morosidad y excesiva meticulosidad. Tengan los tales un propósito definido en su obra. Decidan cuánto tiempo se requiere para hacer una tarea determinada, y entonces dedíquese todo esfuerzo a terminar el trabajo en ese tiempo. El ejercicio de la voluntad hará más diestras las manos.

Por falta de una determinación de echar mano de sí mismos y reformarse, las personas pueden volverse estereotipadas en cierto curso equivocado de acción; o mediante el cultivo de sus facultades pueden adquirir capacidad para realizar el mejor servicio. Entonces sus servicios serán solicitados en todas partes. Serán apreciados en todo lo que valen.

Muchos niños y jóvenes desperdician el tiempo que podrían haber empleado en ayudar a llevar las cargas del hogar, mostrando así un interés amante en su padre y su madre. La juventud podría llevar sobre sus jóvenes y fuertes hombros muchas responsabilidades que alguien tiene que llevar.

La vida de Cristo, desde sus más tempranos años, fue una vida de fervorosa actividad. El no vivió para agradarse a sí mismo. Era el Hijo del Dios infinito; no obstante, trabajó en el oficio de carpintero con su padre José. Su oficio fue significativo. Había venido al mundo como edificador del carácter, y como tal toda su obra fue perfecta. Toda su labor material se distinguió por la misma perfección que transmitía a los caracteres que estaba transformando por su poder divino. El es nuestro modelo.

Los padres debieran enseñar a sus hijos el valor y el debido uso del tiempo. Enséñeseles que vale la pena luchar para hacer algo que honre a Dios y beneficie a la humanidad. Aun en sus tempranos años pueden ser misioneros para Dios.

Los padres no pueden cometer un pecado mayor que el de permitir que sus hijos no tengan nada que hacer. Los niños pronto aprenden a amar la ociosidad, y llegan a ser hombres y mujeres negligentes e inútiles. Cuando tienen la edad suficiente para ganarse la vida y hallar empleo, trabajan de una manera perezosa, esperando sin embargo que se les pague tanto como si hubieran sido fieles. Existe una diferencia enorme entre esta clase de obreros y aquellos que se dan cuenta de que deben ser fieles mayordomos.

Los hábitos de indolencia y descuido consentidos en el trabajo común, serán llevados a la vida religiosa, e incapacitarán a uno para prestar cualquier servicio eficiente a Dios. Muchos que, mediante una labor diligente podrían haber sido una bendición para el mundo, se han visto arruinados por causa de la ociosidad. La falta de empleo y de un propósito determinado abren la puerta a un millar de tentaciones. Las malas compañías y los hábitos viciosos depravan la mente y el alma, y el resultado es la ruina para esta vida y la venidera.

Cualquiera que sea el ramo de trabajo en el cual nos ocupemos, la Palabra de Dios nos enseña a ser "en el cuidado no perezosos; ardientes en espíritu, sirviendo al Señor". "Todo lo que te viniere a la mano para hacer, hazlo según tus fuerzas", "sabiendo que del Señor recibiréis la compensación de la herencia: porque al Señor Cristo servís". (Romanos 12:11; Eclesiastés 9:10; Colosenses 3:24.)

La salud

La salud es una bendición cuyo valor pocos aprecian; no obstante, de ella depende mayormente la eficiencia de nuestras facultades mentales y físicas. Nuestros impulsos y pasiones tienen su asiento en el cuerpo, y éste debe conservarse en la mejor condición física, y bajo las influencias más espirituales, a fin de que pueda darse el mejor uso a nuestros talentos. Cualquier cosa que disminuya la fuerza física, debilita la mente y la vuelve menos capaz de discernir entre lo bueno y lo malo. Nos volvemos menos capaces de escoger lo bueno, y tenemos menos fuerza de voluntad para hacer lo que sabemos que es recto.

El uso indebido de nuestras facultades físicas acorta el período de tiempo en el cual nuestras vidas pueden ser usadas para la gloria de Dios. Y ello nos incapacita para realizar la obra que Dios nos ha dado para hacer. Al permitirnos formar malos hábitos, acostándonos a horas avanzadas, complaciendo el apetito a expensas de la salud, colocamos los cimientos de nuestra debilidad. Descuidando el ejercicio físico, cansando demasiado la mente o el cuerpo, desequilibramos el sistema nervioso. Los que así acortan su vida y se incapacitan para el servicio al no tener en cuenta las leyes naturales, son culpables de estar robando a Dios. Y están robando también a sus semejantes. La oportunidad de bendecir a otros, la misma obra para la cual Dios los envió al mundo, ha sido acortada por su propia conducta. Y se han incapacitado para hacer aun aquello que podían haber efectuado en un tiempo mucho más breve. El Señor nos considera culpables cuando por nuestros hábitos perjudiciales privamos así al mundo del bien.

i(346-348)

La violación de la ley física es transgresión de la ley moral; porque Dios es tan ciertamente el autor de las leyes físicas como lo es de la ley moral. Su ley está escrita con su propio dedo sobre cada nervio, cada músculo y cada facultad que ha sido confiada al hombre. Y todo abuso que cometamos de cualquier parte de nuestro organismo es una violación de dicha ley.

Todos debieran poseer un conocimiento inteligente del organismo humano, para poder conservar sus cuerpos en la condición necesaria para hacer la obra del Señor. La vida física ha de ser cuidadosamente preservada y desarrollada, a fin de que a través de la humanidad pueda ser revelada la naturaleza divina en toda su plenitud. La relación del organismo físico con la vida espiritual es uno de los ramos más importantes de la educación. Debiera recibir una atención cuidadosa en el hogar y en la escuela. Todos necesitan llegar a familiarizarse con su estructura física y las leyes que gobiernan la vida natural. El que permanece en la ignorancia voluntaria respecto de las leyes de su ser físico, y viola dichas leyes por desconocerlas, está pecando contra Dios. Todos deben mantener la mejor relación posible con la vida y la salud. Nuestros hábitos deben colocarse bajo el control de una mente gobernada por Dios.

¿Ignoráis —dice el apóstol Pablo— que vuestro cuerpo es templo del Espíritu Santo, el cual está en vosotros, el cual tenéis de Dios, y que no sois vuestros? Porque comprados sois por precio; glorificad pues a Dios en vuestro cuerpo y en vuestro espíritu, los cuales son de Dios". (1 Corintios 6:19, 20.)

La fuerza

Debemos amar a Dios, no sólo con todo el corazón, el entendimiento y el alma, sino con toda la fuerza. Esto implica el uso pleno e inteligente de las facultades físicas.

Cristo fue un obrero fiel tanto en las cosas temporales como en las espirituales, y en toda su obra tenía la determinación de hacer la voluntad de su Padre. Los asuntos del cielo y de la tierra están más íntimamente relacionados y se hallan más directamente sometidos a la intervención de Cristo de lo que muchos se dan cuenta. Fue Cristo quien hizo el proyecto y el plano del primer tabernáculo terrenal. El dio todas las indicaciones con respecto a la edificación del templo de Salomón. Aquel que en su vida terrenal trabajara como carpintero en la aldea de Nazaret, fue el Arquitecto celestial que trazó el plan del sagrado edificio en el cual había de honrarse su nombre.

Fue Cristo quien dio a los edificadores del tabernáculo sabiduría para ejecutar la mano de obra más hábil y hermosa. El dijo: "Mira, yo he llamado por su nombre a Bezaleel, hijo de Uri, hijo de Hur, de la tribu de Judá, y lo he henchido de espíritu de Dios, en sabiduría, y en inteligencia, y en ciencia, y en todo artificio... Y he aquí que yo he puesto con él a Aholiab, hijo de Ahisamac, de la tribu de Dan: y he puesto sabiduría en el ánimo de todo sabio de corazón, para que hagan todo lo que te he mandado". (Exodo 31:2-6.)

Dios desea que sus obreros en todo ramo lo miren a él como el Dador de cuanto poseen. Todas las buenas invenciones y progresos tienen su fuente en el que es maravilloso en consejo y grande en sabiduría. El toque hábil de la mano del médico, su poder sobre los nervios y los músculos, su conocimiento del delicado organismo humano, no es otra cosa que la sabiduría del poder divino que ha de ser empleada en favor de los que sufren. La destreza con la cual el carpintero usa el martillo, la fuerza con que el herrero hace sonar el yunque, provienen de Dios. El ha dotado a los hombres de talentos, y espera que acudan a él en procura de consejo. En todo cuanto hagamos, en cualquier departamento de la obra en que nos hallemos, él desea gobernar nuestras mentes a fin de que hagamos una obra perfecta.

La religión y los negocios no van separados; son una sola cosa. La religión de la Biblia ha de entretejerse con todo lo que hacemos o decimos. Los agentes divinos y humanos han de combinarse tanto en las realizaciones temporales como en las espirituales. Han de estar unidos en todas las actividades humanas, en las labores mecánicas y agrícolas, en las empresas comerciales y científicas. En toda actividad cristiana debe existir cooperación.

Dios ha proclamado principios que son los únicos que hacen posible esta cooperación. Su gloria debe ser el motivo de todos los que colaboren con él. Todo nuestro trabajo debe hacerse por amor a Dios y de acuerdo con su voluntad.

Es tan esencial hacer la voluntad de Dios cuando se construye un edificio como cuando se toma parte en un servicio religioso. Y si los obreros han empleado los principios correctos en la edificación de su propio carácter, entonces en la erección de cualquier edificio crecerán en gracia y conocimiento.

Pero Dios no aceptará los mayores talentos o el servicio más espléndido a menos que el yo sea puesto sobre el altar, como sacrificio vivo, que se consume. La raíz debe ser santa; de otra manera no puede haber fruto aceptable a Dios.

El Señor hizo de Daniel y de José mayordomos perspicaces. Pudo obrar mediante ellos porque no vivieron para satisfacer sus propias inclinaciones, sino para agradar a Dios.

El caso de Daniel encierra una lección para nosotros. Revela el hecho de que un hombre de negocios no es necesariamente un hombre astuto y político. Puede ser instruido por Dios a cada paso. Daniel, mientras era primer ministro del reino de Babilonia, era profeta de Dios, y recibía la luz de la inspiración celestial. Los hombres de Estado ambiciosos y mundanos son representados en la Palabra de Dios como la hierba que crece, y como la flor de la hierba que se marchita. Empero el Señor desea tener en su servicio hombres inteligentes, calificados para diversos ramos de trabajo. Se necesitan hombres de negocio que entretejan los grandes principios de la verdad en todas sus transacciones. Y sus talentos deben perfeccionarse mediante el estudio y la preparación más cabales. Si hay en cualquier ramo de trabajo hombres que necesiten aprovechar sus oportunidades para llegar a ser sabios y eficientes, son aquellos que

están usando sus aptitudes para edificar el reino de Dios en nuestro mundo. De Daniel sabemos que aun cuando todas sus transacciones comerciales eran sometidas al más minucioso examen, no se podía hallar una sola falta o error. El fue un ejemplo de lo que puede ser todo hombre de negocios. Su historia muestra lo que puede realizar una persona que consagra la fuerza del cerebro, los huesos y los músculos, del corazón y la vida, al servicio de Dios.

El dinero

Dios también confía recursos a los hombres. El les da el poder de obtener riquezas. El riega la tierra con el rocío del cielo y con aguaceros de refrescante lluvia. El da el sol que calienta la tierra, despertando a la vida las cosas de la naturaleza y haciéndolas florecer y producir fruto. Y él pide una retribución de lo que es suyo.

No nos ha sido dado nuestro dinero para que pudiéramos honrarnos y glorificarnos a nosotros mismos. Como fieles mayordomos, hemos de usarlo para honra y gloria de Dios. Algunos piensan que sólo pertenece al Señor una porción de sus medios. Cuando han puesto aparte una porción con fines religiosos y caritativos, consideran que el resto les pertenece para usarlo como crean conveniente. Pero en esto se equivocan. Todo lo que poseemos es del Señor y somos responsables ante él del uso que le demos. En el empleo de cada centavo se verá si amamos a Dios por encima de todas las cosas y a nuestro prójimo como a nosotros mismos.

El dinero tiene gran valor porque puede hacer mucho bien. En manos de los hijos de Dios es alimento para el hambriento, bebida para el sediento, y vestido para el desnudo. Es una defensa para el oprimido y un medio de ayudar al enfermo. Pero el dinero no es de más valor que la arena, a menos que sea usado para satisfacer las necesidades de la vida, beneficiar a otros, y hacer progresar la causa de Cristo. La riqueza atesorada no es meramente inútil: es una maldición. En esta vida es una trampa para el alma, pues aparta los afectos del tesoro celestial. En el gran día de Dios su testimonio con respecto a los talentos no usados y a las oportunidades descuidadas condenará a su poseedor. La Escritura dice: "Ea ya ahora, oh ricos, llorad aullando por vuestras miserias que os vendrán. Vuestras riquezas están podridas: vuestras ropas están comidas de polilla. Vuestro oro y plata están corrompidos de orín; y su orín os será en testimonio, y comerá del todo vuestras carnes como fuego. Os habéis allegado tesoro para en los postreros días. He aquí, el jornal de los obreros que han segado vuestras tierras, el cual por engaño no les ha sido pagado de vosotros, clama; y los clamores de los que habían segado, han entrado en los oídos del Señor de los ejércitos". (Santiago 5:1-4.)

Pero Cristo no sanciona el uso pródigo o descuidado de los recursos. Su lección de economía: "Recoged los pedazos que han quedado, porque no se pierda nada" (Juan 6:12), es para todos sus seguidores. El que se da cuenta de que su dinero es un talento que proviene de Dios, lo usará

económicamente, y sentirá que es su deber ahorrar, para poder dar.

Cuanto más dinero empleemos en la ostentación y la complacencia propia, menos tendremos para alimentar al hambriento y vestir al desnudo. Todo centavo usado innecesariamente, priva al que lo gasta de una preciosa oportunidad de hacer bien. Este proceder roba a Dios la honra y la gloria que debe tributársele mediante el aprovechamiento de los talentos que él ha confiado.

Los impulsos y sentimientos bondadosos

Los sentimientos bondadosos, los impulsos generosos y la rápida comprensión de las cosas espirituales son talentos preciosos, y colocan a su poseedor bajo una pesada responsabilidad. Todos han de ser usados en el servicio de Dios. Pero aquí es donde muchos yerran. Satisfechos con la posesión de esas cualidades, dejan de usarlas en un servicio activo por otros. Se lisonjean de que si tuvieran la oportunidad, si las circunstancias fueran favorables, harían una buena y grandiosa obra. Pero están esperando la oportunidad. Desprecian la mezquindad del pobre tacaño que da de mala gana una pitanza al necesitado. Ven que está viviendo para sí, y que es responsable del mal uso de sus talentos. Con gran complacencia trazan el contraste entre sí mismos y tales personas, tan estrechas de miras, sintiendo que su propia condición es mucho más favorable que la de sus vecinos de alma mezquina. Pero se engañan a sí mismos. La mera posesión de cualidades que no se utilizan tan sólo aumenta su responsabilidad. Aquellos que poseen grandes cualidades afectivas tienen ante Dios la obligación de prodigarlas no solamente a sus amigos, sino a todos los que necesitan ayuda. Las ventajas sociales son talentos, y hay que usarlas para beneficio de todos los que están al alcance de nuestra influencia. El amor que prodiga sus bondades sólo a unos pocos, no es amor, es egoísmo. De ninguna manera obrará para el bien de las almas o la gloria de Dios. Los que así dejan de aprovechar los talentos de su Señor, son aún más culpables que aquellos por quienes ellos sienten tal menosprecio. A los tales les dirá: Sabíais la voluntad de vuestro Señor, pero no la hicisteis.

Los talentos son multiplicados por el uso

Los talentos que se usan son talentos que se multiplican. El éxito no es el resultado de la casualidad o del destino; es la operación de la providencia de Dios, la recompensa de la fe y la discreción, de la virtud y el esfuerzo perseverante. El Señor desea que usemos cada don que poseemos; y si lo hacemos, tendremos mayores dones para usar. El no nos capacita de una manera sobrenatural con las cualidades de que carecemos; pero mientras usamos lo que tenemos, él obrará con nosotros para aumentar y fortalecer toda facultad. En todo sacrificio ferviente y sincero que hagamos en el servicio del Maestro, nuestras facultades se acrecentarán. Mientras nos entregamos como instrumentos para la operación del Espíritu Santo, la gracia de Dios trabajará en nosotros sojuzgando las viejas inclinaciones, venciendo las propensiones poderosas y formando nuevos hábitos. Cuando apreciamos y obedecemos las indicaciones del Espíritu, nuestros corazones son ampliados para recibir más y más de su poder y para hacer una obra mayor y mejor. Las energías dormidas son despertadas, y las facultades paralizadas reciben nueva vida.

El humilde obrero que responde obedientemente al llamado de Dios puede estar seguro de que recibirá ayuda divina. El aceptar una responsabilidad tan grande y santa resulta elevador para el carácter. Pone en acción las facultades mentales y espirituales más elevadas y fortalece y purifica la mente y el corazón. Mediante la fe en el poder de Dios, es admirable cuán fuerte puede llegar a ser un hombre débil, cuán decididos sus esfuerzos, cuán prolífico en grandes resultados. El que empieza con poco conocimiento, de una manera humilde, y dice lo que sabe, mientras busca diligentemente un conocimiento mayor, hallará todo el tesoro celestial que espera su demanda. Cuanto más trate de impartir luz, más luz recibirá. Cuanto más procure uno explicar la Palabra de Dios a otros, con amor por las almas, más clara se le presentará ésta. Cuanto más usemos nuestro conocimiento y ejercitemos nuestras facultades, más conocimiento y poder tendremos.

Todo esfuerzo hecho por Cristo repercutirá en bendición sobre nosotros mismos. Si empleamos nuestros recursos para su gloria, él nos dará más. Al procurar ganar a otros para Cristo, llevando la preocupación por las almas en nuestras oraciones, nuestros propios corazones palpitarán bajo la vivificante influencia de la gracia de Dios; nuestros propios afectos resplandecerán con más divino fervor; nuestra vida cristiana toda será más real, más ferviente, más llena de oración.

El valor del hombre se estima en el cielo de acuerdo con la capacidad que el corazón tiene de conocer a Dios. Este conocimiento es la fuente de la cual fluye todo poder. Dios creó al hombre de manera que toda facultad pudiera ser la facultad de la mente divina; y está siempre tratando de asociar la mente humana con la divina. El nos ofrece el privilegio de cooperar con Cristo en la obra de revelar su gracia al mundo, a fin de que podamos recibir un conocimiento mayor de las cosas celestiales. Mirando a Jesús obtenemos vislumbres más claras y distintas de Dios, y por la contemplación somos transformados. La bondad, el amor por nuestros semejantes, llega a ser nuestro instinto natural. Desarrollamos un carácter que será la copia del carácter divino. Creciendo a su semejanza, ampliamos nuestra capacidad de conocer a Dios. Entramos cada vez en mayor relación con el mundo celestial, y llegamos a poseer un poder creciente para recibir las riquezas del conocimiento y la sabiduría de la eternidad.

Un solo talento

El hombre que recibió un solo talento, "fue y cavó en la tierra, y escondió el dinero de su Señor".

El que había recibido el menor don fue el que dejó su talento sin aprovechar. Aquí se da una amonestación a todos los que sienten que la pequeñez

de sus dones los excusa de presentar servicio a Cristo. Si pudieran hacer algo grande, cuán gozosamente lo emprenderían; pero debido a que sólo pueden servir en cosas pequeñas, creen que están justificados por no hacer nada. En esto se equivocan. El Señor está probando el carácter en la manera en que distribuye los talentos. El hombre que deja de aprovechar su talento demuestra que es un siervo infiel. Si hubiera recibido cinco talentos, los habría enterrado lo mismo como enterró el único que recibió. El descuido de un solo talento mostró que despreciaba los dones del cielo.

"El que es fiel en lo muy poco, también en lo más es fiel". La importancia de las cosas pequeñas es a menudo menospreciada a causa de su pequeñez; pero ellas proveen una gran parte de la actual disciplina de la vida. En realidad no hay nada que no sea esencial en la vida cristiana. El edificio de nuestro carácter se verá lleno de riesgos si menospreciamos la importancia de las cosas pequeñas.

"El que en lo muy poco es injusto, también en lo más es injusto". (Lucas 16:10.) Por la infidelidad en los deberes más pequeños, el hombre roba a su Hacedor el servicio que le debe. Esta infidelidad tiene su reacción sobre él mismo. No obtiene la gracia, el poder y la fortaleza de carácter que pueden alcanzarse mediante una entrega sin reservas a Dios. Al vivir apartado de Cristo está sujeto a las tentaciones de Satanás, y comete equivocaciones en su obra por el Maestro. Por causa de que no es guiado por los debidos principios en las cosas pequeñas, deja de obedecer a Dios en los asuntos de mayor importancia que él considera como su obra especial. Los defectos acariciados al tratar con los detalles menores de la vida, pasan a los asuntos más importantes. Actúa según los principios a los cuales se ha acostumbrado. Así las acciones repetidas forman los hábitos; los hábitos forman el carácter, y por el carácter se decide nuestro destino para el tiempo y la eternidad.

Unicamente merced a la fidelidad en las cosas pequeñas puede el alma prepararse para actuar con fidelidad en las responsabilidades mayores. Dios puso a Daniel y a sus compañeros en relación con los grandes hombres de Babilonia, a fin de que estos paganos pudieran llegar a familiarizarse con los principios de la verdadera religión. En medio de una nación de idólatras, Daniel había de representar el carácter de Dios. ¿Cómo llegó él a estar preparado para un puesto de tanta confianza y honor? Fue su fidelidad en las cosas pequeñas lo que le dio carácter a su vida entera. El honraba a Dios en los deberes más pequeños, y el Señor cooperaba con él. Dios dio a Daniel y a sus compañeros "conocimiento e inteligencia en todas letras y ciencia: mas Daniel tuvo entendimiento en toda visión y sueños". (Daniel 1:17.)

Así como Dios llamó a Daniel para que le fuera testigo en Babilonia, él nos llama a nosotros para que le seamos testigos en el mundo hoy día. Tanto en los pequeños como en los más grandes asuntos de la vida él desea revelar a los hombres los principios de su reino.

Durante su vida en la tierra, Cristo enseñó la lección de la atención cuidadosa que debe dispensarse a las cosas pequeñas. La gran obra de la

redención pesaba continuamente sobre su alma. Mientras enseñaba y sanaba, todas las energías de su mente y su cuerpo eran esforzadas hasta el límite; no obstante notaba las cosas más sencillas de la vida y la naturaleza. Sus lecciones más instructivas fueron aquellas en las cuales, mediante las cosas sencillas de la naturaleza, ilustró las grandes verdades del reino de Dios. No pasó por alto las necesidades del más humilde de sus siervos. Su oído oía cada clamor de necesidad. Estaba atento al toque de la mujer enferma aun en medio de la multitud; el más leve toque de fe obtuvo respuesta. Cuando resucitó de la muerte a la hija de Jairo, recordó a los padres que debían darle algo de comer. Cuando por su propio gran poder resucitó de la tumba, no desdeñó doblar y colocar cuidadosamente en su debido lugar los lienzos en los cuales se lo había envuelto.

La obra a la cual somos llamados como cristianos, es la de cooperar con Cristo en la salvación de las almas. Para hacer esta obra hemos hecho pacto con él. Descuidar la obra es ser desleales a Cristo. Pero a fin de realizar esta obra debemos seguir su ejemplo de fiel y concienzuda atención a las cosas pequeñas. Este es el secreto del éxito en todo ramo de esfuerzo e influencia cristianos.

El Señor desea que su pueblo alcance el peldaño más alto de la escalera, a fin de que sus hijos puedan glorificarlo poseyendo la capacidad que él desea conferirles. Por la gracia de Dios se ha hecho toda provisión necesaria para que revelemos que actuamos según planes mejores que aquellos que emplea el mundo.

Hemos de revelar una superioridad de intelecto, de entendimiento, de habilidad y conocimiento, porque creemos en Dios y en su poder de obrar en los corazones humanos. Pero los que no poseen grandes dones no necesitan desanimarse. Usen los tales lo que tienen, vigilando fielmente todo punto débil en sus caracteres, y procurando fortalecerlo por la gracia divina. En toda acción de la vida hemos de entretejer la fidelidad y la lealtad, cultivando los atributos que nos capacitarán para llevar a cabo la obra.

Los hábitos de negligencia deben ser resueltamente vencidos. Muchos piensan que es suficiente excusa para sus mayores errores el invocar su mente olvidadiza. ¿Pero no poseen ellos, lo mismo que otros, facultades intelectuales? Entonces debieran disciplinar su mente para que sea retentiva. Es un pecado olvidar, es un pecado ser negligente. Si adquirís el hábito de la negligencia, puede ser que descuidéis la salvación de vuestra propia alma y al fin halléis que no estáis preparados para el reino de Dios.

Las grandes verdades deben ser llevadas al terreno de las cosas pequeñas. La religión práctica ha de ser llevada al campo de los deberes humildes de la vida cotidiana. La mayor cualidad que pueda tener un hombre es obedecer implícitamente la Palabra del Señor.

A causa de que no se hallan relacionados con alguna obra directamente religiosa, muchos sienten que su vida es inútil; que no están haciendo nada para el avance del reino de Dios. Pero esto es una equivocación. Si su obra es la que alguien

debe hacer, no deben acusarse a sí mismos de inútiles en la gran familia de Dios. No han de descuidarse los más humildes deberes. Cualquier trabajo honesto es una bendición, y la fidelidad en él puede resultar una preparación para más elevados cometidos.

No importa cuán humilde sea, cualquier trabajo hecho para Dios con una completa entrega del yo, es aceptado por él como el más elevado servicio. Ninguna ofrenda es pequeña cuando se da con corazón sincero y alma gozosa.

Doquiera estemos, Cristo nos ordena que asumamos los deberes que se nos presenten. Si éstos están en el hogar, afrontémoslos voluntariamente y con fervor, para hacer del hogar un sitio agradable. Si sois madres, educad a vuestros hijos para Cristo. Esta es una obra tan ciertamente hecha para Dios como la que el ministro efectúa en el púlpito. Si vuestro deber está en la cocina, tratad de ser cocineras perfectas. Preparad alimentos que sean sanos, nutritivos y apetitosos. Y al emplear los mejores ingredientes en la preparación de los alimentos, recordad que habéis de alimentar vuestra mente con los mejores pensamientos. Si vuestra labor consiste en trabajar la tierra, u os ocupáis en otra cosa, haced de vuestros deberes un éxito. Aplicaos a lo que estáis haciendo. En todo vuestro trabajo, representad a Cristo. Hacedlo todo como lo haría él si estuviera en vuestro lugar.

Por pequeño que sea vuestro talento, Dios tiene un lugar para él. Ese solo talento, sabiamente usado, realizará la obra que le fue asignada. Mediante la fidelidad en los pequeños deberes, hemos de trabajar según el plan de adición, y Dios obrará en nuestro favor según el plan de multiplicación. Estas cosas pequeñas llegarán a ser las más preciosas influencias en su obra.

Corra una fe viva cual hilo de oro, en toda la ejecución de los deberes aun más humildes. Entonces toda la tarea diaria promoverá el crecimiento cristiano. Habrá una continua contemplación de Jesús. El amor por él dará fuerza vital a cuanto se emprenda. Y así, mediante el uso debido de nuestros talentos, podemos unirnos por medio de una cadena de oro al mundo más elevado. Esta es la verdadera santificación; porque la santificación consiste en la alegre ejecución de los deberes diarios en perfecta obediencia a la voluntad de Dios.

Pero muchos cristianos están esperando que se les presente alguna gran obra que hacer. A causa de que no pueden hallar un lugar suficientemente grande para satisfacer su ambición, dejan de realizar con fidelidad los deberes comunes de la vida. Estos parecen carecer de interés para ellos. Día tras día dejan escurrir las oportunidades que se les presentan de demostrar su fidelidad a Dios. Mientras están esperando una obra grande, la vida se pasa, sus propósitos quedan sin cumplirse, y su obra sin realizarse.

La devolución de los talentos

"Y después de mucho tiempo, vino el Señor de aquellos siervos, e hizo cuentas con ellos". Cuando el Señor arregle cuentas con sus siervos, será examinado cuidadosamente el pro-

ducto de cada talento. La obra hecha revela el carácter del obrero.

Los que han recibido cinco talentos y los que han recibido dos, devuelven al Señor los dones que les han sido confiados con la ganancia correspondiente. Al hacerlo no se atribuyen mérito alguno. Sus talentos son aquellos que les han sido entregados; han ganado otros talentos, pero no podía haber habido ganancia sin el depósito. Ven que no han hecho sino su deber. El capital pertenecía al Señor; la ganancia también le pertenece. Si el Salvador no les hubiera conferido su amor y su gracia, hubieran fracasado para la eternidad.

Pero cuando el Maestro recibe los talentos, él aprueba y recompensa a los obreros como si todo el mérito les perteneciera a ellos. Su rostro está lleno de gozo y satisfacción. Se deleita al considerar que puede conferirles bendiciones. Los recompensa por cada servicio y cada sacrificio, no porque les deba nada, sino porque su corazón rebosa de amor y ternura.

"Bien, buen siervo y fiel; sobre poco has sido fiel —dice—, sobre mucho te pondré; entra en el gozo de tu Señor".

Es la fidelidad, la lealtad a Dios, el servicio amante, lo que gana la aprobación divina. Cada impulso del Espíritu Santo que conduce a los hombres a la bondad y a Dios, es registrado en los libros del cielo, y en el día de Dios, los obreros por medio de los cuales él ha obrado, serán ensalzados.

Entrarán en el gozo del Señor mientras ven en su reino a aquellos que han sido redimidos por su medio. Y se les da el privilegio de participar en su obra allí, porque han sido preparados para ella gracias a la participación en su obra aquí. Lo que seremos en el cielo será el reflejo de lo que seamos ahora en carácter y servicio santo. Cristo dijo de sí mismo: "El Hijo del hombre no vino para ser servido sino para servir". (Mateo 20:28.) Esta, su obra en la tierra, es también su obra en el cielo. Y nuestra recompensa por trabajar con Cristo en este mundo es el mayor poder y el más amplio privilegio de trabajar con él en el mundo venidero.

"Y llegando también el que había recibido un talento, dijo: Señor, te conocía que eres hombre duro, que siegas donde no sembraste, y recoges donde no esparciste. Y tuve miedo, y fui, y escondí tu talento en la tierra: he aquí tienes lo que es tuyo".

Así los hombres disculpan la forma en que descuidan los dones de Dios. Consideran a Dios severo y tiránico, como si acechara para espiar sus errores y visitarlos con sus juicios. Ellos lo acusan de exigir lo que nunca dio, y de segar donde nunca sembró.

Hay muchos que en su corazón acusan a Dios de ser un amo duro porque reclama sus posesiones y su servicio. Pero no podemos traer a Dios nada que no sea ya suyo. "Todo es tuyo —decía el rey David— y lo recibido de tu mano te damos". (1 Crónicas 29:14.) Todas las cosas son de Dios, no sólo por la creación, sino por la redención. Todas las bendiciones de esta vida y de la vida venidera nos son entregadas con el sello de la cruz del Calvario. Por lo tanto, la acusación de que Dios es un amo duro, que siega donde no ha sembrado, es falsa.

El Señor no niega la acusación del mal siervo, por injusta que sea; pero encarándolo en su propio terreno le muestra que su conducta es inexcusable. Se le habían provisto formas y medios por los cuales el talento podría haber sido aprovechado para beneficio del poseedor. "Te convenía —dijo— dar mi dinero a los banqueros, y viniendo yo hubiera recibido lo que es mío con usura".

Nuestro Padre celestial no exige ni más ni menos que aquello que él nos ha dado la capacidad de efectuar. No coloca sobre sus siervos ninguna carga que no puedan llevar. "El conoce nuestra condición; acuérdase que somos polvo". (Salmo 103:14.) Todo lo que él exige de nosotros podemos cumplirlo mediante la gracia divina.

"A cualquiera que fue dado mucho, mucho será vuelto a demandar de él". (Lucas 12:48.) Se nos hará individualmente responsables si hacemos una jota menos de lo que podríamos efectuar con nuestra capacidad. El Señor mide con exactitud toda posibilidad de servicio. Hemos de dar cuenta tanto de las facultades no empleadas como de las que se aprovechan. Dios nos tiene por responsables de todo lo que llegaríamos a ser por medio del uso debido de nuestros talentos. Seremos juzgados de acuerdo con lo que debiéramos haber hecho, pero no efectuamos por no haber usado nuestras facultades para glorificar a Dios. Aun cuando no perdamos nuestra alma, en la eternidad nos daremos cuenta del resultado de los talentos que dejamos sin usar. Habrá una pérdida eterna por todo el conocimiento y la habilidad que podríamos haber obtenido y no obtuvimos.

Pero cuando nos entregamos completamente a Dios y en nuestra obra seguimos sus instrucciones, él mismo se hace responsable de su realización. El no quiere que conjeturemos en cuanto al éxito de nuestros sinceros esfuerzos. Nunca debemos pensar en el fracaso. Hemos de cooperar con Uno que no conoce el fracaso. No debemos hablar de nuestra propia debilidad o incapacidad. Esto es una manifiesta desconfianza en Dios, una negación de su Palabra.

Cuando murmuramos a causa de nuestras cargas, o rechazamos las responsabilidades que él nos llama a llevar, estamos prácticamente diciendo que él es un amo duro, que exige lo que no nos ha dado poder para hacer.

Estamos a menudo propensos a llamar humildad al espíritu del siervo holgazán. Pero la verdadera humildad es completamente distinta. El estar vestidos de humildad no significa que hemos de ser enanos intelectualmente, deficientes en la aspiración y cobardes en la vida, rehuyendo las cargas por temor de no poderlas llevar con éxito. La verdadera humildad cumple el propósito de Dios dependiendo de su fuerza.

Dios obra por medio de los que él elige. A veces elige al más humilde instrumento para que efectúe la mayor obra; porque su poder se revela en la debilidad del hombre. Los humanos tenemos nuestra norma, y en virtud de ella clasificamos una cosa como grande y otra como pequeña; pero Dios no valora las cosas de acuerdo con nuestra regla. No hemos de suponer que lo que es grande para nosotros tiene que ser grande para Dios, o lo que es pequeño para nosotros tiene que ser pequeño para Dios. No nos toca a nosotros juzgar nuestros propios talentos o elegir

nuestra obra. Hemos de llevar las cargas que Dios nos señala, llevándolas por su causa, y siempre recurriendo a él en busca de descanso. Cualquiera sea nuestra obra, Dios es honrado por un servicio alegre y de todo corazón. El se agrada cuando afrontamos nuestros deberes con gratitud, regocijándonos de que se nos considere dignos de ser sus colaboradores.

El talento que se quita

Sobre el siervo negligente se pronunció esta sentencia: "Quitadle pues el talento, y dadlo al que tiene diez talentos". Aquí así como en la recompensa del siervo fiel, se indica no sólo el galardón que se recibirá en el día del juicio final, sino el proceso gradual de retribución en esta vida. Como en el mundo natural, así en el espiritual, toda capacidad que no se usa, se debilita y decae. La actividad es la ley de la vida: el ocio es muerte. "A cada uno le es dada manifestación del Espíritu para provecho". (1 Corintios 12:7.) Empleados para bendecir a otros, sus dones aumentan. Si los guarda para el servicio del yo, disminuyen; y finalmente serán quitados. Aquel que rehúsa impartir aquello que ha recibido, hallará al final que no tiene nada que dar. Está consintiendo en la realización de un proceso que con toda seguridad empequeñece y finalmente destruye las facultades del alma.

Nadie piense que podría vivir una vida de egoísmo, y entonces, habiendo servido a su propio interés, entrar en el gozo de su Señor. No podría participar en el gozo del amor desinteresado. No estaría preparado para los atrios celestiales. No podría apreciar la atmósfera pura del amor que compenetra el cielo. Las voces de los ángeles y la música de sus arpas no lo satisfarían. Para su mente la ciencia del cielo sería un enigma.

En el gran día del juicio, aquellos que no han trabajado por Cristo, los que se han dejado llevar a la deriva sin cargar responsabilidades, pensando en sí mismos y agradándose a sí mismos, serán colocados por el Juez de toda la tierra con aquellos que obraron el mal. Reciben la misma condenación.

Muchos que profesan ser cristianos desatienden las exigencias de Dios y no creen que en esto haya algo malo. Ellos saben que el blasfemo, el asesino, el adúltero merecen castigo; pero por su parte, gozan de los servicios religiosos. Les gusta oír la predicación del Evangelio, y por lo tanto se creen cristianos. Aunque han gastado su vida en el cuidado de sí mismos, serán tan sorprendidos como fue el siervo infiel de la parábola al oír la sentencia: "Quitadle pues el talento". Como los judíos, confunden el gozo de las bendiciones con el uso que deben hacer de ellas.

Muchos de los que se excusan de hacer esfuerzo cristiano presentan como causa su incapacidad para la obra. ¿Pero los hizo Dios tan incapaces? No, nunca. La incapacidad fue producida por su propia inactividad y perpetuada por su elección deliberada. Ya, en su propio carácter están percibiendo el resultado de la sentencia: "Quitadle el talento". El continuo mal uso de sus talentos, apagará del todo para ellos el Espíritu Santo, que es la única luz. La sentencia: "Echadle en las tinieblas de afuera", coloca el sello divino sobre la elección que ellos mismos han hecho para la eternidad.

Talentos que Dan Éxito

Este capítulo está basado en Lucas 16:1-9.

LA VENIDA de Cristo se produjo en un tiempo de intensa mundanalidad. Los hombres estaban subordinando lo eterno a lo temporal, los requerimientos de lo futuro a los asuntos presentes. Confundían lo fantástico con las realidades, y las realidades con las fantasías. No contemplaban por la fe el mundo invisible. Satanás les presentaba las cosas de esta vida como sumamente atractivas y absorbentes, y prestaban atención a sus tentaciones.

Cristo vino para cambiar este orden de cosas. Procuró romper el ensalmo que infatuaba y entrampaba a los hombres. En sus enseñanzas, trató de ajustar los requerimientos del cielo y de la tierra, y de desviar los pensamientos de los hombres de lo presente a lo futuro. En vez de perseguir las cosas temporales, los invitó a hacer provisión para la eternidad.

"Había un hombre rico —dijo él—, el cual tenía un mayordomo, y éste fue acusado delante de él como disipador de sus bienes". El rico había dejado todas sus posesiones en las manos de este siervo; pero el siervo era infiel y el amo estaba convencido de que se le estaba robando sistemáticamente. Resolvió no retenerlo en su servicio, y pidió que fuesen investigadas sus cuentas. "¿Qué es esto —dijo— que oigo de ti? Da cuenta de tu mayordomía, porque ya no podrás más ser mayordomo".

Al verse condenado a ser despedido, el mayordomo vio tres caminos abiertos a su elección. Tendría que trabajar, mendigar, o morirse de hambre. Y dijo para sí: "¿Qué haré? que mi señor me quita la mayordomía. Cavar, no puedo, mendigar, tengo vergüenza. Yo sé lo que haré para que cuando fuere quitado de la mayordomía, me reciban en sus casas. Y llamando a cada uno de los deudores de su señor, dijo al primero: ¿Cuánto debes a mi señor? Y él dijo: Cien barriles de aceite. Y le dijo: Toma tu obligación, y siéntate presto, y escribe cincuenta. Después dijo a otro: ¿Y tú, cuánto debes? Y él dijo: Cien coros de trigo. Y él le dijo: Toma tu obligación, y escribe ochenta". Este siervo infiel hizo participar a otros de su falta de honradez. Defraudó a su amo para beneficiarlos, y ellos aceptando este beneficio, se colocaban bajo la obligación de recibirlo como amigo en sus casas. "Y alabó el señor al mayordomo malo por haber hecho discretamente". El hombre del mundo alabó el ingenio del que lo había defraudado. Pero el elogio del rico no es el elogio de Dios.

Cristo no elogió al mayordomo injusto, pero empleó este caso bien conocido para ilustrar la lección que deseaba enseñar. "Ganad amigos por medio de las riquezas injustas —dijo—, para que cuando éstas falten, os reciban en las moradas eternas". (Lucas 16:9, RVR.)

El Salvador había sido censurado por los fariseos por tratar con publicanos y pecadores; pero su interés en ellos no disminuyó, ni cesaron sus esfuerzos por ellos. El vio que su ocupación los inducía a la tentación. Estaban rodeados por incitaciones a hacer lo malo. Era fácil dar el primer paso malo, y el descenso era rápido para llegar a mayor falta de honradez y a mayores delitos. Cristo estaba tratando por todos los medios de ganarlos a principios más nobles y

fines más elevados. Este era el propósito que tenía presente al relatar la historia del mayordomo infiel. Había habido entre los publicanos un caso como el presentado en la parábola, y en la descripción hecha por Cristo reconocieron ellos sus propias prácticas. Esto llamó su atención, y por el cuadro de sus prácticas faltas de honradez, muchos aprendieron una lección de verdad espiritual.

Sin embargo, la parábola se dirigía directamente a los discípulos. A ellos primero fue impartida la levadura de la verdad, y por su medio había de alcanzar a otros. Gran parte de la enseñanza de Cristo no era comprendida por los discípulos al principio, y en consecuencia sus lecciones parecían casi olvidadas. Pero bajo la influencia del Espíritu Santo esas verdades revivieron más tarde con claridad y por medio de los discípulos fueron presentadas vívidamente a los nuevos conversos que se añadían a la iglesia.

Y el Salvador hablaba también a los fariseos. El no perdía la esperanza de que percibieran la fuerza de sus palabras. Muchos habían sido convencidos profundamente, y al oír la verdad bajo el dictado del Espíritu Santo, no pocos llegarían a creer en Cristo.

Los fariseos se habían esforzado por desacreditar a Cristo acusándolo de juntarse con publicanos y pecadores. Ahora él vuelve el reproche contra sus acusadores. La escena que se sabía había ocurrido entre los publicanos, la presenta ante los fariseos, tanto para representar su conducta como para demostrar la única manera por la cual podían redimir sus errores.

Los bienes de su Señor habían sido confiados al mayordomo infiel con propósitos de benevolencia; pero éste los había usado para sí. Así también había hecho Israel. Dios había elegido la simiente de Abrahán. Con brazo poderoso la había librado de la servidumbre de Egipto. La había hecho depositaria de la verdad sagrada para bendición del mundo. Le había confiado los oráculos vivos para que comunicase la luz a otros. Pero sus mayordomos habían empleado estos dones para enriquecerse y exaltarse a sí mismos.

Los fariseos, llenos de un sentimiento de su propia importancia y justicia propia, estaban aplicando mal los bienes que Dios les había prestado para que los empleasen en glorificarlo.

En la parábola, el siervo no había hecho provisión para lo futuro. Los bienes a él confiados para beneficio de otros, los había empleado para sí mismo. Pero había pensado solamente en lo presente. Cuando se le quitase la mayordomía, no tendría nada que pudiese llamar suyo. Pero todavía estaban en sus manos los bienes de su señor, y resolvió emplearlos para asegurarse contra necesidades futuras. A fin de lograr esto debía trabajar según un nuevo plan. En vez de juntar para sí, debía impartir a otros. Así podría conseguir amigos que lo recibieran, cuando se lo hubiese desechado. Así también ocurría con los fariseos. Pronto se les iba a quitar la mayordomía, y estaban llamados a proveer para lo futuro. Unicamente buscando el bien de otros, podían beneficiarse a sí mis-

mos. Unicamente impartiendo los dones de Dios en la vida presente, podían proveer para la eternidad.

Después de relatar la parábola, Cristo dijo: "Los hijos de este siglo son en su generación más sagaces que los hijos de la luz". Es decir, que los hombres sabios de este mundo manifiestan más sabiduría y fervor en servirse a sí mismos que los que profesan servir a Dios en el servicio que le prestan. Así sucedía en los días de Cristo, y así sucede hoy. Miremos la vida de muchos de los que aseveran ser cristianos. El Señor los ha dotado de capacidad, poder e influencia; les ha confiado dinero, a fin de que sean colaboradores con él en la gran redención. Todos estos dones han de ser empleados en beneficiar a la humanidad, en aliviar a los dolientes y menesterosos. Debemos alimentar a los hambrientos, vestir a los desnudos, cuidar de la viuda y los huérfanos, servir a los angustiados y oprimidos. Dios no quiso nunca que existiese la extensa miseria que hay en el mundo. Nunca quiso que un hombre tuviese abundancia de los lujos de la vida mientras que los hijos de otros llorasen por pan. Los recursos que superan las necesidades reales de la vida, son confiados al hombre para hacer bien, para beneficiar a la humanidad. El Señor dice: "Vended lo que poseéis, y dad limosna". Sed "dadivosos", comunicad "con facilidad". "Cuando haces banquete, llama a los pobres, los mancos, los cojos, los ciegos". (Lucas 12:33; 1 Timoteo 6:18; Lucas 14:13.) "Desatar las ligaduras de impiedad", "deshacer los haces de opresión", "dejar ir libres a los quebrantados", "que rompáis todo yugo". "Que partas tu pan con el hambriento", que "a los pobres errantes metas en casa". "Cuando vieres al desnudo, lo cubras". Que sacies "el alma afligida". "Id por todo el mundo; predicad el evangelio a toda criatura".(Isaías 58:6, 7, 10; Marcos 16:15.) Estas son las órdenes del Señor. ¿Está haciendo esta obra el conjunto de los que profesan ser cristianos? ¡Cuántos hay que se están apropiando para sí los dones de Dios! ¡Cuántos están añadiendo una casa a otra y un terreno a otro! ¡Cuántos están gastando su dinero en placeres para satisfacer el apetito, conseguir casas, muebles y vestiduras extravagantes! Dejan a sus semejantes en la miseria y el crimen, la enfermedad y la muerte. Multitudes están pereciendo sin una mirada de compasión, ni una palabra, ni una acción de simpatía.

Los hombres se hacen culpables de robar a Dios. Su empleo egoísta de los recursos que tienen priva al Señor de la gloria que debiera tributársele mediante el alivio de la humanidad doliente y la salvación de las almas. Están cometiendo desfalcos con los bienes que él les ha confiado. El Señor declara: "Llegarme he a vosotros a juicio y seré pronto testigo contra los que detienen el salario del jornalero, de la viuda, y del huérfano, y los que hacen agravio al extranjero". "¿Robará el hombre a Dios? Pues vosotros me habéis robado. Y dijisteis: ¿En qué te hemos robado? Los diezmos y las primicias. Malditos sois con maldición, porque vosotros, la nación toda, me habéis robado". "Ea ya ahora, oh ricos... vuestras riquezas están podridas: vuestras ropas están comidas de polilla. Vuestro oro y plata estan corrompidos de orín, y su orín os será en testimonio... Os habéis allegado tesoro para en los postreros días". "Habéis vivido en deleites sobre la tierra y sido disolutos". "He aquí, el jornal de los obreros que han segado vuestras tierras, el cual por engaño no les ha sido pagado de vosotros, clama; y los clamores de los que habían segado han entrado en los oídos del Señor de los ejércitos". (Malaquías 3:5, 8, 9; Santiago 5:1-3, 5, 4.)

A cada uno se le pedirá que entregue los dones que le fueron confiados. En el día del juicio final, las riquezas que los hombres hayan acumulado no les valdrán de nada. No tienen nada que pueden llamar suyo.

Los que pasan la vida acumulando tesoro mundanal, manifiestan menos sabiduría, menos reflexión y cuidado por su bienestar eterno de lo que manifestaba el mayordomo infiel por su sostén terrenal. Menos sabios que los hijos de este mundo en su generación son los que profesan ser hijos de la luz. Son aquellos de quienes el profeta declaró en su visión del gran juicio final: "Aquel día arrojará el hombre, a los topos y murciélagos, sus ídolos de plata y sus ídolos de oro, que le hicieron para que adorase; y se entrarán en las hendiduras de las rocas y en las cavernas de las peñas, por la presencia formidable de Jehová, y por el resplandor de su majestad, cuando se levantare para herir la tierra". (Isaías 2:20, 21.)

"Ganad amigos por medio de las riquezas injustas —dijo—, para que cuando éstas falten, os reciban en las moradas eternas". (Lucas 16:9, RVR.) "Dios, Cristo y sus ángeles ministran todos a los afligidos, los dolientes y los pecadores. Entregaos a Dios para esta obra, emplead sus dones con este propósito, y os asociaréis con los ángeles celestiales. Vuestro corazón latirá al unísono con el de ellos. Os asimilaréis a ellos en carácter. Estos habitantes de las moradas eternas no serán extraños para vosotros. Cuando hayan pasado las cosas terrenales, los centinelas de las puertas del cielo os darán la bienvenida.

Los medios usados para beneficiar a otros producirán recompensas. Las riquezas debidamente empleadas realizarán mucho bien. Se ganarán almas para Cristo. El que sigue el plan de vida de Cristo verá en las cortes celestiales a aquellos por quienes ha trabajado y se ha sacrificado en la tierra. Los redimidos recordarán agradecidos a los que han sido instrumentos de su salvación. El cielo será algo precioso para los que hayan sido fieles en la obra de ganar almas.

La lección de esta parábola es para todos. Cada uno será tenido por responsable de la gracia a él dada por medio de Cristo. La vida es demasiado solemne para ser absorbida en asuntos temporales o terrenales. El Señor desea que comuniquemos a otros aquello que el Eterno e Invisible nos comunica.

Cada año, millones y millones de almas humanas pasan a la eternidad sin haber sido amonestadas ni salvadas. De hora en hora, en nuestra vida variada, se nos presentan oportunidades de alcanzar y salvar almas. Las oportunidades llegan y se van continuamente. Dios desea que las aprovechemos hasta lo sumo. Pasan los días, las semanas y los meses y tenemos un día, una semana, un mes

menos en que hacer nuestra obra. Algunos años más, cuando mucho, y la voz a la cual no podemos negarnos a contestar, será oída diciendo: "Da cuenta de tu mayordomía".

Cristo invita a todos a reflexionar. Haced cálculos honrados. Poned en un platillo de la balanza a Jesús, que significa tesoro eterno, vida, verdad, cielo, y el gozo de Cristo en las almas redimidas; poned en el otro todas las atracciones que el mundo pueda ofrecer. En un platillo de la balanza poned la pérdida de vuestra propia alma y de las almas de aquellos para cuya salvación podríais haber sido un instrumento; en el otro, para vosotros y para ellos, una vida que se mide con la vida de Dios. Pesad para el tiempo y la eternidad. Mientras estáis así ocupados, Cristo habla: "¿Qué aprovechará al hombre, si granjeare todo el mundo y perdiere su alma?" (Marcos 8:36.)

Dios desea que escojamos lo celestial en vez de lo terrenal. Nos presenta las posibilidades de una inversión celestial. Quisiera estimular nuestros más elevados blancos, asegurar nuestro más selecto tesoro. Declara: "Haré más precioso que el oro fino al varón, y más que oro de Ofir al hombre". (Isaías 13:12.) Cuando hayan sido arrasadas las riquezas que la polilla devora y el orín corrompe, los seguidores de Cristo podrán regocijarse en su tesoro celestial, las riquezas imperecederas.

Mejor que toda la amistad del mundo es la amistad de los redimidos de Cristo. Mejor que un título de propiedad para el palacio más noble de la tierra es un título a las mansiones que nuestro Señor ha ido a preparar. Y mejores que todas las palabras de alabanza terrenal, serán las palabras del Salvador a sus siervos fieles: "Venid, benditos de mi Padre, heredad el reino preparado para vosotros desde la fundación del mundo". (Mateo 25:34.) A aquellos que hayan despilfarrado sus bienes, Cristo da todavía oportunidad de obtener riquezas duraderas. El dice: "Dad, y se os dará". "Haceos bolsas que no se envejecen, tesoro en los cielos que nunca falta; donde ladrón no llega, ni polilla corrompe". "A los ricos de este siglo manda... que hagan bien, que sean ricos en buenas obras, dadivosos, que con facilidad comuniquen atesorando para sí buen fundamento para lo por venir, que echen mano a la vida eterna". (Lucas 6:38; 12:33; 1 Timoteo 6:17-19.)

Permitid, pues, que vuestra propiedad vaya antes que vosotros al cielo. Haceos tesoros junto al trono de Dios. Aseguraos vuestro título a las riquezas insondables de Cristo. "Ganad amigos por medio de las riquezas injustas —dijo—, para que cuando éstas falten, os reciban en las moradas eternas". (Lucas 16:9, RVR.)

La Verdadera Riqueza

Este capítulo está basado
en Lucas 10:25-37.

ENTRE los judíos la pregunta:
"¿Quién es mi prójimo?", causaba interminables disputas. No
tenían dudas con respecto a los paganos y los samaritanos. Estos eran
extranjeros y enemigos. ¿Pero dónde
debía hacerse la distinción entre el
pueblo de su propia nación y entre las
diferentes clases de la sociedad? ¿A
quién debía, el sacerdote, el rabino,
el anciano considerar como su prójimo? Ellos gastaban su vida en una
serie de ceremonias para hacerse
puros. Enseñaban que el contacto
con la multitud ignorante y descuidada causaría impureza, que exigiría
un arduo trabajo quitar. ¿Debían considerar a los "impuros" como sus prójimos?

Cristo contestó esta pregunta en la
parábola del buen samaritano. Mostró que nuestro prójimo no significa
una persona de la misma iglesia o la
misma fe a la cual pertenecemos. No
tiene que ver con la raza, el color o la
distinción de clase. Nuestro prójimo
es toda persona que necesita nuestra
ayuda. Nuestro prójimo es toda alma
que está herida y magullada por el
adversario. Nuestro prójimo es todo
el que pertenece a Dios.

La parábola del buen samaritano
fue suscitada por una pregunta que le
hizo a Cristo un doctor de la ley.
Mientras el Salvador estaba enseñando, "un doctor de la ley se levantó,
tentándole y diciendo: Maestro,
¿haciendo qué cosa
poseeré la vida eterna?" Los
fariseos habían sugerido esta pregunta al doctor de la ley, con la esperanza de que pudieran entrampar a
Cristo en sus palabras, y escucharon
ávidamente para ver qué responde-
ría. Pero el Salvador no entró en
controversias. Le exigió la contestación al mismo que había pregun-
tado. "¿Qué está escrito en la ley?
—le interrogó—. ¿Cómo lees?" Los
judíos todavía acusaban a Cristo de
considerar livianamente la ley dada
desde el Sinaí, pero él desvió la pregunta referente a la salvación hacia la
observancia de los mandamientos de
Dios.

El doctor dijo: "Amarás al Señor tu
Dios de todo tu corazón, y de toda tu
alma, y de todas tus fuerzas, y de todo
tu entendimiento; y a tu prójimo
como a ti mismo". "Bien has respondido —contestó Cristo—: haz esto y
vivirás".

El doctor de la ley no estaba satisfecho con la posición y las obras de
los fariseos. Había estado estudiando
las Escrituras con el deseo de conocer
su verdadero significado. Tenía interés vital en el asunto, y preguntó

sinceramente: "¿Haciendo qué cosa?" En su contestación referente a los requisitos de la ley, él pasó por alto todo el cúmulo de preceptos ceremoniales y rituales. A éstos no les atribuyó ningún valor, pero presentó los dos grandes principios de los cuales depende toda la ley y los profetas. La alabanza que hizo el Salvador de esta respuesta colocó a Cristo en una situación ventajosa con respecto a los rabinos. No podían condenarlo por sancionar lo que había sido presentado por un expositor de la ley.

"Haz esto y vivirás", dijo Cristo. En su enseñanza, siempre presentaba la ley como una unidad divina, mostrando que es imposible guardar un precepto y violar otro; porque el mismo principio los enlaza a todos. El destino del hombre quedará determinado por su obediencia a toda la ley.

Cristo sabía que nadie podía obedecer la ley por su propia fuerza. El quería inducir al doctor a una investigación más clara y más crítica, de manera que pudiera hallar la verdad. Unicamente aceptando la virtud y la gracia de Cristo podemos guardar la ley. La creencia en la propiciación por el pecado habilita al hombre caído a amar a Dios con todo el corazón, y a su prójimo como a sí mismo.

El doctor sabía que no había guardado ni los primeros cuatro ni los últimos seis mandamientos. Fue convencido por las escrutadoras palabras de Cristo, pero en vez de confesar su pecado, trató de excusarlo. En vez de reconocer la verdad, trató de mostrar cuán difícil era cumplir los mandamientos. Así esperaba rechazar la convicción y defenderse ante los ojos del pueblo. Las palabras del Salvador

habían demostrado que esa pregunta era innecesaria, puesto que él pudo contestarse a sí mismo. Sin embargo, hizo otra pregunta diciendo: "¿Quién es mi prójimo?"

Nuevamente Cristo rehusó entrar en controversia. Contestó la pregunta relatando un caso cuyo recuerdo estaba fresco en la memoria de sus oyentes. "Un hombre descendía de Jerusalén a Jericó, y cayó en manos de ladrones, los cuales le despojaron e hiriéndole, se fueron, dejándole medio muerto".

En la jornada de Jerusalén a Jericó, el viajero tenía que pasar por una sección del desierto de Judea. El camino conducía a una hondonada desierta y rocosa que estaba infestada de bandidos, y que a menudo era escenario de actos de violencia. Fue allí donde el viajero resultó atacado, despojado de cuanto de valor llevaba y dejado medio muerto a la orilla del camino. Mientras yacía en esa condición, pasó por el sendero un sacerdote; vio al hombre tirado, herido y magullado, revolcándose en su propia sangre, pero lo dejó sin prestarle ninguna ayuda. "Se pasó de lado". Entonces apareció un levita. Curioso de saber lo que había ocurrido, se detuvo y observó al hombre que sufría. Estaba convencido de lo que debía hacer, pero no era un deber agradable. Deseó no haber pasado por ese camino, para no haber visto al hombre herido. Se persuadió a sí mismo de que el caso no le concernía, y él también "se pasó de lado".

Pero un samaritano, viajando por el mismo camino, vio al que sufría, e hizo la obra que los otros habían rehusado. Con amabilidad y bondad ministró al hombre herido. "Viéndole, fue movido a misericordia; y llegándose, vendó sus heridas, echándoles aceite y vino; y poniéndole sobre su cabalgadura, llevóle al mesón, y cuidó de él. Y otro día al partir, sacó dos denarios, y diólos al huésped, y le dijo: Cuídamelo, y todo lo que demás gastares, yo cuando vuelva te lo pagaré". Tanto el sacerdote como el levita profesaban piedad, pero el samaritano mostró que él estaba verdaderamente convertido. No era más agradable para él hacer la obra que para el sacerdote y el levita, pero por el espíritu y por las obras demostró que estaba en armonía con Dios.

Al dar esta lección, Cristo presentó los principios de la ley de una manera directa y enérgica, mostrando a sus oyentes que habían descuidado el cumplir esos principios. Sus palabras eran tan definidas y al punto, que los que escuchaban no pudieron encontrar ocasión para cavilar. El doctor de la ley no encontró en la lección nada que pudiera criticar. Desapareció su prejuicio con respecto a Cristo. Pero no pudo vencer su antipatía nacional lo suficiente como para mencionar por nombre al samaritano. Cuando Cristo le preguntó: "¿Quién, pues, de estos tres, te parece que fue el prójimo de aquel que cayó en manos de ladrones?", contestó: "El que usó con él de misericordia".

"Entonces Jesús le dijo: Ve, y haz tú lo mismo". Muestra la misma tierna bondad hacia aquellos que se hallan en necesidad. Así darás evidencia de que guardas toda la ley.

La gran diferencia que había entre los judíos y los samaritanos se relacionaba con ciertas creencias religiosas, respecto a qué constituye el verda-

dero culto. Los fariseos no acostumbraban decir nada bueno de los samaritanos, sino que echaban sobre ellos sus más amargas maldiciones. Tan fuerte era la antipatía entre los judíos y los samaritanos, que a la mujer samaritana le pareció una cosa extraña que Cristo le pidiera de beber. "¿Cómo tú —le dijo—, siendo judío, me pides a mí de beber, que soy mujer samaritana?" "Porque —añade el evangelista— los judíos no se tratan con los samaritanos". (Juan 4:9.) Y cuando los judíos estaban tan llenos de odio asesino contra Cristo que se levantaron en el templo para apedrearlo, no pudieron encontrar mejores palabras para expresar su odio que: "¿No decimos bien nosotros, que tú eres samaritano, y tienes demonio?" (Juan 8:48.) Sin embargo el sacerdote y el levita descuidaron la misma obra que el Señor les había ordenado, dejando que el odiado y despreciado samaritano ayudara a uno de sus compatriotas.

El samaritano había cumplido el mandamiento: "Amarás a tu prójimo como a ti mismo", mostrando así que era más justo que aquellos por los cuales era denunciado. A riesgo de su propia vida, había tratado al herido como hermano suyo. El samaritano representa a Cristo. Nuestro Salvador manifestó por nosotros un amor que el amor del hombre nunca puede igualar. Cuando estábamos heridos y desfallecientes, tuvo piedad de nosotros. No se apartó de nosotros por otro camino, y nos abandonó impotentes y sin esperanza, a la muerte. No permaneció en su santo y feliz hogar, donde era amado por todas las huestes celestiales. Contempló nuestra dolorosa necesidad, se hizo cargo de nuestro caso, identificó sus intereses con los de la humanidad. Murió para salvar a sus enemigos. Oró por sus asesinos. Señalando su propio ejemplo, dice a sus seguidores: "Esto os mando: que os améis los unos a los otros", "como os he amado, que también os améis los unos a los otros". (Juan 15:17; 13:34.)

El sacerdote y el levita habían ido a adorar al templo cuyo servicio fue indicado por Dios mismo. El participar en ese servicio era un noble y exaltado privilegio, y el sacerdote y el levita creyeron que, habiendo sido así honrados, no les correspondía ministrar a un hombre anónimo que sufría a la orilla del camino. Así descuidaron la especial oportunidad que Dios les había ofrecido como agentes suyos, de bendecir a sus semejantes.

Muchos están hoy cometiendo un error similar. Dividen sus deberes en dos clases distintas. La primera clase abarca las grandes cosas, que han de ser reguladas por la ley de Dios; la otra clase se compone de las cosas llamadas pequeñas, en las cuales se ignora el mandamiento: "Amarás a tu prójimo como a ti mismo". Esta esfera de actividad se deja librada al capricho, y se sujeta a la inclinación o al impulso. Así el carácter se malogra y la religión de Cristo es mal interpretada.

Existen personas que piensan que es degradante para su dignidad socorrer a la humanidad que sufre. Muchos miran con indiferencia y desprecio a aquellos que han permitido que el templo del alma se encuentre en ruinas. Otros descuidan a los pobres por diversos motivos. Están trabajando, como creen, en la causa de Cristo, tratando de llevar a cabo

alguna empresa digna. Creen que están haciendo una gran obra, y no pueden detenerse a mirar los menesteres del necesitado y afligido. Al promover el avance de su supuesta gran obra, pueden hasta oprimir a los pobres. Pueden colocarlos en duras y difíciles circunstancias, privarlos de sus derechos o descuidar sus necesidades. Sin embargo, creen que todo eso es justificable porque están, según piensan, promoviendo la causa de Cristo.

Muchos permitirán que un hermano o un vecino luche sin ayuda bajo adversas circunstancias. Por cuanto profesan ser cristianos, puede éste ser inducido a pensar que ellos, en su frío egoísmo, están representando a Cristo. Debido a que los profesos siervos de Dios no cooperan con él, el amor de Dios, que debería fluir de ellos, es en gran medida negado a sus semejantes. Y se impide que una gran corriente de alabanza y acción de gracias ascienda a Dios de los labios y de los corazones humanos. Se lo despoja de la gloria debida a su santo nombre. Se lo priva de las almas por las cuales Cristo murió, almas a quienes anhela llevar a su reino, para vivir en su presencia a través de las edades infinitas.

La verdad divina ejerce poca influencia sobre el mundo cuando debiera ejercer mucha influencia por nuestra práctica. Abunda la mera profesión de religión, pero tiene poco peso. Podemos aseverar ser seguidores de Cristo, podemos afirmar que creemos toda la verdad de la Palabra de Dios pero esto no beneficiará a nuestro prójimo a menos que nuestra creencia penetre en nuestra vida diaria. Lo que profesamos puede ser tan sublime como el cielo, pero no nos salvará a nosotros ni a nuestros semejantes a menos que seamos cristianos. Un ejemplo correcto hará más para beneficiar al mundo que todo lo que profesemos. Ninguna práctica egoísta puede servir a la causa de Cristo. Su causa es la causa de los oprimidos y de los pobres. En el corazón de los que profesan seguirle, se necesita la tierna simpatía de Cristo, un amor más profundo por aquellos a quienes estimó tanto que dio su propia vida para salvarlos. Estas almas son preciosas, infinitamente más preciosas que cualquier otra ofrenda que podamos llevar a Dios. El dedicar toda energía a alguna obra aparentemente grande, mientras descuidamos a los menesterosos y apartamos al extranjero de su derecho, no es un servicio que reciba su aprobación.

La santificación del alma por la obra del Espíritu Santo es la implantación de la naturaleza de Cristo en la humanidad. La religión del Evangelio es Cristo en la vida, un principio vivo y activo. Es la gracia de Cristo revelada en el carácter y desarrollada en las buenas obras. Los principios del Evangelio no pueden separarse de ninguna fase de la vida práctica. Todo aspecto de la vida y de la labor cristianas debe ser una representación de la vida de Cristo.

El amor es la base de la piedad. Cualquiera que sea la profesión que se haga, nadie tiene amor puro para con Dios a menos que tenga amor abnegado para con su hermano. Pero nunca podemos entrar en posesión de este espíritu tratando de amar a otros. Lo que se necesita es que esté el amor de Cristo en el corazón.

Cuando el yo está sumergido en Cristo, el amor brota espontáneamente. La plenitud del carácter cristiano se alcanza cuando el impulso a ayudar y beneficiar a otros brota constantemente de adentro, cuando la luz del cielo llena el corazón y se revela en el semblante.

Es imposible que el corazón en el cual Cristo mora esté desprovisto de amor. Si amamos a Dios porque él nos amó primero, amaremos a todos aquellos por quienes Cristo murió. No podemos llegar a estar en contacto con la Divinidad sin estar en contacto con la humanidad; porque en Aquel que está sentado sobre el trono del universo, se combinan la divinidad y la humanidad. Relacionados con Cristo, estamos relacionados con nuestros semejantes por los áureos eslabones de la cadena del amor. Entonces la piedad y la compasión de Cristo se manifestarán en nuestra vida. No esperaremos que se nos traigan los menesterosos e infortunados. No necesitaremos que se nos suplique para sentir las desgracias ajenas. Será para nosotros tan natural ministrar a los menesterosos y dolientes como lo fue para Cristo andar haciendo bienes.

Siempre que haya un impulso de amor y simpatía, siempre que el corazón anhele beneficiar y elevar a otros, se revela la obra del Espíritu Santo de Dios. En las profundidades del paganismo, hombres que no tenían conocimiento de la ley escrita de Dios, que nunca oyeron el nombre de Cristo, han sido bondadosos para con sus siervos, protegiéndolos con peligro de sus propias vidas. Sus actos demuestran la obra de un poder divino. El Espíritu Santo ha implantado la gracia de Cristo en el corazón del salvaje, despertando sus simpatías que son contrarias a su naturaleza y a su educación. La luz "que alumbra a todo hombre que viene a este mundo" (Juan 1:9), está resplandeciendo en su alma; si presta atención a esta luz, ella guiará sus pies al reino de Dios.

La gloria del cielo consiste en elevar a los caídos, consolar a los angustiados. Siempre que Cristo more en el corazón humano, se revelará de la misma manera. Siempre que actúe, la religión de Cristo beneficiará. Donde quiera que obre, habrá alegría.

Dios no reconoce ninguna distinción por causa de la nacionalidad, la raza o la casta. Es el Hacedor de toda la humanidad. Todos los hombres son una familia por la creación, y todos son uno por la redención. Cristo vino para demoler todo muro de separación, para abrir todo departamento del templo, para que cada alma pudiese tener libre acceso a Dios. Su amor es tan amplio, tan profundo, tan completo, que penetra por doquiera. Libra de la influencia de Satanás a las pobres almas que han sido seducidas por sus engaños. Las coloca al alcance del trono de Dios, el trono circuido por el arco de la promesa.

En Cristo no hay ni judío ni griego, ni esclavo ni libre. Todos son atraídos por su preciosa sangre. (Gálatas 3:28; Efesios 2:13.)

Cualquiera que sea la diferencia de creencia religiosa, el llamamiento de la humanidad doliente debe ser oído y contestado. Donde existe amargura de sentimiento por causa de la diferencia de la religión, puede hacerse

mucho bien mediante el servicio personal. El ministerio amante quebrantará el prejuicio, y ganará las almas para Dios.

Debemos anticiparnos a las tristezas, las dificultades y angustias de los demás. Debemos participar de los goces y cuidados tanto de los encumbrados como de los humildes, de los ricos como de los pobres. "De gracia recibisteis —dice Cristo—, dad de gracia". (Mateo 10:8.) En nuestro derredor hay pobres almas probadas que necesitan palabras de simpatía y acciones serviciales. Hay viudas que necesitan simpatía y ayuda. Hay huérfanos a quienes Cristo ha encargado a sus servidores que los reciban como una custodia de Dios. Demasiado a menudo se los pasa por alto con negligencia. Pueden ser andrajosos, toscos, y aparentemente sin atractivo alguno; pero son propiedad de Dios. Han sido comprados con precio, y a su vista son tan preciosos como nosotros. Son miembros de la gran familia de Dios, y los cristianos como mayordomos suyos, son responsables por ellos. "Sus almas —dice—, demandaré de tu mano".

El pecado es el mayor de todos los males, y nos incumbe compadecernos del pecador y ayudarlo. Pero no todos pueden ser alcanzados de la misma manera. Hay muchos que ocultan el hambre de su alma. Les ayudaría grandemente una palabra tierna o un recuerdo bondadoso. Hay otros que están en la mayor necesidad, y, sin embargo, no lo saben. No se percatan de su terrible indigencia de alma. Hay multitudes tan hundidas en el pecado que han perdido el sentido de las realidades eternas, han perdido la semejanza con Dios, y apenas saben si tienen almas que salvar o no. No tienen fe en Dios ni confianza en el hombre. Muchas de estas personas pueden ser alcanzadas únicamente por actos de bondad desinteresada. Hay que atender primero sus necesidades físicas: alimentarlas, limpiarlas y vestirlas decentemente. Al ver la evidencia de vuestro amor abnegado, les será más fácil creer en el amor de Cristo.

Hay muchos que yerran, y que sienten su vergüenza e insensatez. Miran sus faltas y errores hasta ser arrastrados casi a la desesperación. No debemos descuidar a estas almas. Cuando uno tiene que nadar contra la corriente, toda la fuerza de ésta lo rechaza. Extiéndasele una mano auxiliadora como se extendió la mano del Hermano Mayor hacia Pedro cuando se hundía. Diríjansele palabras llenas de esperanza, palabras que establezcan la confianza y despierten en ellos el amor.

Tu hermano, enfermo de espíritu, te necesita, como tú mismo necesitaste el amor de un hermano. Necesita la experiencia de uno que ha sido tan débil como él, de uno que pueda simpatizar con él y ayudarle. El conocimiento de nuestra propia debilidad debe ayudarnos a auxiliar a otros en su amarga necesidad. Nunca debemos pasar por alto un alma que sufre sin tratar de impartirle el consuelo con que somos nosotros consolados de Dios.

Es la comunión con Cristo, el contacto personal con un Salvador vivo, lo que habilita la mente, el corazón y el alma para triunfar sobre la naturaleza inferior. Háblese al errante de una mano todopoderosa que lo sostendrá, de una humanidad infinita en

Cristo que lo compadece. No basta a la tal persona creer en la ley y la fuerza, cosas que no tienen compasión, ni oyen el pedido de ayuda. Necesita asir una mano cálida, confiar en un corazón lleno de ternura. Mantened su mente fija en el pensamiento de una presencia divina que está siempre a su lado, que siempre lo mira con amor compasivo. Invitadlo a pensar en el corazón de un Padre que siempre se entristece por el pecado, en la mano de un Padre que está todavía extendida, en la voz de un Padre que dice: "¿O forzará alguien mi fortaleza? Haga conmigo paz, sí, haga paz conmigo". (Isaías 27:5.)

Cuando os dedicáis a esta obra, tenéis compañeros invisibles para los ojos humanos. Los ángeles del cielo estaban al lado del samaritano que atendió al extranjero herido. Y están al lado de todos aquellos que prestan servicio a Dios ministrando a sus semejantes. Y tenéis la cooperación de Cristo mismo. El es el restaurador, y mientras trabajéis bajo su dirección, veréis grandes resultados.

De nuestra fidelidad en esta obra, no sólo depende el bienestar de otros, sino nuestro propio destino eterno. Cristo está tratando de elevar a todos aquellos que quieran ser elevados a un compañerismo consigo, para que podamos ser uno con él, como él es uno con el Padre. Nos permite llegar a relacionarnos con el sufrimiento y la calamidad a fin de sacarnos de nuestro egoísmo; trata de desarrollar en nosotros los atributos de su carácter: la compasión, la ternura y el amor. Aceptando esta obra de ministración, nos colocamos en su escuela, a fin de ser hechos idóneos para las cortes de Dios. Rechazándola, rechazamos su instrucción y elegimos la eterna separación de su presencia. "Si guardares mi ordenanza —declara el Señor—, entre éstos que aquí están te daré plaza" (Zacarías 3:7), aun entre los ángeles que rodean su trono. Cooperando con los seres celestiales en su obra en la tierra, nos estamos preparando para su compañía en el cielo. Los "espíritus administradores, enviados para servicio a favor de los que serán herederos de salud" (Hebreos 1:14), los ángeles del cielo, darán la bienvenida a aquel que en la tierra vivió no "para ser servido, sino para servir". (Mateo 20:28.) En esta compañía bienaventurada aprenderemos, para nuestro gozo eterno, todo lo que encierra la pregunta: "¿Quién es mi prójimo?"

Bases para la Recompensa Final

Este capítulo está basado en Mateo 19:16-30; 20:1-16; Marcos 10:17-31; Lucas 18:18-30.

LOS judíos casi habían perdido de vista la verdad de la abundante gracia de Dios. Los rabinos enseñaban que el favor divino había que ganarlo. Esperaban ganar la recompensa de los justos por sus propias obras. Así su culto era impulsado por un espíritu codicioso y mercenario. Aun los mismos discípulos de Cristo no estaban del todo libres de este espíritu, y el Salvador buscaba toda oportunidad para mostrarles su error. Precisamente antes que él diera la parábola de los obreros, ocurrió un suceso que le brindó la oportunidad de presentar los buenos principios.

Mientras iba por el camino, un joven príncipe vino corriendo hacia él, y arrodillándose, lo saludó con reverencia. "Maestro bueno, ¿qué bien haré para tener la vida eterna?", preguntó.

El príncipe se había dirigido a Cristo meramente como a un honrado rabí, no discerniendo en él al Hijo de Dios. El Salvador dijo: "¿Por qué me llamas bueno? Ninguno es bueno sino uno, es a saber, Dios". ¿En qué te basas para llamarme bueno? Dios es el único bueno. Si me reconoces a mí como tal, me debes recibir como su Hijo y Representante.

"Si quieres entrar en la vida —añadió—, guarda los mandamientos". El carácter de Dios está expresado en su ley; y para que estés en armonía con Dios, los principios de su ley deben ser la misma fuente de cada acción tuya.

Cristo no disminuye las exigencias de la ley. En un lenguaje inconfundible, presenta la obediencia a ella como la condición de la vida eterna: la misma condición que se requería de Adán antes de su caída. El Señor no espera menos del alma ahora que lo que esperó del hombre en el paraíso: perfecta obediencia, justicia inmaculada. El requisito que se ha de llenar bajo el pacto de la gracia es tan amplio como el que se exigía en el Edén: la armonía con la ley de Dios, que es santa, justa y buena.

A las palabras: "Guarda los mandamientos", el joven respondió: "¿Cuáles?" El pensaba que se refería a algunos preceptos ceremoniales; pero Cristo estaba hablando de la ley dada desde el Sinaí. Mencionó varios mandamientos de la segunda tabla del Decálogo, y entonces los resumió todos en el precepto: "Amarás a tu prójimo como a ti mismo".

El joven respondió sin vacilación: "Todo esto guardé desde mi juventud: ¿qué más me falta?" Su concepción de la ley era externa y superficial. Juzgado por una norma humana, él había conservado un carácter intachable. En alto grado, su vida externa había estado libre de culpa; ciertamente pensaba que su obediencia había sido sin defecto. Sin embargo, tenía un secreto temor de que no estuviera todo bien entre su alma y Dios. Esto fue lo que lo indujo a preguntar: "¿Qué más me falta?"

"Si quieres ser perfecto —dícele Jesús—, anda, vende lo que tienes, y dalo a los pobres, y tendrás tesoro en el cielo; y ven, sígueme. Y oyendo el mancebo esta palabra, se fue triste, porque tenía muchas posesiones".

El que se ama a sí mismo es un transgresor de la ley. Jesús deseaba revelarle esto al joven, y le dio una prueba que pondría de manifiesto el egoísmo de su corazón. Le mostró la mancha de su carácter. El joven no deseaba mayor iluminación. Había acariciado un ídolo en el alma; el mundo era su dios. Profesaba haber guardado los mandamientos, pero carecía del principio que es el mismo espíritu y la vida de todos ellos. No tenía un verdadero amor a Dios o al hombre. Esto significaba la carencia de algo que lo calificaría para entrar en el reino de los cielos. En su amor a sí mismo y a las ganancias mundanales estaba en desacuerdo con los principios del cielo.

Cuando este joven príncipe vino a Jesús, su sinceridad y fervor ganaron el corazón del Salvador. "Mirándole, amóle". En este joven vio él a uno que podría ser útil como predicador de justicia. El quería recibir a este noble y talentoso joven tan prestamente como recibió a los pobres pescadores que lo siguieron. Si el joven hubiera consagrado su habilidad a la obra de salvar almas, habría llegado a ser un diligente obrero de éxito para Cristo.

Pero primeramente debía aceptar las condiciones del discipulado. Debía consagrarse a sí mismo sin reservas a Dios. Al llamado del Salvador, Juan, Pedro, Mateo, y sus compañeros, "dejadas todas las cosas, levantándose, le siguieron". (Lucas 5:28.) La misma consagración se exigió del joven príncipe. Y en esto Cristo no pidió un sacrificio mayor del que él mismo había hecho. "Por amor de vosotros se hizo pobre, siendo rico;

para que vosotros por su pobreza fueseis enriquecidos". (2 Corintios 8:9.) El joven rico sólo tenía que seguir el camino recorrido por Cristo. Cristo miró al joven, y anheló que le entregara su alma. Anheló enviarlo como un mensajero de bendición a los hombres. En lugar de aquello que lo invitó a entregarle, Cristo le ofreció el privilegio de su compañía. "Sígueme", dijo. Este privilegio había sido considerado como un gozo por Pedro, Santiago y Juan. El joven mismo miraba a Cristo con admiración. Su corazón era atraído hacia el Salvador. Pero no estaba listo a aceptar el principio del sacrificio propio expresado por el Salvador. Elegía sus riquezas antes que a Jesús. Anhelaba la vida eterna, pero no quería recibir en el alma ese amor abnegado, el único que es vida, y con un corazón pesaroso se apartó de Cristo.

Al alejarse el joven, Jesús dijo a sus discípulos: "¡Cuán dificultosamente entrarán en el reino de Dios los que tienen riquezas!" Estas palabras asombraron a los discípulos. Se les había enseñado a considerar a los ricos como los favoritos del cielo; ellos mismos esperaban recibir riquezas y poder mundanos en el reino del Mesías; y si el rico no entraba en el reino de los cielos, ¿qué esperanza podría haber para el resto de los hombres?

"Mas Jesús respondiendo, les volvió a decir: ¡Hijos, cuán difícil es entrar en el reino de Dios, los que confían en las riquezas! Más fácil es pasar un camello por el ojo de una aguja, que el rico entrar en el reino de Dios. Y ellos se espantaban más". Ahora se daban cuenta de que ellos mismos estaban incluidos en la

solemne amonestación. A la luz de las palabras del Salvador, fue revelado su propio anhelo secreto de poder y riquezas. Con dudas respecto a ellos mismos, exclamaron: "¿Y quién podrá salvarse?"

"Entonces Jesús mirándolos, dice: Para los hombres es imposible; mas para Dios, no; porque todas las cosas son posibles para Dios".

Un hombre rico, como tal, no puede entrar en el reino de los cielos. Su riqueza no le da ningún título a la herencia de los santos en luz. Es sólo por la gracia inmerecida de Cristo como un hombre puede hallar entrada en la ciudad de Dios.

No menos para el rico que para el pobre son las palabras que habló el Espíritu Santo: "No sois vuestros. Porque comprados sois por precio". (1 Corintios 6:19, 20.) Cuando los hombres crean esto, considerarán sus posesiones como un préstamo que ha de ser usado como Dios dirija, para la salvación de los perdidos y el consuelo de los que sufren y los pobres. Para el hombre esto es imposible, porque el corazón se adhiere a su tesoro terrenal. El alma que está unida en servicio a Mammón es sorda al clamor de la necesidad humana. Pero para Dios todas las cosas son posibles. Al contemplar el incomparable amor de Cristo, el corazón egoísta será ablandado y subyugado. El hombre rico será inducido, como lo fue Saulo el fariseo, a decir: "Las cosas que para mí eran ganancia, helas reputado pérdidas por amor de Cristo: Y ciertamente, aun reputo todas las cosas pérdida por el eminente conocimiento de Cristo Jesús, mi Señor". (Filipenses 3:7, 8.) Entonces no considerarán nada como suyo propio. Se regocijarán de considerarse a sí mismos como mayordomos de la multiforme gracia de Dios, y por su causa siervos de todos los hombres.

Pedro fue el primero en reponerse de la secreta convicción obrada por las palabras del Salvador. Pensó con satisfacción en lo que él y sus hermanos habían abandonado por Cristo. "He aquí —dijo—, nosotros hemos dejado todo, y te hemos seguido". Recordando la promesa condicional hecha al joven príncipe, "tendrás tesoro en el cielo", ahora preguntó qué habían de recibir él y sus compañeros como recompensa por sus sacrificios.

La respuesta del Salvador emocionó los corazones de aquellos pescadores galileos. Pintó honores que sobrepujaban sus más altos sueños: "De cierto os digo, que vosotros que me habéis seguido, en la regeneración, cuando se sentará el Hijo del hombre en el trono de su gloria, vosotros también os sentaréis sobre doce tronos, para juzgar a las doce tribus de Israel". Y añadió: "No hay ninguno que haya dejado casa, o hermanos, o hermanas, o padre, o madre, o mujer, o hijos, o heredades, por causa de mí y del evangelio, que no reciba cien tantos ahora en este tiempo, casas, y hermanos y hermanas, y madres, e hijos, y heredades, con persecuciones; y en el siglo venidero la vida eterna".

Mas la pregunta de Pedro: "¿Qué pues tendremos?", había revelado un espíritu que, de no ser corregido, haría ineptos a los discípulos para ser mensajeros de Cristo: era el espíritu del asalariado. Aunque habían sido atraídos por el amor de Cristo, los discípulos no estaban completamente libres de farisaísmo. Todavía trabajaban con el pensamiento de merecer una recompensa en proporción a su labor. Acariciaban un espíritu de exaltación y complacencia propias, y hacían comparaciones entre ellos. Cuando alguno de ellos fracasaba en algún respecto, los otros se sentían superiores.

Para que los discípulos no perdieran de vista los principios del Evangelio, Cristo les relató una parábola que ilustraba la manera en la cual Dios trata con sus siervos, y el espíritu con el cual él quiere que trabajen para él.

"El reino de los cielos —dijo él—, es semejante a un hombre, padre de familia, que salió por la mañana a ajustar obreros para su viña". Era costumbre que los hombres que buscaban empleo esperaran en el mercado, y allá iban los contratistas a buscar siervos. Se representa al hombre de la parábola saliendo a diferentes horas para emplear obreros. Aquellos que son empleados en las primeras horas convienen en trabajar por una suma determinada; los que son ajustados más tarde dejan su sueldo al juicio del dueño de casa.

"Y cuando fue la tarde del día, el Señor de la viña dijo a su mayordomo: Llama a los obreros y págales el jornal, comenzando desde los postreros hasta los primeros. Y viniendo los que habían ido cerca de la hora undécima, recibieron cada uno un denario. Y viniendo también los primeros, pensaban que habían de recibir más; pero también ellos recibieron cada uno un denario".

El trato del jefe de la casa con los obreros de su viña representa la forma en que Dios se relaciona con la familia humana. Dicho trato es contrario a las costumbres que prevalecen entre los hombres. En los negocios mundanales, se otorga la compensación de acuerdo con la obra realizada. El obrero espera que se le pague únicamente lo que gana. Pero en la parábola, Cristo estaba ilustrando los principios de su reino, un reino que no es de este mundo. El no se rige por una norma humana. El Señor dice: "Mis pensamientos no son vuestros pensamientos, ni vuestros caminos mis caminos... Como son más altos los cielos que la tierra, así son mis caminos más altos que vuestros caminos, y mis pensamientos más que vuestros pensamientos". (Isaías 55:8, 9.)

En la parábola, los primeros obreros convinieron en trabajar por una suma estipulada, y recibieron la cantidad que se había especificado, nada más. Los que fueron ajustados más tarde creyeron en la promesa del patrón: "Os daré lo que fuere justo". Mostraron su confianza en él no haciendo ninguna pregunta con respecto a su salario. Confiaron en su justicia y equidad. Y fueron recompensados, no de acuerdo con la cantidad de su trabajo, sino según la generosidad de su propósito.

Así Dios quiere que confiemos en Aquel que justifica al impío. Concede su recompensa no de acuerdo con nuestro mérito, sino según su propio propósito, "que hizo en Cristo Jesús nuestro Señor". "No por obras de justicia que nosotros habíamos hecho, mas por su misericordia nos salvó". (Efesios 3:11; Tito 3:5.) Y en favor de aquellos que confían en él obrará "mucho más abundantemente

de lo que pedimos o entendemos". (Efesios 3:20.)

No es la cantidad de trabajo que se realiza o los resultados visibles, sino el espíritu con el cual la obra se efectúa lo que le da valor ante Dios. Los que vinieron a la viña a la hora undécima estaban agradecidos por la oportunidad de trabajar. Sus corazones estaban llenos de gratitud hacia la persona que los aceptó; y cuando al final de la jornada el jefe de la casa les pagó por el día entero, estaban grandemente sorprendidos. Sabían que no habían ganado ese salario. Y la bondad revelada en el semblante de su empleador los llenó de gozo. Nunca olvidaron la bondad del dueño de la casa, ni la generosa recompensa que habían recibido. Esto es lo que ocurre con el pecador que, conociendo su falta de méritos, ha entrado en la viña del Señor a la hora undécima. Su tiempo de servicio parece muy corto, no se siente digno de recompensa alguna, pero está lleno de gozo porque por lo menos Dios lo ha aceptado. Trabaja con un espíritu humilde y confiado, agradecido por el privilegio de ser un colaborador de Cristo. Dios se deleita en honrar este espíritu.

El Señor desea que confiemos en él sin hacer preguntas con respecto a nuestra recompensa. Cuando Cristo mora en el alma, el pensamiento de recompensa no primará. Este no es el motivo que impulsa nuestro servicio. Es cierto que, en un sentido secundario, debemos tener en cuenta la recompensa. Dios desea que apreciemos las bendiciones que nos ha prometido. Pero no quiere que estemos muy ansiosos por la remuneración, ni que pensemos que por cada deber hemos de recibir un galardón. No debemos estar tan ansiosos de obtener el premio, como de hacer lo que es recto, independientemente de toda ganancia. El amor a Dios y a nuestros semejantes debe ser nuestro motivo.

Esta parábola no excusa a los que oyen el primer llamamiento a trabajar, pero no entran en la viña del Señor. Cuando el dueño de la casa fue al mercado a la hora undécima, y encontró algunos hombres sin ocupación, dijo: "¿Por qué estáis aquí todo el día ociosos?" La respuesta fue: "Porque nadie nos ha ajustado". Ninguno de los que fueron llamados hacia la tarde del día estaba allí por la mañana. No habían rechazado el llamamiento. Aquellos que rechazan y luego se arrepienten, hacen bien en arrepentirse; pero no es seguro jugar con el primer llamamiento de la misericordia.

Cuando los trabajadores de la viña recibieron "cada uno un denario", los que habían comenzado a trabajar temprano en el día se ofendieron. ¿No habían trabajado ellos durante doce horas?, razonaron; y ¿no era justo que recibieran más que aquellos que habían trabajado solamente una hora en la parte más fresca del día? "Estos postreros sólo han trabajado una hora —dijeron—, y los has hecho iguales a nosotros, que hemos llevado la carga y el calor del día".

"Amigo —respondió el patrón a uno de ellos—, no te hago agravio; ¿no te concertaste conmigo por un denario? Toma lo que es tuyo, y vete; mas quiero dar a este postrero, como a ti. ¿No me es lícito a mí hacer lo que quiero con lo mío? o ¿es malo tu ojo, porque yo soy bueno?"

"Así los primeros serán postreros, y los postreros primeros: porque muchos son llamados, mas pocos escogidos".

Los primeros trabajadores de la parábola representan a aquellos que, a causa de sus servicios, exigen que se los prefiera sobre los demás. Realizan su obra con espíritu de congratulación propia, y no ponen en ella abnegación y sacrificio. Pueden haber profesado servir a Dios durante toda su vida; pueden haber sido delanteros en soportar duros trabajos, privaciones y pruebas, y por lo tanto se creen merecedores de una gran recompensa. Piensan más en el pago que en el privilegio de ser siervos de Cristo. Según ellos, sus labores y sacrificios los hacen acreedores a un honor mayor que los demás, y debido a que esta pretensión no es reconocida, se ofenden. Si pusieran en su trabajo un espíritu amante y confiado, continuarían siendo los primeros, pero su disposición a quejarse y protestar es contraria al espíritu de Cristo, y demuestra que ellos son indignos de confianza. Revelan su deseo de engrandecimiento personal, su desconfianza en Dios, sus celos y mala voluntad hacia sus hermanos. La bondad y la liberalidad del Señor es para ellos sólo motivo de murmuración. Así muestran que no hay relación entre sus almas y Dios. No conocen el gozo de cooperar con el Artífice Maestro.

No hay nada más ofensivo para Dios que este espíritu estrecho y egoísta. El no puede trabajar con nadie que manifieste estos atributos. Los que los albergan son insensibles a la influencia de su Espíritu.

Los judíos habían sido llamados primero a la viña del Señor; y por causa de eso eran orgullosos y justos en su propia opinión. Consideraban que sus largos años de servicio los hacía merecedores de una recompensa mayor que los demás. No los exasperaba más que una insinuación de que los gentiles habían de ser admitidos con iguales privilegios que ellos en las cosas de Dios.

Cristo amonestó a los discípulos que fueron llamados en primer término a seguirle, a que no se acariciase entre ellos el mismo mal. El vio que un espíritu de justicia propia sería la debilidad y la maldición de la iglesia. Los hombres pensarían que podrían hacer algo para ganar un lugar en el reino de los cielos. Se imaginarían que cuando hubieran hecho cierto progreso, el Señor les ayudaría. Así habría abundancia del yo y poco de Jesús. Muchas personas que hubieran hecho un poco de progreso se envanecerían, y se pensarían superiores a los demás. Estarían ansiosas de ser aduladas, y manifestarían celo si no se las considerase más importantes que a otros. Cristo trata de guardar a sus discípulos de este peligro.

El jactarnos de nuestros méritos está fuera de lugar. "No se alabe el sabio en su sabiduría, ni en su valentía se alabe el valiente, ni el rico se alabe en sus riquezas. Mas alábese en esto el que se hubiere de alabar: en entenderme y conocerme, que yo soy Jehová, que hago misericordia, juicio y justicia en la tierra: porque estas cosas quiero, dice Jehová". (Jeremías 9:23, 24.)

El premio no se otorga por las obras, a fin de que nadie se alabe; mas es todo por gracia. "¿Qué, pues, diremos que halló Abrahán nuestro padre según la carne? Que si Abrahán fue justificado por las obras, tiene de qué gloriarse; mas no para con Dios. Porque ¿qué dice la Escritura? Y creyó Abrahán a Dios, y le fue atribuido a justicia. Empero al que obra, no se le cuenta el salario por merced, sino por deuda. Mas al que no obra, pero cree en aquel que justifica al impío, la fe le es contada por justicia". (Romanos 4:1-5.) Por lo tanto, no hay motivo para que uno se gloríe sobre otro o manifieste envidia hacia otro. Nadie obtiene un privilegio superior a otro, ni puede alguien reclamar la recompensa como un derecho.

El primero y el último han de ser participantes en la gran recompensa eterna, y el primero debe dar alegremente la bienvenida al último. Aquel que envidia la recompensa de otro olvida que él mismo es salvado sólo por gracia. La parábola de los trabajadores condena todos los celos y las sospechas. El amor se regocija en la verdad, y no hace comparaciones envidiosas. El que posee amor compara únicamente la belleza de Cristo con su propio carácter imperfecto.

Esta parábola es una amonestación a todos los obreros, por largo que sea su servicio, por abundantes que sean sus labores, acerca de que sin el amor hacia los hermanos, sin humildad ante Dios, ellos no son nada. No hay religión en la entronización del yo. Aquel que hace de la glorificación propia su blanco, se hallará destituido de aquella gracia que es lo único que puede hacerlo eficiente en el servicio de Cristo. Toda vez que se condesciende con el orgullo y la complacencia propia, la obra se echa a perder.

No es la cantidad de tiempo que trabajamos, sino nuestra pronta disposición y nuestra fidelidad en el trabajo, lo que lo hace aceptable a Dios. En todo nuestro servicio se requiere una entrega completa del yo. El deber más humilde, hecho con sinceridad y olvido de sí mismo, es más agradable a Dios que el mayor trabajo cuando está echado a perder por el engrandecimiento propio. El mira para ver cuánto del Espíritu de Cristo abrigamos y cuánta de la semejanza de Cristo revela nuestra obra. El considera mayores el amor y la fidelidad con que trabajamos que la cantidad que efectuamos.

Tan sólo cuando el egoísmo está muerto, cuando la lucha por la supremacía está desterrada, cuando la gratitud llena el corazón, y el amor hace fragante la vida, tan sólo entonces Cristo mora en el alma, y nosotros somos reconocidos como obreros juntamente con Dios.

Por cansador que sea su trabajo, los verdaderos obreros no lo considerarán como tarea penosa. Están dispuestos a gastarse y ser gastados; pero es un trabajo gozoso hecho con un corazón alegre. El gozo en Dios se expresa por medio de Cristo Jesús. Su gozo es el que le fue propuesto a Cristo, "que haga la voluntad del que me envió y que acabe su obra". (Juan 4:34.) Están cooperando con el Señor de la gloria. Este pensamiento dulcifica toda faena, fortalece la voluntad, vigoriza el espíritu para todo lo que pueda ocurrir. Trabajando con un corazón abnegado, ennoblecido por ser participante de los sufrimientos de Cristo, compartiendo sus

simpatías, y cooperando con él en su labor ellos ayudan a acrecentar su gozo, y producen honor y alabanza a su exaltado nombre.

Este es el espíritu de todo verdadero servicio para Dios. Debido a una falta de ese espíritu, muchos de los que parecen ser primeros llegarán a ser últimos, mientras que aquellos que lo poseen, aunque se los considere como últimos, llegarán a ser primeros.

Hay muchos que se han entregado a Cristo, y sin embargo no ven la oportunidad de hacer una gran obra o grandes sacrificios en su servicio. Estos pueden encontrar consuelo en el pensamiento de que no es necesariamente la entrega que se hace en el martirio la que es más agradable a Dios; puede ser que no sea el misionero que diariamente ha soportado el peligro y encarado la muerte, el que se destaque en primer plano en los registros celestiales. El cristiano que lo es en su vida privada, en la entrega diaria del yo, en la sinceridad de propósito y la pureza de pensamiento, en la mansedumbre que manifiesta bajo la provocación, en la fe y en la piedad, en la fidelidad en las cosas menores aquel que en la vida del hogar representa el carácter de Cristo: tal persona, a la vista de Dios, puede ser más preciosa que el misionero o el mártir mundialmente conocido.

¡Oh, cuán diferentes son las normas según las cuales Dios y los hombres miden el carácter! Dios ve muchas tentaciones resistidas de las cuales el mundo y aun los amigos más cercanos nunca saben nada: tentaciones en el hogar, en el corazón. El nota la humildad que siente el alma al ver su propia debilidad, el sincero arrepentimiento hasta de un pensamiento que es malo. El ve la devoción ferviente a su servicio. El ha notado las horas de dura batalla con el yo, una batalla que gana la victoria. Todo esto lo saben Dios y los ángeles. Un libro de memoria es escrito ante él para aquellos que temen a Dios y piensan en su nombre.

El secreto del éxito no ha de ser hallado en nuestro conocimiento, en nuestra posición, en el número que constituimos o en los talentos que se nos han confiado, ni en la voluntad del hombre. Sintiendo nuestra deficiencia, hemos de contemplar a Cristo, y por medio de Aquel que es la fuerza de toda fuerza, el pensamiento de todo pensamiento, la persona voluntaria y obediente obtendrá una victoria tras otra.

Y por corto que sea nuestro servicio o humilde nuestro trabajo, si con una fe sencilla seguimos a Cristo, no seremos chasqueados en cuanto a la recompensa. Aquello que aun los mayores o los más sabios hombres no pueden ganar, el más débil y el más humilde pueden recibir. Los áureos portales del cielo no se abrirán ante el que se exalta a sí mismo. No darán paso a los de espíritu soberbio. Pero los eternos portales se abrirán de par en par ante el toque tembloroso de un niñito. Bendita será la recompensa de gracia concedida a los que trabajaron por Dios con simplicidad de fe y amor.

El Premio Inmerecido

Este capítulo está basado en
Mateo 25:1-13.

CRISTO está sentado con sus discípulos sobre el Monte de las Olivas. El sol se ha puesto detrás de las montañas, y las sombras de la noche, como una cortina, cubren los cielos. A plena vista se halla una casa profusamente iluminada, cual si lo fuera para alguna fiesta. La luz irradia en raudales de sus aberturas, y un grupo expectante aguarda en torno de ella, indicando que está a punto de aparecer una procesión nupcial. En muchos lugares del Oriente, las fiestas de bodas se realizan por la noche. El novio va al encuentro de su prometida y la trae a su casa. A la luz de las antorchas la procesión nupcial va de la casa del padre de la esposa a la del esposo, donde se ofrece una fiesta a los huéspedes invitados. En la escena que Cristo contempla, un grupo de personas está esperando la aparición de los novios y su séquito con la intención de unirse a la procesión.

Cerca de la casa de la novia se hallan diez doncellas vestidas de blanco. Cada una lleva una lámpara encendida y una pequeña vasija para aceite. Todas están esperando con ansiedad la aparición del esposo. Pero se produce una demora. Transcurre una hora tras otra, y las que están esperando se cansan y se duermen. A la medianoche se oye un clamor: "He aquí, el esposo viene; salid a recibirle". De repente se despiertan las que dormían y saltan sobre sus pies. Ven la procesión que avanza, alumbrada por las antorchas y alegrada por la música. Oyen la voz del esposo y de la esposa. Las diez vírgenes toman sus lámparas y comienzan a acondicionarlas, apresurándose a marchar. Pero cinco de ellas no habían llenado sus vasijas de aceite. No presumieron que habría una demora tan larga, y no se habían preparado para la emergencia. Afligidas, se dirigieron a sus compañeras más prudentes, diciendo: "Dadnos de vuestro aceite; porque nuestras lámparas se apagan". Pero las otras cinco, con sus lámparas recién aderezadas, habían vaciado sus vasijas. No tenían aceite de sobra, y respondieron: "Porque no nos falte a nosotras y a vosotras, id antes a los que venden, y comprad para vosotras".

Mientras iban a comprar, la procesión avanzó y las dejó atrás. Las cinco que tenían sus lámparas encendidas se unieron a la muchedumbre, entraron en la casa con el séquito nupcial, y la puerta se cerró. Cuando las vírgenes fatuas llegaron al salón del banquete, recibieron un rechazamiento inesperado. El jefe de la fiesta declaró: "No os conozco". Fueron dejadas afuera, en la calle desierta, en las tinieblas de la noche.

Mientras Cristo estaba sentado mirando el grupo que esperaba al esposo, contó a sus discípulos la historia de las diez vírgenes, para ilustrar con ese suceso la experiencia de la iglesia que viviría precisamente antes de su segunda venida.

Los dos grupos de personas que esperaban representan dos clases que profesan estar esperando a su Señor. Se las llama vírgenes porque profesan una fe pura. Las lámparas representan la Palabra de Dios. El salmista dice: "Lámpara es a mis pies tu palabra, y lumbrera a mi camino". (Salmo 119:105.) El aceite es un símbolo del Espíritu Santo. Así se representa el

Espíritu en la profecía de Zacarías. "Volvió el ángel que hablaba conmigo —dijo—, y despertóme como un hombre que es despertado de su sueño. Y díjome: ¿Qué ves? Y respondí: He mirado, y he aquí un candelero todo de oro, con su vaso sobre su cabeza, y sus siete lámparas encima del candelero; y siete canales para las lámparas que están encima de él; y sobre él dos olivas, la una a la derecha del vaso, y la otra a su izquierda. Proseguí, y hablé a aquel ángel que hablaba conmigo, diciendo: ¿Qué es esto, Señor mío?... Entonces respondió y hablóme, diciendo: Esta es palabra de Jehová a Zorobabel, en que se dice: No con ejército, ni con fuerza, sino con mi Espíritu, ha dicho Jehová de los ejércitos... Hablé de nuevo, y díjele: ¿Qué significan las dos ramas de olivas, que por medio de dos tubos de oro vierten de sí aceite como oro?... Y él dijo: Estos dos hijos de aceite son los que están delante del Señor de toda la tierra". (Zacarías 4:1-14.)

Procedente de las dos olivas, corría el áureo aceite por los tubos hacia el recipiente del candelero y luego hacia las lámparas de oro que iluminaban el santuario. Así también de los seres santos que están en la presencia de Dios, su Espíritu es impartido a los instrumentos humanos que están consagrados a su servicio. La misión de los dos ungidos es comunicar al pueblo de Dios que sólo la gracia celestial puede hacer de su Palabra una lámpara para los pies y una luz para el sendero. "No con ejército, ni con fuerza, sino con mi Espíritu, ha dicho Jehová de los ejércitos". (Zacarías 4:6.)

En la parábola todas las vírgenes salieron a recibir al esposo. Todas tenían lámparas y vasijas para aceite. Por un tiempo parecía no haber diferencia entre ellas. Tal ocurre con la iglesia que vive precisamente antes de la segunda venida de Cristo. Todos tienen el conocimiento de las Escrituras. Todos han oído el mensaje de la pronta venida de Cristo, y esperan confiadamente su aparición. Pero así como ocurrió en la parábola, ocurre hoy en día. Interviene un tiempo de espera, la fe es probada; y cuando se oye el clamor: "He aquí, el esposo viene; salid a recibirle", muchos no están listos. No tienen aceite en sus vasijas para las lámparas. Están destituidos del Espíritu Santo.

Sin el Espíritu de Dios, un conocimiento de su Palabra no tiene valor. La teoría de la verdad, cuando no va acompañada del Espíritu Santo, no puede avivar el alma o santificar el corazón. Uno puede estar familiarizado con los mandamientos y las promesas de la Biblia, pero a menos que el Espíritu de Dios grabe la verdad, el carácter no será transformado. Sin la iluminación del Espíritu, los hombres no podrán distinguir la verdad del error, y caerán bajo las tentaciones maestras de Satanás.

La clase representada por las vírgenes fatuas no está formada de hipócritas. Sus componentes manifiestan respeto por la verdad, la han defendido, y son atraídos hacia aquellos que la creen; pero no se han rendido a sí mismos a la obra del Espíritu Santo. No han caído sobre la Roca, Cristo Jesús, y permitido que su vieja naturaleza fuera quebrantada. Esta clase se halla simbolizada también por los oyentes representados por el terreno rocoso. Reciben la palabra con prontitud, pero no asimilan sus principios. La influencia de la palabra no es permanente. El Espíritu obra en el corazón del hombre de acuerdo con su deseo y consentimiento, implantando en él una nueva naturaleza. Pero las personas representadas por las vírgenes fatuas se han contentado con una obra superficial. No conocen a Dios. No han estudiado su carácter; no han mantenido comunión con él; por lo tanto no saben cómo confiar en él, cómo mirarlo y cómo vivir. Su servicio a Dios degenera en formalismo. "Vendrán a ti como viene el pueblo, y se estarán delante de ti como mi pueblo, y oirán tus palabras, y no las pondrán por obra; antes hacen halagos con sus bocas, y el corazón de ellos anda en pos de su avaricia". (Ezequiel 33:31.) El apóstol Pablo señala que ésta será la característica especial de aquellos que vivan precisamente antes de la segunda venida de Cristo. Dice: "En los postreros días vendrán tiempos peligrosos: que habrá hombres amadores de sí mismos... amadores de los deleites más que de Dios; teniendo apariencia de piedad, mas habiendo negado la eficacia de ella". (2 Timoteo 3:1-5.)

Esta es la clase de personas que en tiempo de peligro clama: Paz y seguridad. Arrullan sus corazones en la seguridad, y no sueñan con peligros. Cuando se despiertan alarmados de su letargo, disciernen su destitución, y tratan de que otros suplan su necesidad; pero en las cosas espirituales ningún hombre puede suplir la deficiencia del otro. La gracia de Dios ha sido libremente ofrecida a toda alma. Se ha proclamado el mensaje evangélico: "El que tiene sed, venga: y el que quiere, tome del agua de la vida de balde". (Apocalipsis 22:17.) Pero el carácter es intransferible. Ningún hombre puede creer por otro. Ningún hombre puede recibir el Espíritu por otro. Nadie puede impartir a otro el carácter que es el fruto de la obra del Espíritu. Si "estuvieren en medio de ella [la tierra] Noé, Daniel, y Job, vivo yo, dice el Señor Jehová, no librarán hijo ni hija; ellos por su justicia librarán su vida". (Ezequiel 14:20.) Es en la crisis cuando se revela el carácter. Cuando la voz fervorosa proclamó a medianoche: "He aquí, el esposo viene; salid a recibirle", y las vírgenes que dormían fueron despertadas de su sueño, se vio quién había hecho la preparación para el acontecimiento. Ambas clases fueron tomadas desprevenidas; pero una estaba preparada para la emergencia, y la otra fue hallada sin preparación. Así también hoy en día, una calamidad repentina e inesperada, algo que pone al alma cara a cara con la muerte, demostrará si uno tiene verdadera fe en las promesas de Dios. Mostrará si el alma es sostenida por la gracia. La gran prueba final viene a la terminación del tiempo de gracia, cuando será demasiado tarde para que la necesidad del alma sea suplida.

Las diez vírgenes están esperando en el atardecer de la historia de esta tierra. Todas aseveran ser cristianas. Todas han recibido un llamamiento, tienen un nombre y una lámpara: todas profesan estar realizando el servicio de Dios. Aparentemente todas esperan la aparición de Cristo. Pero cinco no están listas. Cinco quedarán sorprendidas y espantadas fuera de la sala del banquete.

En el día final, muchos pretenderán ser admitidos en el reino de Cristo, diciendo: "Delante de ti hemos comido y bebido, y en nuestras plazas enseñaste". "Señor, Señor, ¿no profetizamos en tu nombre, y en tu nombre lanzamos demonios, y en tu nombre hicimos muchos milagros?" Pero la respuesta es: "Dígoos que no os conozco;... apartaos de mí". (Lucas 13:26, 27; Mateo 7:22.) En esta vida no han practicado el compañerismo con Cristo; por lo tanto no conocen el lenguaje del cielo, son extraños a sus gozos. "¿Quién de los hombres sabe las cosas del hombre, sino el espíritu del hombre que está en él? Así tampoco nadie conoció las cosas de Dios, sino el Espíritu de Dios". (1 Corintios 2:11.)

Las más tristes de todas las palabras jamás escuchadas por oídos mortales son las que constituyen la sentencia: "No os conozco". El compañerismo del Espíritu, que vosotros habéis despreciado, es lo único que podría identificaros con la gozosa multitud en la fiesta nupcial. No podéis participar en esa escena. Su luz caería sobre ojos cegados, su melodía en oídos sordos. Su amor y su gozo no harían vibrar ninguna cuerda de alegría en el corazón entumecido por el mundo. Sois excluidos del cielo por vuestra propia falta de idoneidad para habitar en él.

No podemos estar listos para encontrar al Señor despertándonos cuando se oye el clamor: "He aquí el esposo", y entonces recoger nuestras lámparas vacías para llenarlas. No podemos mantener a Cristo lejos de nuestra vida aquí, y sin embargo ser hechos idóneos para su compañerismo en el cielo.

En la parábola, las vírgenes prudentes tenían aceite en las vasijas de sus lámparas. Su luz ardió con llama viva a través de la noche de vela. Cooperaron en la iluminación efectuada en honor del esposo. Brillando en las tinieblas, contribuyeron a iluminar el camino que debía recorrer el esposo hasta el hogar de la esposa, para celebrar la fiesta de bodas. Así los seguidores de Cristo han de verter luz sobre las tinieblas del mundo. Por medio del Espíritu Santo, la Palabra de Dios es una luz cuando llega a ser un poder transformador en la vida del que la recibe. Implantando en el corazón los principios de su Palabra, el Espíritu Santo desarrolla en los hombres los atributos de Dios. La luz de su gloria —su carácter— ha de brillar en sus seguidores. Así ellos han de glorificar a Dios, han de iluminar el camino a la casa del Esposo, a la ciudad de Dios, a la cena de bodas del Cordero.

La venida del esposo ocurrió a medianoche, es decir en la hora más oscura. De la misma manera la venida de Cristo ha de acontecer en el período más oscuro de la historia de esta tierra. Los días de Noé y Lot pintan la condición del mundo precisamente antes de la venida del Hijo del hombre. Las Escrituras, al señalar este tiempo, declaran que Satanás obrará con todo poder y "con todo engaño de iniquidad". (2 Tesalonicenses 2:9, 10.) Su forma de obrar es revelada claramente por las tinieblas que van rápidamente en aumento, por la multitud de errores, herejías y engaños de estos últimos días. No solamente está Satanás cautivando al mundo, sino

que sus mentiras están leudando las profesas iglesias de nuestro Señor Jesucristo. La gran apostasía se desarrollará hasta llegar a las tinieblas de la medianoche, impenetrables como negro saco de cilicio. Para el pueblo de Dios será una noche de prueba, una noche de lloro, una noche de persecución por causa de la verdad. Pero en medio de esa noche de tinieblas, brillará la luz de Dios.

El hizo que "de las tinieblas resplandeciese la luz". (2 Corintios 4:6.) Cuando "la tierra estaba desordenada y vacía, las tinieblas estaban sobre la haz del abismo", "el Espíritu de Dios se movía sobre la haz de las aguas. Y dijo Dios: Sea la luz: y fue la luz". (Génesis 1:2, 3.) De la misma manera, en la noche de las tinieblas espirituales, es emitida la orden divina: "Sea la luz". El dice a su pueblo: "Levántate, resplandece, que ha venido tu lumbre, y la gloria de Jehová ha nacido sobre ti". (Isaías 60:1.)

"He aquí —dicen las Escrituras— que tinieblas cubrirán la tierra y oscuridad los pueblos: mas sobre ti nacerá Jehová, y sobre ti será vista su gloria". (Isaías 60:2.)

El mundo está envuelto por las tinieblas de la falsa concepción de Dios. Los hombres están perdiendo el conocimiento de su carácter, el cual ha sido mal entendido y mal interpretado. En este tiempo, ha de proclamarse un mensaje de Dios, un mensaje que ilumine con su influencia y salve con su poder. Su carácter ha de ser dado a conocer. Sobre las tinieblas del mundo ha de resplandecer la luz de su gloria, de su bondad, su misericordia y su verdad.

Esta es la obra bosquejada por el profeta Isaías en las palabras: "Levanta fuertemente tu voz, anunciadora de Jerusalén; levántala, no temas; di a las ciudades de Judá: ¡Veis aquí el Dios vuestro! He aquí que el Señor Jehová vendrá con fortaleza, y su brazo se enseñoreará: he aquí que su salario viene con él, y su obra delante de su rostro". (Isaías 40:9, 10.) Aquellos que esperan la venida del Esposo han de decir al pueblo: "¡Veis aquí el Dios vuestro!" Los últimos rayos de luz misericordiosa, el último mensaje de clemencia que ha de darse al mundo, es una revelación de su carácter de amor. Los hijos de Dios han de manifestar su gloria. En su vida y carácter han de revelar lo que la gracia de Dios ha hecho por ellos.

La luz del Sol de justicia ha de brillar en buenas obras, en palabras de verdad y hechos de santidad.

Cristo, el resplandor de la gloria del Padre, vino al mundo como su luz. Vino a representar a Dios ante los hombres, y de él está escrito que fue ungido "de Espíritu Santo y de potencia" y "anduvo haciendo bienes". (Hechos 10:38.) En la sinagoga de Nazaret dijo: "El Espíritu del Señor es sobre mí, por cuanto me ha ungido para dar buenas nuevas a los pobres: me ha enviado para sanar a los quebrantados de corazón; para pregonar a los cautivos libertad, y a los ciegos vista; para poner en libertad a los quebrantados: para predicar el año agradable del Señor". (Lucas 4:18, 19.) Esta era la obra que él recomendó a sus discípulos que hicieran. "Vosotros sois la luz del mundo", dijo él. "Así alumbre vuestra luz delante de los hombres, para que vean vuestras

obras buenas, y glorifiquen a vuestro Padre que está en los cielos". (Mateo 5:14, 16.) Esta es la obra que el profeta Isaías describe cuando dice: "¿No es que partas tu pan con el hambriento, y a los pobres errantes metas en casa; que cuando vieres al desnudo, lo cubras, y no te escondas de tu carne? Entonces nacerá tu luz como el alba, y tu salud se dejará ver presto; e irá tu justicia delante de ti, y la gloria de Jehová será tu retaguardia". (Isaías 58:7, 8.)

De esta manera, en las noches de tinieblas espirituales, la gloria de Dios ha de brillar por medio de su iglesia, al levantar ésta a los quebrantados y consolar a los dolientes.

En torno de nosotros, por todas partes se oyen los lamentos de tristeza del mundo. Por doquiera están los necesitados y afligidos. A nosotros nos toca ayudarlos a aligerar y suavizar las durezas y la miseria de la vida.

La obra práctica tendrá mucho más efecto que el mero sermonear. Hemos de dar alimento al hambriento, vestir al desnudo y proteger al que no tiene hogar. Y se nos llama a hacer más que esto. Unicamente el amor de Cristo puede satisfacer las necesidades del alma. Si Cristo habita permanentemente en nosotros, nuestros corazones estarán llenos de divina simpatía. Las fuentes selladas del amor fervoroso, semejante al de Cristo, serán abiertas.

Dios nos pide para los necesitados no sólo nuestros dones, sino un semblante alegre, palabras llenas de esperanza, un bondadoso apretón de manos. Cuando Cristo sanaba a los enfermos, colocaba sus manos sobre ellos. De la misma manera debemos nosotros colocarnos en íntimo contacto con aquellos a quienes tratamos de beneficiar.

Hay muchas personas que han perdido la esperanza. Devolvedles la luz del sol. Muchos han perdido su valor. Habladles alegres palabras de aliento. Orad por ellos. Hay personas que necesitan el pan de vida. Leedles de la Palabra de Dios. Muchos están afectados de una enfermedad del alma que ningún bálsamo humano puede alcanzar y que ningún médico puede curar. Orad por esas almas. Llevadlas a Jesús. Decidles que hay bálsamo en Galaad y que también hay allí Médico.

La luz es una bendición, una bendición universal que derrama sus tesoros sobre un mundo ingrato, impío, corrompido. Tal ocurre con la luz del Sol de justicia. Toda la tierra, envuelta como está en las tinieblas del pecado, del dolor y el sufrimiento, ha de ser iluminada con el conocimiento del amor de Dios. Ninguna secta, categoría o clase de gente ha de ser privada de la luz que irradia del trono celestial.

El mensaje de esperanza y misericordia ha de ser llevado a los confines de la tierra. El que quiere, puede extender la mano y asirse del poder de Dios, y hacer paz con él, y hallará paz. Ya no deben los paganos seguir envueltos en las tinieblas de medianoche. La lobreguez ha de desaparecer ante los brillantes rayos del Sol de justicia. El poder del infierno ha sido vencido.

Pero ningún hombre puede impartir lo que él mismo no ha recibido. En la obra de Dios, la humanidad no puede generar nada. Ningún hombre puede por su propio esfuerzo convertirse en un portaluz de Dios. Era el áureo aceite vertido por los mensajeros celestiales en los tubos de oro, para ser conducido del recipiente de oro a las lámparas del santuario, lo que producía una luz continua, brillante y resplandeciente. Es el amor de Dios continuamente transferido al hombre lo que lo capacita para impartir luz. En el corazón de todos los que están unidos a Dios por la fe, el áureo aceite del amor fluye libremente, para brillar en buenas obras, en un servicio real y sincero por Dios.

En la inconmensurable dádiva del Espíritu Santo se hallan contenidos todos los recursos del cielo. No es por causa de restricción alguna por parte de Dios por lo que las riquezas de su gracia no fluyen hacia la tierra, a los hombres. Si todos tuvieran la voluntad de recibir, todos serían llenados de su Espíritu.

Es el privilegio de toda alma ser un canal vivo por medio del cual Dios pueda comunicar al mundo los tesoros de su gracia, las inescrutables riquezas de Cristo. No hay nada que Cristo desee tanto como agentes que representen al mundo su Espíritu y carácter. No hay nada que el mundo necesite tanto como la manifestación del amor del Salvador mediante la humanidad. Todo el cielo está esperando que haya canales por medio de los cuales pueda derramarse el aceite santo para que sea un gozo y una bendición para los corazones humanos.

Cristo ha hecho toda provisión para que su iglesia sea un cuerpo transformado, iluminado con la Luz del mundo, que posea la gloria de Emanuel. Es su propósito que todo cristiano esté rodeado de una atmósfera espiritual de luz y paz. Desea que nosotros revelemos su propio gozo en nuestra vida.

La morada del Espíritu en nuestro corazón se revelará por la manifestación del amor celestial. La plenitud divina fluirá a través del agente humano consagrado, para ser luego transmitida a los demás. El Sol de justicia "en sus alas traerá salud". (Malaquías 4:2.) Así también de todo verdadero discípulo ha de emanar una influencia productora de vida, valor, utilidad y verdadera sanidad.

La religión de Cristo significa más que el perdón del pecado; significa la extirpación de nuestros pecados y el henchimiento del vacío con las gracias del Espíritu Santo. Significa iluminación divina, regocijo en Dios. Significa un corazón despojado del yo y bendecido con la presencia permanente de Cristo. Cuando Cristo reina en el alma, hay pureza, libertad del pecado. Se cumple en la vida la gloria, la plenitud, la totalidad del plan evangélico. La aceptación del Salvador produce un resplandor de perfecta paz, y amor perfecto, de perfecta seguridad. La belleza y fragancia del carácter de Cristo, reveladas en la vida, testifican de que Dios ha enviado ciertamente a su Hijo al mundo, para ser su Salvador.

Cristo no pide que sus seguidores luchen por brillar. El dice: Dejad que brille vuestra luz. Si habéis recibido la gracia de Dios, la luz está en vosotros. Quitad los impedimentos, y la gloria del Señor se revelará. La luz brillará, para penetrar y disipar las tinieblas. No podéis dejar de brillar en vuestra esfera de influencia.

La revelación de su propia gloria en la forma humana, acercará tanto el cielo a los hombres que la belleza que adorne el templo interior se verá en toda alma en quien more el Salvador. Los hombres serán cautivados por la gloria de un Cristo que mora en el corazón. Y en corrientes de alabanza y acción de gracias procedentes de muchas almas así ganadas para Dios, la gloria refluirá al gran Dador.

"Levántate, resplandece; que ha venido tu lumbre, y la gloria de Jehová ha nacido sobre ti". (Isaías 60:1.) Este mensaje se da a aquellos que salen al encuentro del Esposo. Cristo viene con poder y grande gloria. Viene con su propia gloria y con la gloria del Padre. Viene con todos los santos ángeles. Mientras todo el mundo esté sumido en tinieblas, habrá luz en toda morada de los santos. Ellos percibirán la primera luz de su segunda venida. La luz no empañada brillará del esplendor de Cristo el Redentor, y él será admirado por todos los que le han servido. Mientras los impíos huyan de su presencia, los seguidores de Cristo se regocijarán. El patriarca Job, mirando hacia adelante, al tiempo del segundo advenimiento de Cristo, dijo: "Al cual yo tengo de ver por mí mismo, y mis ojos le mirarán; y ya no como a un extraño". (Job 19:27, VM.) Cristo ha sido un compañero diario y un amigo familiar para sus fieles seguidores. Estos han vivido en contacto íntimo, en constante comunión con Dios. Sobre ellos ha nacido la gloria del Señor. En ellos se ha reflejado la luz del conocimiento de la gloria de Dios en la faz de Jesucristo. Ahora se regocijan en los rayos no empañados de la refulgencia y gloria del Rey en su majestad. Están preparados para la comunión del cielo; pues tienen el cielo en sus corazones.

Con cabezas levantadas, con los alegres rayos del Sol de justicia brillando sobre ellos, regocijándose porque su redención se acerca, salen al encuentro del Esposo, diciendo: "He aquí éste es nuestro Dios, le hemos esperado, y nos salvará". (Isaías 25:9.)

"Y oí como la voz de una grande compañía, y como el ruido de muchas aguas, y como la voz de grandes truenos, que decía: Aleluya: porque reinó el Señor nuestro Dios Todopoderoso. Gocémonos y alegrémonos y démosle gloria; porque son venidas las bodas del Cordero, y su esposa se ha aparejado... Y él me dice: Escribe: Bienaventurados los que son llamados a la cena del Cordero". El "es el Señor de los señores, y el Rey de los reyes: y los que están con él son llamados, y elegidos, y fieles". (Apocalipsis 19:6-9; 17:14.).